일제하 서구문화의 수용과 근대성

The Adoption of Western Culture and Modernity in the Japanese Colonial Period

Chung, Yong-Hwa · Kim, Young-Hee Etc.

이 저서는 2003년도 한국학술진흥재단의 지원에 의하여 연구되었음
(KRF-2003-005-A00004)

연세국학총서 99
일제하 한국사회의 근대적 변화와 전통 2

일제하 서구문화의 수용과 근대성

정용화 · 김영희 외 지음

혜안

책머리에

오늘날 우리들의 모습을 바라보면서 우리는 언제부터 현재의 모습으로 살아왔는가를 곰곰이 생각해본다. 자본주의 경제제도, 대의민주주의 정치체제, 서구적 삶의 양식들, 분명 오늘날 우리 사회와 우리 자신을 구성하고 있는 많은 부분들이 서구 근대사회의 문물에 연원을 두고 있다.

이 같은 사회제도와 사유구조, 생활양식을 이념적으로 또는 실제적으로 본격적으로 받아들였던 시점은 일제시대로 거슬러 올라간다. 당시 사람들이 동경했던 것은 '신사조'와 '신문물', 이른바 신문화였고 그것의 실제적 내용은 서구 근대사회의 것이었음에 틀림없다. 하지만 그것은 상당 부분 일제를 매개로 해서 받아들여졌다. 당대의 사람들은 일제라는 프리즘을 통해서 세계를 바라보았다. 일제가 서구문화를 받아들이면서 번역해놓은 각종 개념어, 용어를 통해서 학문과 일상문물을 받아들이고 사고했고, 이를 통해 자기 삶의 세계를 변화시켜 왔다.

그런데 일제하 신문화의 수용 과정에는 복합적인 요소들이 작용하였다. 우선 '신사조' '신문물'이라는 이름으로 당대인들이 동경했던 서구 근대사회의 사조와 문물이 존재한다. 또 '신사조' '신문물'이 압도적으로 일본을 매개로 받아들여짐으로써 대부분 일본적 번안물의 형태로 접촉되었고, 나아가서 그것의 수용, 유통, 향유, 재생산 과정 자체가 기본적으로 일제가 짜놓은 사회적 장 안에서 이루어졌다. 하지만 다른 한편으로 그때까지 우리가 발전시켜온 사회구조/제도 및 사유가 '신사조' '신문물'을 좀더 친화적으로 수용케 한 점 즉, 신문물이 이전의 경험 속에 통합되고 변용되었을 가능성도 있었다. 또한 이전의 전통과 지향이 신문물의 수용과 보급으로 왜곡 변질되었을 가능성도 높았다.

따라서 이 책은 일제하 신문화의 수용과 확산이 어떻게 현실화되었는지를 밝히는 데 목적을 두고 있다. 새로운 문물은 기본적으로 서구 근대사회에 근원을 두면서 일제를 매개로 수용되고, 조선의 전통과 접촉하면서 통합된다. 여기서는 새로운 문물과 조선의 전통이 상호 변용 과정을 거치는 현상과 내용을 해명하려고 한다.

이 책은 연세대 국학연구원이 한국학술진흥재단의 지원을 받아 수행한 연구프로젝트 결과물의 하나이다. 국학연구원은 다음과 같이 2001년부터 '근대화 · 세계화와 한국사회의 발전논리'라는 대주제 아래 3단계, 6개년에 걸친 연구를 했는데, 본 연구는 2단계 연구의 일부에 해당한다.

대주제 : 근대화 · 세계화와 한국사회의 발전논리

제1단계 2개년 연구주제 : 개항전후 한국 전통사회의 변동과 근대화의 모색

제2단계 2개년 연구주제 : 일제하 한국사회의 근대적 변화와 전통

제3단계 2개년 연구주제 : 분단체제하 남북한의 사회변동과 민족통일의 전망

제1단계 연구결과는 이미 아래 3권의 책으로 출판되었다.

『개항전후 한국사회의 변동』, 태학사, 2006

『전통의 변용과 근대화의 모색』, 태학사, 2004

『서구문화의 수용과 근대개혁』, 태학사, 2004

본서가 속해 있는 2단계 연구는 다음과 같이 구성되었다.

총괄주제 : 일제하 한국사회의 근대적 변화와 전통
제1부 : 일제하 한국의 사회경제구조와 일상생활
제2부 : 일제하 한국 사회의 전통과 근대인식
제3부 : 일제하 신문화의 수용과 근대성

총괄과제는 조선의 사회제도와 구조, 사람들의 삶이 기본적으로 식민지배에 의해 규정 받는다는 점을 인정하면서도, 그것들이 단지 식민지배자의 일방적인 지배에 의해서 이루어지는 것이 아니었고 지배의 균열, 정책의 역상이 있었음을 드러내려고 했다. 또 조선 사람들이 자신들의 역사적인 경험과 일상의 변화를 추구하면서 자신의 삶에 적극적으로 개입하여 가는 과정도 밝히려고 했다.

이 책의 주제 '일제하 신문화의 수용과 근대성'은 자유주의 사회주의 개인주의 민족주의 계몽주의와 같은 이념, 새로운 문화양식과 생활양식의 수용, 이념이나 문화의 수용에 따른 새로운 사회집단의 형성과 이들의 활동 내용에 이르기까지 폭넓은 내용을 포괄한다. 이들 영역에 걸쳐 있는 소주제들을 역사학, 정치학, 국문학, 교육학 등의 공동 연구를 통해서 이들 여러 측면이 상호 침투하고 얽히면서 형성하는 종합적 국면까지도 해명하려고 노력했다.

이 책은 다음과 같은 소주제들로 구성되었다.

① 1920년대 초 계몽담론의 특성 : 문명・문화・개인을 중심으로
② 근대적 개인의 형성과 민족 : 일제하 한국자유주의의 두 유형
③ 조선박람회와 식민지 근대

④ 유흥의 공간, 새로운 직업여성의 등장
⑤ 일제하 기독교 신여성의 근대인식과 근대성에 대한 재고
⑥ 식민지 시대 소설에 나타난 사회주의자의 형상 연구 : 김남천 소설을 중심으로
⑦ 전시기 오락정책과 '문화'로서의 우생학

정용화는 「1920년대 초 계몽담론의 특성」에서 1920년대 초 계몽담론의 특성을 19세기 말 문명개화론과 관련지어 검토하고 있다. 그는 일제하의 계몽운동은 근대성과 식민성의 딜레마, 모방과 정체성의 딜레마, 사적 자유와 공적 자유의 관계 등 근본적인 모순과 긴장을 안고 있었음을 검토했다. 1920년대 초 문화주의 계몽담론은 근대 서구문명의 '보편성'에 압도되어 결국 식민주의에 함몰되었는데, 이것은 19세기 말 문명개화론이 보편주의의 함정에 빠져 정치적 리얼리즘을 결여한 것과 같은 맥락에서 '연속'된 것으로 보았다. 한편 개인과 정치공동체를 분리하고 독립과 자강의 과제를 개인의 차원으로 귀속시킨 것은 국가로 회수되지 않을 근대적 개인의 탄생을 촉발시켰다고 보았다. 그리고 일제하 개인의 자유가 사적 영역에 제한되고 공적 영역으로 확장되지 못한 점은 있었지만, 사적 영역의 고유성을 인정받고자 한 노력은 자유주의의 발전에 필수불가결한 요건을 마련하는데 기여했다고 평가했다.

또한 그는 일제하 한국자유주의를 사적 자유(또는 근대적 개인의 형성)와 공적 자유(또는 민족자결)의 관계를 기준으로 두 가지 유형으로 분류했다(「근대적 개인의 형성과 민족」). 하나는 양자를 분리하는 가운데 전자를 우선하는 경향이고, 다른 하나는 양자를 불가분의 관계로 연계하여 동시에 추구하는 경향이다. 민족주의 관점에서는 당연히 두 번째 경향이 더 높이 평가되겠지만, 자유주의 관점에서 보면 첫 번째

경향 역시 자유주의적 가치/근대적 개인을 지키고 성장시킬 수 있었다고 보았다. 또 한국자유주의는 다채로운 스펙트럼으로 여러 편차가 있지만, 이 두 경향은 곧 한국자유주의의 속성을 대변하는 것으로 볼 수 있다는 것이 기본가설이다. 이 글에서는 이 두 경향을 대표하는 인물로서 윤치호와 안창호의 자유주의를 비교 분석하고 있다. 윤치호가 개인과 민족을 구분하고 사적 자유를 우선하는 경향을 보였다면, 안창호는 개인과 민족을 불가분의 관계로 연결하고 사적 자유와 공적 자유를 통합하는 모습을 보였다. 정용화의 두 글을 통해 자유주의/근대적 개인은 일제하에서도 성장하고 있었지만, 정치적으로 공적 자유가 박탈된 상황에서는 개인의 사적 자유의 공간마저 위협당했기 때문에, 사적 자유의식을 발전시키는 한편 공적 자유의 필요성을 절감하게 되었으며, 이는 식민지 지배체제로부터의 해방을 궁극적으로 추구하게 했음을 알 수 있었다.

김영희는 「조선박람회와 식민지 근대」에서 1929년 조선박람회를 통해서 재구성된 조선의 이미지와 그에 따라 형성된 조선인의 정체성을 일반 민중과 지식인으로 나누어 식민성, 근대성, 정체성의 문제를 검토하였다. 조선박람회는 제국 일본의 존재를 각인시키고 민족적 차별과 억압의 원리가 작동하는 공간이었다. 또한 식민화와 함께 근대화를 동시에 볼 수 있는 공간이었다. 일부에서 박람회의 식민성을 비판하거나 그 기능을 부정한다고 해도, 대부분 관람객에게 박람회는 지향해야 할 '문명'의 가치를 체현한 장으로 다가왔다. 박람회를 직접 구경하지 않았던 사람들 사이에도 '박람회'는 '새로운 것' '우월한 것'을 상징하는 개념으로 수용되고 있었다는 것이 저자의 입장이다. 한편 일제가 주도하여 조선의 문화를 규정하고 재현한 결과, 식민지 조선에 대한 하나의 정형화된 이미지가 창출되었다. 전시관과 전시물을 통해 어설프고 잡다하게 재구성된 전통의 이미지가 거듭 재생되면서, 조선은 낡음과 부정의 표상이 되었다. 이에 조선민중은 자기 근본에 대한 자부심과 구심점을 상실한 채 공허한 무력감에 방황하고, 그 빈 곳에 억압적인 열등의식이 집단심성의 한 갈래로 내재하는 양상을 띠었다는 것이다. 이 같은 집단심성은 끊임없이 외부의 시선과 가치에 규정받으면서 부유(浮遊)하게 되고, 어떤 보편적 문화가 등장할 때마다 쉽게 거기에 경도될 수 있는 식민지적 정체성을 배태했음을 분석했다. 일제의 박람회 정책은 조선민중의 의식과 생활공간에서 '민족'을 후퇴시키고, 열등의식과 외부 추수(追隨)의 식민지적 정체성을 창출하는 데 일정하게 기여했음을 해명했다.

김선경은 「유흥의 공간, 새로운 직업여성의 등장」에서 일제시대의 새로운 도회풍경과 사람들의 생활양식을 만들어내는 데 일조했던 유흥 문화 공간이 형성되는 추이와 그 속에서 활동하는 직업인으로서 새로운 직업여성의 등장 과정을 살펴보았다. 유흥 문화 공간은 근대적 개인의 성장 즉, 개인 단위의 사회적 관계맺음이 확산되면서 개인들 간에 이루어지는 사회적 관계를 담을 공간의 필요성 때문에 형성되었고, 이 공간에 자본이 투입됨으로써 확산되었다고 보았다. 유흥 문화 공간을 생업 장소로 삼는 기생 여급은 바로 그 자신 개인으로서 자본에 고용된 근대적 직업인이었다. 그러나 일제가 기예를 업으로 하는 기생까지 성병 검진을 받도록 하여 매춘부와 같은 범주에 포함시키려고 하였고, 이런 정책이 사회적으로 이들을 매음부, 매춘부로 인식하는 데 영향을 미쳤다고 한다. 기생들은 자신들을 매춘부로 규정하려는 일제의 정책과 사회적 시선에 맞서 기예와 접대 서비스를 제공하면서, 여급과 함께 서구적 취향도 몸에 익혀 대중문화를 선도해가는 직업인으로 자신을 자리매김하려고 했다고 보았다. 이렇듯 사회적 시선과 존재 규정에 대응하여 자신의 직업적 정체성을 확립하고 자신의 인간적 존엄성을 지키려고 했던 이들의 노력과 그 속에서 느낀 고뇌는 여전히 오늘날 직업여성에게 공명하는 바 크다고 강조했다.

이윤미는 「일제하 기독교 신여성의 근대인식과 근대성에 대한 재고」에서, 근대 여성교육에서 독보적 지위를 인정받아 온 기독교 여성교육의 '근대성'에 대해 비판적으로 논의한다. 기독교는 서구적 근대성의 상징으로 부각되어 왔고 여성교육은 기독교계 교육활동에 있어 가장 큰 공헌의 하나로 평가되기도 하였다. 그러나 이 글에서는 기독교적 근대는 그 한계로 인하여 매우 제한적 의미에서의 '서구적 근대'이며, 오히려 그 가부장성과 정치적 보수성으로 인하여 일제의 여성정책에 동조하기 쉬운 성향을 지니기도 했음을 분석했다. 즉, 기독교가 전통사회와의 관계에서 지니고 있던 대체적 이념으로서의 성격 때문에 여성에게 종교적 효과와 함께 남녀평등의 관념을 제공하는 나름대로의 진보성을 지닌 측면도 있었지만, 이러한 진보적 효과는 대중교육이 일반화하면서 기독교 논리가 지닌 사회적 보수성으로 대체되어 갔다고 보았다. 따라서 여성교육과 관련하여 자주 가정되는 기독교=서구=진보적이라는 암묵적 등식 안에는 비약이 있음을 알 수 있으며 여성교육의 목표나 효과와 관련해 볼 때 이 등식은 성립하기 어렵다고 주장하였다.

공임순은 「식민지 시대 소설에 나타난 사회주의자의 형상 연구」에서 김남천의 소설을 중심으로 '전향' 이후 사회주의자의 형상을 드러난 것과 드러나지 않은 것 사이의 긴장에 입각해서, 세밀한 묘사가 감추고 봉쇄하고 있는 폭력과 자기 위안의 메커니즘을 추적하고자 했다. 여기에는 묘사와 폭력 그리고 젠더화의 기제가 동시적으로 작용하고 있다고 보았다. 김남천의 '전향소설'을 '리얼함'과 발화자의 시선/욕망으로 재접근한 이 논문은 식민지 시대 지식인들의 '전향'에 관한 또 다른 이면을 추적하는 작업이자 비판적 리얼리즘을 뒷받침하는 '리얼함'의 구성 원리에 대한 재조명과 비판을 포함한다. 이른바 있는 그대로의 현실을 재현한다는 리얼리즘적 수사에 가려 발화자의 욕망은 은폐/봉합되고, 이로 인해 '전향'의 체제 내적 논리에 대한 근본적인 재성찰은 차단되고 말았다는 것이 이 논문의 주요 논지이다. 이는 여성을 타자화하고 여성의 육체를 속물화함으로써 이들과는 다른 자신의 상(이미지)을 구축하고자 했던 식민지 지식인의 자기 방어 체계가 '전향'의 밑바닥을 들여다보는 자기 성찰을 가로막았기 때문이었다고 보았다.

김예림은 「전시기 오락정책과 '문화'로서의 우생학」에서 일제 말기 일본의 총력전 시스템에서 신체정치가 어떠한 방식으로 이루어졌는지 그리고 그 작동이 우생학적 상상력과 어떠한 내적 관계를 가지고 있는가를 구명하였다. 지금까지 식민지 근대 신체정치에 대한 연구가 주로 의사학적 관점, 제도적 관점에서 분석되었던 것과 달리, 이 글에서는 우생학이 특히 문화와 일상의 장에서 변형되어 오락과 스포츠라는 '여가'의 장과 어떻게 접속하고 있는가를 논하고 있다. 이런 관점에서 볼 때, 중일전쟁기와 태평양전쟁기라는 제국이 벌인 총력전 상황에서 식민지 조선에 오락정책과 스포츠, '명랑성'에 대한 강조가 이루어졌던 사실은 식민지 권력의 '유화적' 작동방식과 관련하여 매우 문제적인 지점이 아닐 수 없다고 보았다. 저자는 이 시기 피식민 주체의 정신과 신체를 '전쟁무기'로 양성하는 메커니즘을 '경성우생학'과 '연성우생학'으로 크게 구분하고, 특히 연성우생학의 문화정치학에 대한 비판적 접근을 시도하고 있다. 즉, 조선인의 신체를 병사의 신체로 육성시키기 위한 위생론, 보건기술, 질병치료 등의 정책이 하이킹, 체육, 향토 오락과 같은 신체조형술과 함께 '장려와 조성'의 연성우생학에 속했다. 그리고 연성우생학이 일상생활과 풍속의 영역으로 밀착해 들어오면서, 조선인의 신체는 취미, 오락, 여행 등과 같은 잉여의 형식으로 전장터에서 피흘릴 것을 일상에서 즐겁게 준비하도록 육성되었다고 보았다. 따라서 오락, 명랑성, 건전성에 대한 배타적 강조는 이런 점에서 일본의 전시 이데올로기의 심층을 드러낸다고 하겠다.

이 책을 통해 식민지 시대의 사상과 문화, 조선인의 삶은 근대성, 식민성, 민족주의의 복합적인 관계 속에서 파악되어야 한다는 점을 구체적인 사실을 가지고 확인할 수 있었다. 식민지 현실에서 근대성의 가치가 강조될수록 식민성이 더욱 강화되고, 이 과정에서 민족의 가치는 근대적 개인의 성장과 계층별, 성별의 고유한 가치를 제한하거나 회수하기도 했다. 서구적 기준의 근대국가로의 문명화와 함께 국가/민족의 문화적 특수성/전통 사이의 상호 긴장과 갈등 관계는 개항기 이래 계속되었다. 또 당대인들은 국망 현실의 대안으로서 문명화/서구화의 보편주의를 선호하는 경향도 두드러졌다. 그러나 서구문명의 보편적 추구는 전통의 부정, 변용 그리고 정체성의 재구성 문제로 발전했는데, 이 점은 정용화의 계몽담론과 김영희의 조선박람회 글에서 분석되었다. 세계적 차원의 문화 발전 추세에 발맞추는 보편주의 추구는 식민지 현실 망각, 외부 추수적 집단심성의 형성에 영향을 주어, 조선인 정체성이 식민지적 정체성으로 재구성되는 문제를 야기했다.

자유주의 정치이념, 자본주의 경제제도, 근대적 교육, 기독교의 보급 등은 근대적 개인의 성장을 촉발했고, 이 같은 조건 아래 개인 단위의 사회적 관계맺음이 확산되었다. 이 과정에서 신여성, 직업여성이 등장할 수 있었고, 이들은 가부장적 사회의 시선에 맞서 자신의 존재에 대해 자의식을 가지고 사회적 활동 영역을 넓혀가고 있었음을 김선경, 이윤미 논문을 통해 확인할 수 있었다. 그러나 신여성, 서구적 근대, 문명과 같은 근대적 이미지가 사회와 일상적 삶에 각인될 수 있었던 이유는 기독교 선교/기독교계 여성교육 이외 여러 변수가 있었음을 보여주었다. 기독교적 근대가 서구적 근대로 동일시하는 관계, 기존 조선사회의 전통적 조건에서 상대적으로 부각된 새로움에 대한 동경과 열망 등이 결합되었던 것이다. 이런 현상을 관통하는 핵심 기제는 문명담론이었다. 문명과 야만, 서구와 조선의 이분법적 구도에서 야만 상태의 조선을 문명, 진보시켜야 한다는 식민담론이 재생산되었고, 조선의 근대성은 왜곡되고 제한적일 수밖에 없었다. 이런 구도는 일제시대 모든 분야와 일상적 삶을 관통하였고, 이 책의 글 대부분에도 언급되었다. 그리고 공임순과 김예림의 글에서는 전향 논리의 폭력성 은폐와 함께 전시 건전 오락과 괴리된 도시적 정신적 퇴폐상을 묘사하고, 병사의 신체 개발과 사적 유희의 공존 문제를 다루었다.

이 공동연구가 책으로 간행될 수 있었던 것은 글을 쓴 저자들의 기여가 무엇보다 크지만 이에 못지않게 여러 도움을 받았다. 이 연구 과제를 운영하는 데 참여한 김도형·홍성찬·방기중·김동노 교수 등과 연구교수들이 연구 기획과 구체적인 진행에 많은 노력을 기울였다. 또 연구의 진행에 대학원 석박사 과정생이 보조연구원으로 참여했으며 글의 편집과 교정에는 국학연구원의 고호 편집조교가 큰 힘이 되었다. 변함없이 국학총서를 간행해 주는 도서출판 혜안의 오일주 사장님과 편집진에게도 진심으로 고마움을 표한다.

2008년 2월

목 차

책머리에 5

1920년대 초 계몽담론의 특성 : 문명·문화·개인을 중심으로 | 정용화 27

1. 머리말 21
2. 문명에서 문화로 24
3. 자기/개인의 발견? 35
4. 맺음말 43

근대적 개인의 형성과 민족 : 일제하 한국자유주의의 두 유형 | 정용화 47

1. 머리말 47
2. 자유주의의 속성과 한국근대에의 의미 51
3. 윤치호의 자유주의 이해와 굴절 57
4. 안창호의 자유주의 실험과 그 변용 69
5. 맺음말 76

조선박람회와 식민지 근대 | 김영희 81

1. 머리말 81
2. 조선박람회의 식민지 조선의 이미지 84
   1) 이분법적 공간 배치 86
   2) 식민지 근대와 조선 이미지 재구성 100
3. 조선민중의 조선박람회 체험과 정체성 107

1) 조선민중의 '동원'과 호응 107
2) 계층별 반응과 식민지적 정체성 형성 110
4. 맺음말 123

유흥의 공간, 새로운 직업여성의 등장 | 김선경 127
1. 머리말 127
2. 유흥 공간의 형성 129
3. 새로운 직업여성의 출현 138
4. 맺음말 149

일제하 기독교 신여성의 근대인식과 근대성에 대한 재고 | 이윤미 151
1. 머리말 : 기독교계 신여성과 '서구적 근대'의 이미지 151
2. 초기 기독교 선교와 '문명화' : '복음화'와 '탈야만' 154
3. 기독교 신여성의 존재형태 : 종교적, 서구친화적, 가부장적 공간 161
4. 기독교 신여성의 근대 인식 : '기독교적' 근대의 차원들 168
1) 기독교 신여성이라는 범주의 문제 168
2) '탈전통'으로서의 근대 : 기독교와 '남녀평등' 171
3) 기독교적 근대와 '기독교적/ 계몽적 주부' 173
4) 기독교계의 절제운동과 일제의 가정보국운동 178
5) 문명의 방향으로서의 근대와 '서구적 근대' 184
5. 맺음말 186

식민지 시대 소설에 나타난 사회주의자의 형상 연구—김남천 소설을 중심으로 | 공임순 189
1. 들어가며 : 죄수의 형상과 구분짓기의 위계화 189
2. 현실의 무자비한 고발과 '리얼(real)하다'는 것의 의미 193
3. '전향' 사회주의자의 형상과 전향의 논리 198
4. 직업부인과 타락한 도시 여성의 타자화된 시선과 물신화된 육체 205

전시기 오락정책과 '문화'로서의 우생학 | 김예림 217

1. 머리말 217
2. '민족'이라는 거대 신체의 건강 프로젝트 224
3. 전시 우생학과 신체 오락의 문화정치 229
   1) 강화되는 열자 말소론과 위생론 229
   2) 전쟁 테크놀로지로서의 오락정책과 유희하는 병기 233
4. 맺음말 245

찾아보기 249

CONTENTS

Chung, Yong-Hwa Enlightenment Discourses during 1920's : in Modern Korea

Chung, Yong-Hwa Formation of Individual and Nation during Japanese Colonialism

Kim, Young-Hee The Chosun Exhibition and the Colonial Modern

Kim, Sun-Kyoung Place for Entertainment : Emergence of a New Class of Working Women

Lee, Yoon-Mi A Reappraisal of the Christian "New Women" and the Question of Western Modernity

Kong, Im-Soon The Study on the Figuration of Socialist in the Novel at the Colony Chosun－Focus on the Kim, Nam-Cheon's Works

Kim, Ye-Rim Wartime Entertainment Policy and Eugenics as Culture in the End of 1930s

1920년대 초 계몽담론의 특성
: 문명 · 문화 · 개인을 중심으로

정 용 화*

1. 머리말

유례가 없었던 대규모전쟁인 제1차 세계대전을 겪은 직후 세계는 그처럼 비극적인 전쟁을 초래한 문명에 대한 반성이 제기되었다. 특히 그 전쟁의 당사자였던 서구제국에서는 자신들이 이룩한 '근대'문명 자체의 모순을 재고하면서, 보다 나은 문명을 꿈꾸는 희망들이 쏟아져 나왔다. '인류' '평화' '개조' '상호부조' '문화주의' '사회주의' 등이 그러한 꿈을 담고 나온 말들이다. 18세기 계몽주의 이후 다시 한번 인류의 희망을 머금은 문명의 기획이 시도된 것이다. 이런 세계적 분위기를 맞아 한국에서도 역시 희망의 언어들이 쏟아져 나왔는데, 식민지 지배를 받고 있는 한국으로서는 더욱 절실할 수밖에 없었다. 최근 몇십 년간의 실패와 좌절을 극복하고 새로 시작해보고자 하는 욕망이 다시 일어났다. 하지만, 식민지라는 현실은 무엇을, 어떻게 시작할 것인가라는 또 다른 문제를 제기하였다.

정치적 이상은 현실을 초월할 수 있지만 정치적 실천은 구체적 현실에서부터 출발하지 않으면 안된다. 정치의 장(場)이 이미 식민화된 상

* 연세대학교 국학연구원 연구교수, 정치학

태에서 정치적 과제는 무엇보다 정치의 장을 회복하는 것, 즉 탈식민, 그리고 나아가 근대국민국가 건설에 모아지는 것은 지극히 자연스럽고 당연한 것이다. 문제는 이를 위해 구체적으로 어떻게 접근할 것인가 하는 것인데 당시의 여러 접근방법 중[1] 특히 이상주의적 세계무드와 외교적 노력의 좌절 이후 더욱 힘을 얻게 된 것이 이른바 실력양성론이다. 민족내부의 근대적 개조를 통한 힘의 육성을 추구한 이 방법은 '근대적 가치'를 '계몽'하고 재확인하는 데서부터 출발하지 않을 수 없었다.[2]

그런데 이러한 배경에서 출발한 1920년대 초 한국의 계몽담론은 자체 모순과 역설을 내포하고 있었다. 근대성의 가치를 강조할수록 식민성은 더욱 강화될 수 있기 때문이다. 이것은 식민지라는 현실에서 기인한 것이지만, 근본적으로 계몽주의 자체의 이중성에서 비롯된 것이기도 하다. 즉, 서구에서 형성된 계몽주의 자체가 근대성과 식민성의 양 측면을 포함하고 있었고, 그 모순이 식민지 현실에서 발현된 것이다. 서구의 계몽주의에서 주체는 어디까지나 서구이고 비서구는 계몽의 대상에 불과하였기 때문에, 서구의 계몽의 논리를 받아들이는 순간 제국주의 논리의 수용을 피하기 어려웠다.[3] 그러므로 식민지에서의 계

1) 당시의 접근방법은 대체로 3가지로 진행되었는데－무장투쟁을 통한 즉각적인 독립회복, 외교를 통한 국제적 합의 도출, 실력양성을 통한 내부적 준비－이 중 국내에서 활동하는 사람들의 대세를 이룬 것은 세 번째라는 것이 정설이다.

2) 근대적 가치란 개인의 자유와 평등, 이를 정치적으로 보장하는 국민국가, 자유로운 경쟁을 통한 이윤추구를 허용하는 자본주의적 경제사회체제 등을 포함한다.

3) 계몽의 기획은 서구적인 사고방식에서만 나올 수 있는 이성과 진보를 강조하는데 사이드(Edward Said)는 이성과 진보라는 계몽주의의 이상 속에 제국주의적 실천을 성공적으로 창출해내려는 과제가 숨겨져 있음을 보여준다(셸리 월리아, 김수철·정현주 옮김, 『에드워드 사이드와 역사읽기』, 서울 : 이제이북

몽은 '근대 외부'를 꿈꾸지 않는 이상 근대성과 식민성의 외줄타기에서 균형을 유지해야 하는 긴장과 딜레마를 내포하는 사업이 아닐 수 없었다. 서구적 근대의 '보편성'의 수용과 함께 묻어오는 식민성의 논리를 벗겨내고 폭로하는 정치적 리얼리즘을 필요로 하였다. 즉, 식민지 한국에서의 진정한 계몽은 서구적 근대를 '모방'하면서 동시에 식민지 현실에 '저항'하는 정치적 신중함(prudence)을 필요로 하였다. 식민지 시대의 사상과 문화는 근대성과 식민성, 그리고 민족주의의 복잡한 관계 속에서 파악될 필요가 있다.

이 글은 이러한 관점에서 식민지 시대인 1920년대 초 한국의 계몽담론의 특성을 분석하려는 것이다. 이를 위해 1880년대 문명개화론에서부터 시작된 계몽담론이 정치환경의 변화, 특히 국망 이후 어떻게 변화하는지 살펴보고자 한다. 기존의 연구들은 대체로 1910년을 기준으로 분절적으로 다루어 사상의 내재적 연관성을 밝혀내는 데 소홀하였던 것으로 보인다. 또한 민족주의와 제국주의의 이분법적 사고가 지배하여 계몽담론 내의 편차와 딜레마를 드러내는 데 충분치 못하였던 것으로 보인다.[4] 이 글에서는 19세기 말의 문명개화론과 1920년대 초의 문화론이 어떤 '연속'과 '차이'를 보이는지에 주의하고자 한다. 구체적으로 '문명'과 '문화'의 개념과 그 속성을 비교하여 그 연속성을 증명하고, 자기/개인의식의 성장이라는 차원에서 그 차이를 드러내고자 한다. 그리고 그것이 식민지 현실에서 어떻게 기능하는지를 비판적으로 검

스, 2003, 49쪽).

4) 한국근대 계몽담론에서 문명, 문화, 개인에 관한 기존의 연구 중 대표적인 몇 편을 들자면, 김붕구, 「신문학 초기의 계몽사상과 근대적 자아」, 『한국인과 문학사상』, 일조각, 1964 ; 김현주, 『이광수와 문화의 기획』, 태학사, 2005 ; 류준필, 「'문명' '문화' 관념의 형성과 '국문학'의 발생」, 『민족문학사연구』 18, 민족문학사연구회, 2001 ; 박주원, 「근대적 '개인', '사회'개념의 형성과 변화 - 한국자유주의의 특성에 대하여」, 『역사비평』 2004년 여름호 등이 있다.

토하고자 한다. 시기적으로는 사회주의 담론의 본격적인 등장으로 계몽담론이 분화되기 이전까지를 대상으로 한다.[5] 그러므로 '1920년대 초'의 자료는 주로 『개벽』을 대상으로 한다. 이것은 뒤이은 동아일보의 문화담론을 이해하는 배경이 될 수 있을 것이다.

2. 문명에서 문화로

1920년대 초 계몽담론을 주도하였던 잡지 『개벽』은 1921년 7월 창간 1주년을 기념하는 특집호의 권두논문에서 '개화' '문명' '문화'의 개념을 다음과 같이 구분하였다.

> 이 3개 용어는 본래 의의상(意義上) 대(大)한 차위(差違)가 있는 것은 아니다. 그러나 그 용어의 발전한 형적(形跡)으로 보면 다소의 차이점이 없지 않다 하나니 즉, 개화는 미개하였던 사회가 처음으로 형식상 혹은 정신으로 눈을 열었다 함이니 이를 일일의 과정으로 말하면 욕명미명(欲明未明)한 효두(曉頭)라 하는 말과 흡사함이요, 문명이라 하는 것은 정신이나 형식에 찬연한 문물이 전개하였다는 의미일지나 그러나 대체 문명이라 하면 저간에 정신으로 보다 물질적이라 하는 편이 과중하여졌다 하는 의미이며, 문화라 함은 그의 반동으로 정신적에 치중되는 말이라 함이 대체 일반보편의 용인(容認)이라.[6]

즉, 개화·문명·문화 개념이 큰 차이는 없음을 전제로 하여 약간의

5) 한국에서 사회주의 담론이 본격적으로 경쟁하게 되는 시기를 1922년 '김윤식 사회장'논쟁으로 보는 경향이 있는데 본고는 일단 이에 따르고자 한다.
6) 이돈화, 「민족적 체면을 유지하라」, 『개벽』 8, 1921 ; 이돈화, 「혼돈으로부터 통일에」, 『개벽』 13, 1921, 5~6쪽.

어감상의 차이를 지적하고 있다. 그리고 개화가 변하여 문명이 되고 문명이 변하여 문화가 되는 것을 '진보'의 과정으로 파악하고, 조선에서 이러한 용어가 일부 지사정객을 넘어 민간에서 유행하게 된 것은 개화가 1894년 청일전쟁 이후, 문명은 1904년 러일전쟁 이후, 문화는 1919년 제1차 세계대전 이후라고 설명하고 있다.[7] 여기에서 확인할 수 있는 것은 '개화' '문명' '문화'가 연속적인 발전과정의 개념으로 이해되고 있다는 점이다. 즉, 1920년대 초 계몽담론의 특성 중 하나인 '문화주의'가 1920년 초의 정치환경에서 돌발적으로 나타난 것이 아니라 그 사상적 기원을 1880년대 이래의 '문명개화'론에 두고 있다는 것이다.

조선의 문명개화론은 1880년대 초 개화당을 중심으로 하여 형성된 것으로서 일본의 문명개화론에 뿌리를 두고 있었다. 조선에서는 '문명'이라는 말은 생략된 채 주로 '개화'라는 말로 쓰였지만, 그 안에는 기존의 문명관의 역전을 내포하고 있었다. '소중화'를 자부했던 위정척사론자들이 유교문명을 정(正)이자 보편으로 서구문명을–'특수'도 아닌[8]–사(邪)로 본 반면, 문명개화론자들은 서구문명을 보편으로 유교문명을 특수로 보았다. 문명개화론자들에게 문명의 표준이자 모델은 전통의 유교문명이 아니라 서구의 근대문명이었다. 조선의 문명개화론을 체계화한 유길준의 이론적 바탕은 문명진보사관에 있었다. 인류역사는 '야만'에서 '반개'를 거쳐 '문명'의 단계로 진보한다는 단선적 역사관은 서구의 현상태를 정점으로 하여 모든 나라들을 위계적으로 배치하였다.[9]

---

7) 이돈화, 위의 논문, 1921, 4~5쪽.

8) 위정척사론자들은 서구문명을 '야만'에도 미치지 못하는 '금수'로 보았다. 서구문명을 (유교문명의) '보편'에 대한 '특수'의 관점으로 평가하기 시작한 것은 이른바 '동도서기'론자에 이르러서 이다.

9) 유길준, 『서유견문』, 1895, 제14편(일조각, 1995 재간행). 이하 문명개화론에 관한 서술은 정용화, 『문명의 정치사상 : 유길준과 근대한국』, 서울 : 문학과 지성사, 2004, 제2장 ; 정용화, 「한국인의 근대적 자아형성과 오리엔탈리즘」,

그들에게 '문명국' 또는 '개화국'은 서구의 제국(諸國)과 일본이었으며, 조선은 '반개'(半開) 또는 '야만'의 나라로 보였다. 박영효는 서구의 정치야말로 참으로 인의예지를 실천하는 '문명의 정치'인데 반해, 조선의 정치는 '야만의 정치'로 보았다. 그들이 추구하는 문명개화는 곧 서구적 모델로 조선의 체제와 가치를 변화시키는 것이었다.

문명개화론은 사대·중화질서가 해체되고 대신 근대국제질서가 형성되는 국제정치적 환경에서 '자립자존의 힘' 형성을 위한 수단으로 제기되었지만, 서구적 근대문명의 표준들—예를 들면, 인권, 민주주의, 자본주의 등—이 새로이 '보편성'을 획득하게 되면서 점차 그 자체가 목표로써 추구되었다. 이제 문명개화론은 제도의 개혁뿐만 아니라 가치관, 세계관의 전면적 변화를 요구하였다. 기독교 신앙과 독립신문에 의해 본격적으로 수용, 전파된 서구의 가치관·세계관의 내면화는 조선을 '계몽'의 대상으로 간주하게 하였고,[10] 조선인 스스로를 타자화시켰다. 문명개화론이 함축하고 있는 문명진보사관은 당시 서구문명의 자부심의 표현이었고, 이것은 대외적으로 비서구에 대한 '문명화의 사명'을 주장하게 하였다. 문명진보사관은 사회진화론에 의해 이론적으로 보강됨으로써 우승열패의 제국주의적 경쟁을 정당화하였다. 비서구에서 이러한 세계관을 '보편'으로 수용할 경우에는 서구에 대한 선망과 자신에 대한 열등감을 낳게 하였다. 현실 정치군사적 우열을 문화적 우열로 치환하고, 문명화를 달성하기 위해서는 근본적으로 문화적 개혁이 필요함을 역설하였다.

한편, 유교문명의 우월성을 포기하지 않으면서 '근대화'를 이루려는 사람들은 '유교적 계몽주의'를 시도하였다. 그들은 대체로 중국 양계초의 영향을 받아 유교문명의 혁신과 서구문명의 선별적 수용을 통한 개

『정치사상연구』 10집, 2004 참조.

10) 『독립신문』 1896. 5. 26, '잠을 깨세 잠을 깨세 사천년이 꿈속이라……'.

혁을 추구하였다. 『황성신문』과 『대한매일신보』를 중심으로 활동한 이들은 서구문명과 유교문명간의 문명적 보편성과 상통성을 확인해 가면서 새로운 종합을 추구하였다. 그런데 이들 역시 계몽주의적 사고틀 아래에서 문화적 처방을 내놓았다. 그들의 눈에 의병은 폭력적인 것으로 문화문명시대에 맞지 않는 것으로 비판되었다.

1905년 '보호조약' 이후 계몽의 모순은 극명하게 드러났다. 아직 명목상 국가가 존재하고 정치적 공론장이 보장되는 상황에서 국권회복을 위한 방책은 독립을 감당할 수 있는 실력 양성, 즉 '자강'을 달성하는 것으로 모아졌다. 자강론자들은 이제 독립을 준비하는 길은 오직 교육계몽으로 '개화국민'을 육성하는 길밖에 없다고 생각하여, 관심의 초점을 '국가'라고 하는 정치기구에서 정치체제의 기초가 되는 '국민'에게로 옮겼다. 그들은 공통적으로 교육과 지식이야말로 힘을 축적하는 지름길이라고 생각했고, 민족적 자의식과 국민적 애국심을 고취하는 문화계몽운동을 주도하였다. 그들은 국권상실의 책임을 일제의 침략성보다 우리 자신의 무능력에서 찾았다. 유교개혁론자들이 운영하는 황성신문에서도 국권침탈의 원인을 제국주의의 침략성보다 우리 자신의 실력이 부족한 데서 찾고, 보호국이라는 현실에서 벗어나는 유일한 길은 실력양성밖에 없다고 생각했다. 서구적 기준의 근대국가로의 문명적 전환을 지향하되 자국의 고유한 전통과 문화를 바탕으로 한 전환을 추구하였다. 그들이 강조한 '국수(國粹)'는 문명화의 보편성과 함께 국가와 민족의 문화적 특수성을 부각시켜 자주적 근대화를 주장하였다. 국수적 문화인식은 자국과 자국민의 개별성과 자주성을 강조하는 주체성의 근거가 되기도 하였지만, 사회진화론적 국가주의의 관점에서 '문명개화'한 강자로서 갖춰야할 실력－근대국가정신과 애국심 고취－이기도 하였다. 이러한 양면성 가운데 어디에 강조점을 두느냐에 따라 그 의미와 역할이 달라질 수 있었다. 그것은 민족이나 국가의 현실에 대한 인식의 차이와 맞물려 진행될 수밖에 없었는데, 일제의 강점과 국망의 현실은 그러한 '차이'를 드러내는 중요한 변수가 되었다.[11)]

1910년 국망의 현실은 정치지형을 전복시켰을 뿐만 아니라 정치적 사고에도 근본적인 변화를 가져왔다. 여기에는 일제의 식민통치 정책이 기본지형을 제공하였다. 일제는 한국통치를 합리화하기 위해 '문명화'론을 내세웠다. 한마디로 한국을 문명화시켜 그 국민의 복리를 증진하기 위한 것이라는 논리였다.[12)] 일제는 자신들의 통치로 조선민족이 '학정(虐政)'에서 벗어나 처음 보는 '문명한 법률과 인선(仁善)한 정령(政令)'으로 모든 분야가 발전하였으며,[13)] 야만의 상태였던 조선을 문명진보의 상태로 이끄는 총독의 시책들에 불평하는 것은 야만으로 돌아가겠다는 것에 지나지 않는다고 강변하였다.[14)] 이러한 일제의 지배논리에 대해 일본유학생들과 국내 신지식인들은 대체로 긍정하였다. 일본유학생들이 발행한 잡지 『학지광』에서는 문명의 시각에서 조선의 '정체'성을 논하고 그 책임을 과거의 역사나 선조에게서 찾는 한편 '문명진보'를 위해 '구습을 파괴'하고 '신도덕을 건설'할 것을 주장하였다.[15)]

---

11) 일제하 민족문화운동의 성격에 관해서는 이지원, 「일제하 민족문화 인식의 전개와 민족문화운동」, 서울대 박사학위논문, 2004 참조.

12) 『매일신보』 1915. 2. 18, '사설', "일본제국이 조선을 병합함은……彼我가 相合하여 一家를 이룸에 지나지 않고, 그 목적은 천황폐하의 一視同仁아래에서 이 땅을 개척하며 이 백성을 이끌어 日鮮의 生民으로 하여금 文明의 덕택을 받으며, 같이 文明의 지역으로 나아가 동양의 평화를 영원히 유지하고 西勢東漸을 미연에 방지함에 불과한 즉……".

13) 『매일신보』 1914. 11. 22, '조선민족관7 - 조선의 국체와 정체'.

14) 小松翰長, 「조선시정의 진의」 5~9, 『매일신보』 1916. 8. 11~16 ; 권태억, 「1910년대 일제 식민통치의 기조」, 『한국사연구』 124, 2004, 224쪽 ; 정상우, 「1910년대 일제의 지배논리와 지식인층의 인식」, 『한국사론』 46, 2001, 199쪽.

15) 전영택, 「구습의 파괴와 신도덕의 건설」, 『학지광』 13, 1917 ; 소성, 「조선청년과 각성의 제일보」, 『학지광』 15, 1918.

일제가 지배논리로 제시한 '일선동조론'과 '문명화론'은 사실 각각 한일간의 근친성과 차별성을 주장하는 논리들이었다. 즉, 조선과 일본의 인종적 근친성을 강조하면서도 일본의 문명적 우위를 증명하여 지배를 합리화하려는 것이었다. 같은 인종이면서도 문명국/야만국, 식민지배인/피지배인으로 차이가 발생한 이유는 무엇일까? 문명화론에 근거한 일제의 지배논리를 긍정하는 지식인들은 한국인 개개인의 습성과 문화에서 그 원인을 찾기 시작했다. 일제도 강점을 전후하여 조선의 문제점으로 자본주의 경제를 위한 근대적 산업시설의 미비와 이에 적합한 인간형이 부재하다는 것을 지적하였다.[16] 윤치호는 우월한 문명을 일으키는 조건을 호전적 본능이라고 파악하고, 호전성이 강한 민족이 저항능력이 없는 민족을 멸시하고, 압박하고, 차별하는 것은 중력의 법칙만큼 보편적인 것으로 이해하였다. 따라서 조선인들이 모든 점에서 일본인들과 동등하다는 것을 입증하지 못한다면 조선인들에 대한 일본의 지배와 차별대우는 불가피하며, 일본에 동등한 대우를 요구하고 궁극적으로 독립을 얻기 위해서는 스스로 문명의 단계에 진입하지 않으면 안된다고 생각했다. 문명의 요건은 조선인민이 기강, 극기, 협력, 멸사봉공 등 공덕심(公德心)을 기르고 지성과 부를 축적하는 것으로 요약된다. 독립은 이를 달성한 연후에 국제정세 변동의 기회를 잡아 실현되는 것으로 생각했다.[17] 민족의 자주독립이라는 집단적 과제를 개인의 습성과 문화의 차원으로 환원한 것이다.

한국인이 새로운 인간형, 즉 '문명적 개인'으로 거듭나야 독립을 바

---

16) 『매일신보』 1914. 12. 5, '朝鮮民族觀 9'.

17) 『윤치호일기』 1919. 9. 4 ; 1920. 11. 14. 윤치호는 이러한 조건이 갖추어지지 않은 상태에서 독립운동을 하는 것은 희생만 따르는 무모한 짓이며 일제의 무단통치를 강화시킬 뿐이라고 생각했다. 그래서 그는 독립운동가들을 "민중의 진정한 적"(『일기』 1919. 7. 31 ; 9. 2)이며 "일본인 보다 커다란 적"(『일기』 1919. 11. 11)이라고 비난하였다.

라볼 수 있다는 생각이 점차 지배하게 되면서 현재 한국인의 수준은 '미성년상태'로서 계몽의 대상으로 간주되었다. 칸트는 계몽이란 "다른 사람의 지도 없이는 자신의 지성을 사용할 수 없는 미성숙상태에서 벗어나는 것"[18]이라고 했던가? 계몽주의자들은 한국인 자신의 미성숙 상태를 '소년'으로 표상했다. 그래서 『소년한반도』(1906~1907), 『소년』(1908~1911), 『청년』(1914~1918), 『청춘』(1914~1918) 등의 제호를 단 잡지들이 잇달아 출간되었다. "우리는 대학운동회에 참가할 연령을 먹었고 신체도 가졌으나 주위에서 우리를 성년으로 인정치 아니하며 완전한 인격을 허여치 아니한"[19] 현실에 대한 반응이었다. 임화가 적절히 지적했듯이 이러한 잡지의 간행에는 "정치가 해결하지 못한 것을 문화와 계몽에다 위촉시키려는 일반경향에서 청년, 특히 소년들에 대한 눈물겨우리만치 정성스러운 희망과 기대"를 담고 있었다.[20] 아직 구습에 물들지 않은 미성년층을 새로운 교육대상으로 선정하고 그들을 근대적 신인으로 길러내고자 했던 계몽의 기획이 작동하고 있었다. 개신유학자들도 한국의 상태를 '어린아해'로 보고,[21] 신국가를 만들고 신민족을 만들 책무가 소년들의 어깨에 지워져 있다고 생각했다.[22] 그래서 나라의 운명이 자기에게 있다는 철저한 '자각'을 청년들에게 촉구하였다.[23]

---

18) 이한구 편역, 『칸트의 역사철학』, 서울 : 서광사, 1992, 13쪽.

19) 최승구, 「너를 혁명하라!」, 『학지광』 5, 1915, 18쪽.

20) 임화, 「개설신문학사」(36-37), 『조선일보』 1939. 11. 15~16 ; 조은숙, 「근대계몽담론과 '소년'의 표상」, 『어문연구』 46, 2002, 215쪽. 최남선은 『소년』의 창간 취지를 "우리 대한으로 하여금 소년의 나라로 하라. 그리하면 능히 이 책임을 감당하도록 그를 교도하여라"라는 말로 요약하였다(『소년』 1, 1908).

21) 「사람의 생각이 변천하는 등급」, 『대한매일신보』 1909. 9. 18, "태고시절에는 사람의 식견이 어린아해와 같으나……오늘날 한국사람들은 사천년 오랜나라로 지금까지 오히려 어린아해의 형식을 버리지 못하여".

22) 『대한매일신보』 1908. 11. 22, '소년의 립심'.

신인간형의 이상과 기대는 '청년'에게로 모아졌다. 청년은 결국 어른이 되기 위한 존재로서 역사적 진보의 이념을 개인의 성장에 투사하여 만들어진 형상이다. 청년의 역할은 완고한 '노령의 부모'를 배제하고 구습을 파괴하며 경쟁의 장에서 다른 청년들과 선두를 다투면서 성인이 되는 것이다.[24] 청년은 문명의 이름으로 서양을 내면화하고 과거를 배제함으로써 '현재'와 '이곳'을 미래지향적으로 조직하는 역사적 존재로 상정되었다.[25]

'신인간' 형성의 기대와 요구는 1920년대 '신시대'를 맞아 더욱 고조되었다.[26] 1920년대 초 문화운동을 주도한 천도교청년회가 추진한 신인간론과 민족개벽론은 개인과 민족의 모습을 서구의 근대적인 가치관에 따라 변화시키려는 시도였다. 여기에서 신인간의 모습은 자율적 개성적이면서도 조화와 협동을 이루는 서구의 자유주의적 인간형을 모델로 한 것이었고, 새민족의 모습은 유교사상의 영향인 숭고·의타·숭문·숭례사상을 탈피하여 활동적인 민족성을 갖는 것이었다. 천도교의 지원을 받아 일본에 유학한 이광수는 조선의 도덕적, 경제적, 지식적 파탄을 선언하고 르봉의 이론을 빌어 '근본적 사상변화'의 필요성을 역설하다가 마침내 '민족개조론'을 주장하였음은 잘 알려져 있다.[27] 이광수의 「민족개조론」은 그의 계몽사상을 핵심적으로 보여주고

---

23) 소성, 「조선청년과 각성의 제일보」, 『학지광』 15, 1918.
24) 김이준, 「반도 청년의 각오」, 『학지광』 4, 1915 ; 편집인, 「유학생의 성적을 드러 부형에게 고하노라」, 『학지광』 10, 1916.
25) 이경훈, 「청년과 민족 -『학지광』을 중심으로」, 『대동문화연구』 44집, 2003, 271쪽.
26) 장덕수, 「새시대의 새사람」, 『개벽』 19, 1922 ; 현상윤, 「거듭나자」, 『개벽』 19, 1922.
27) 魯啞子, 「소년에게」 1-5, 『개벽』 17-21, 1921. 11~1922. 3 ; 魯啞子, 「국민생활에 대한 사상의 세력(르봉박사 저 「민족심리학」의 일절)」, 『개벽』 22, 1922 ; 이춘원, 「민족개조론」, 『개벽』 23, 1922.

있을 뿐만 아니라 당시 문화운동 진영 전체의 사상의식을 대변한 것이라고 할 수 있다.[28] 이 글에서 그는 나라가 흥왕하려면 그 백성부터 새롭게 힘있게 하여야 하며 이를 위해 민족적 성격의 개조만이 우리가 살아날 유일한 길이라고 주장하였다. 그가 조선민족 쇠퇴의 근본적 원인이자 민족성으로 지적한 허위, 비사회적 이기심, 나태, 무신(無信), 겁유(怯愉), 사회성의 결핍 등은 문명국(영국)의 민족성과 대조되는 것들이었다. 문명/야만의 패러다임이 국가와 민족단위에서 개인단위로 삼투하고 있는 것이다. 민족성개조론은 이광수만이 아니라 당시 한국의 지식인들 상당수가 공감하고 있었다.[29] 그들에게 민족성은 한·중·일간의 문명의 '소화력'의 차이를 설명해주는 것이었다.[30] 개인의 개조만이 민족의 파멸을 막을 수 있는 유일한 대안이라는 그들의 사상은 개인의 역량강화를 통해 민족의 역량을 강화하는 방식인 '자강론'의 입장으로 볼 수 있다. 그런데 '자강'이 민족과 강력히 연결되지 못하고 개인의 인격론으로 후퇴하는 경향은 분명하였다.

1920년대는 '문명'이란 말 보다 '문화'라는 용어가 일반화되고 있었다. 이때 문화는 자연의 반대 개념으로써 문명보다 심원한 기초를 갖는 것으로 이해되고 있었다.[31] 문화론의 대두는 1차대전 이후 나타난

---

28) 「민족개조론」의 역사적 의미와 성격에 관해서는 서중석, 「한말·일제 침략하의 자본주의근대화론의 성격」, 『한국근현대민족문제연구』, 서울 : 지식산업사, 1989 ; M. 로빈슨, 김민환 역, 『일제하 문화적 민족주의』, 서울 : 나남, 1990, 195~199쪽 참조.

29) 최남선, 「풍기혁신론」, 『청춘』 14, 1918 ; 이돈화, 「조선인의 민족성을 논하노라」, 『개벽』 5, 1920 ; 안확, 「개조론」, 조선청년연합회, 1921 ; 서춘, 「可有, 不可有를 논하야 조선민족성의 암흑면에 及함」, 『학지광』 22, 1921 ; 김기전, 「우리의 사회적 성격의 일부를 고찰하야서 동포형제의 자유처단을 促함」, 『개벽』 16, 1921.

30) 이돈화, 「조선인의 민족성을 논하노라」, 『개벽』 5, 1920 ; 창해거사, 「외래사상의 흡수와 소화력의 如何」, 『개벽』 5, 1920.

‘문명’에 대한 비판이라는 세계사조와 관계가 있다. 인간의 정신적 가치인 문화를 바탕으로 세계개조를 통해 인류의 이상을 실현할 수 있다는 낙관적인 사조인 문화주의는 한국의 지식인들에게 새로운 희망을 주었다.[32] 1910년대 성장한 신지식층을 중심으로 한 1920년대 초 문화주의자들은 직접적인 정치운동을 전개하기 보다는 사회전반의 실력향상을 지향하였고 이를 위해 의식개혁과 같은 문화운동을 전개해야 한다고 주장하였다.[33] 이들은 식민지 처지에 있는 열등한 한민족은 문명진보를 증거하기 위해 더욱 도덕상, 문화상 체면유지를 위해 노력해야 함을 주장함으로써[34] 문화적 요소에 안주하는 경향을 보였다. 그들의 준거는 “세계적 차원의 문화발전 추세에 발맞추는” 보편주의적인 것이었다. 장래 도래할 “인류의 왕국”에 참여하기 위해서는 “세계에 통할 만한 지식, 도덕, 이상”을 갖추어야 하며, “무단적 패권을 가지려 하는” “정치적 운동”보다는 “도덕, 정의, 인도의 주인공”이 되고자 하는 “사회적 운동”에 힘써야 한다는 것이다.[35] 민족의 독립을 위한 실력양성이라는 문제로부터 출발한 문화운동의 논리가 ‘인류사회’로 그 범위가 확대되어 ‘세계동포주의’(cosmopolitanism)로 전환되고 있는 것이다. 문화운동 본래의 이념지향은 식민지 현실을 벗어나고자 하는 정치적 의지

---

31) 白頭山人, 「조선신문화 건설에 대한 도안」, 『개벽』 4, 1920 ; 김현준, 「문화적 생활과 철학」, 『신생활』 6, 1922.

32) 동아일보의 창간 주지에서도 문화주의가 제창되기도 하였다

33) 흥미로운 점은 문화운동을 주도한 사람들이 지주, 중소지주 출신으로 1900~10년대에 일본에 유학했던 공통점을 갖고 있다는 사실이다. 그들은 일본유학을 통해 당시 일본에서 풍미한 개인주의, 낭만주의 사조의 영향을 받고 있었다. 박찬승, 「식민지시기 도일유학생과 근대지식의 수용」, 한국사회사학회 엮음, 『지식변동의 사회사』, 서울 : 문학과지성사, 2003 참조.

34) 이돈화, 「민족적 체면을 유지하라」, 『개벽』 8, 1921.

35) 白頭山人, 「조선신문화 건설에 대한 도안」, 『개벽』 4 ; 백두산인, 「문화주의와 인격상 평등」, 『개벽』 6 ; 이돈화, 「인류상대주의와 조선인」, 『개벽』 25, 1922.

였지만, 그것이 보편적 성격의 문화주의에로 변용됨으로써 식민지 한국의 정치적 특수성을 외면한, 주체의식이 상실된 논의가 되어버린 것이다. 독립보다도 "세계에 통할 만한 지식, 도덕, 이상"을 계몽하는 문화운동 논리란 결국 체제순응적일 수밖에 없었다. 국가가 부재한 상황에서 문화적 민족성을 강조하는 사고는 정치경제적 경쟁을 문화적 경쟁으로 치환하여 민족적 자존심을 회복하고자 하는 의도였지만, 그들의 문화론은 기본적으로 식민지적 무의식에 의해 굴절된 문명론에 다름 아니었다.

문화적 접근에서 강조되는 개인의 계몽은 문화와 정치 및 개인과 민족의 분리 가능성을 시사한다. 그래서 "민족전체의 문제보다 각자 스스로의 문제를 선결해야 한다"[36]는 주장이 나오게 된다. 또 정치와 문화의 분리는 민족독립의 문제를 정치적 의미에서 파악하고 민족후진성의 극복을 정치적 독립이라는 긴급한 목표에 연결시키기 보다는 비정치적 계몽주의의 입장을 채택하게 만든다.[37] 정치적 독립을 괄호 안에 넣은 채 신문화의 이상만을 추구하고 서구적 근대에 동화를 주장한 문화주의자들은 결국 문화가 정치를 포섭하는 탈정치화의 길을 열고 있었다. 따라서 그들이 육성해야 할 '힘'이라는 것도 정치적 독립투쟁의 힘보다 서구적 근대문명의 힘, 구체적으로 지력, 체력, 자본력, 덕

---

36) 박달성, 「사회문제에 先하여 자아문제에 反하라」, 『개벽』 12, 1921.

37) 장동진, 「식민지에서의 '개인' '사회' '민족'의 관념과 자유주의」, 2004, 72쪽. 이광수의 다음 글은 이러한 태도를 잘 드러내주고 있다. "반드시 문화는 정치의 종속물이라 할 수도 없고, 따라서 어떤 민족의 가치를 논할 때는 반드시 정치사적 위치를 판단의 표준으로 할 것은 아닌가 합니다. 만일 저 로마제국과 같이 정치적으로나 문화적으로나 같이 우월한 지위를 점할 수 있다하면 게서 더 좋은 일이 없건마는, 그렇지 못하고 만일 이자(二者)를 불가득 겸할 경우에는 나는 차라리 문화를 취하려 합니다"(이광수, 「우리의 이상」, 『학지광』 14, 1917).

등 자본주의적 시민윤리에 관한 것이었다.[38] 그들의 계몽은 그 기준이 민족문화 내부로부터 도출되기보다 일본 또는 서구의 도덕기준에서 채택한 것이었기 때문에 현실적 실천력도 갖기 어려웠다.

이처럼 1920년대의 계몽담론은 1880년대부터 시작된 문명론의 <연속>으로서의 기본 특성을 갖는 것으로 볼 수 있다. 그런데, 1920년대의 문화론은 근대국민국가를 만들고자 하는 문명화의 기획에서 정치적 독립의 목표를 포기한 문명론으로 축소되고,[39] 서구의 이상적 신문화를 추구함으로써 정치적 리얼리즘에서 더욱 멀어지게 되었다. 또한 서구문명이 미분화된 상태로 하나의 실체로서 전통문명과 대비되었던 것이 이 시기에 와서는 보다 분화된 형태로 이해되고 실천적인 대응을 모색하고자 했다는 데 <차이>를 발견할 수 있다.

한편, '문명적개인' '신인간'을 형성하고자 하는 새로운 사조는 국가로 회수되지 않을 주체, 즉 근대적 개인의 탄생을 잉태하고 있었다.[40]

3. 자기/개인의 발견?

1920년대 초 잡지 『개벽』을 통해 문화운동을 주도해 온 이돈화는 '신시대'의 '신인물'의 자격을 다음과 같이 말하고 있다.

---

38) 현상윤이 이광수의 「우리의 이상」을 읽고 "문화도 잘사는 것을 의미할진대, 잘사는 생활에서 정치, 경제를 빼고 어찌 잘사는 생활이 될 수 있는지"를 힐문하고 있는 것은 매우 적절하다. 현상윤, 「이광수군의 '우리의 이상'을 讀함」, 『학지광』 15, 1918 참조.

39) 이광수는 이를 '정신적 문명'이라고 표현한다.

40) 김현주는 이광수를 중심으로 분석한 글에서 그의 문화론이 앞 시기의 문명론의 내용을 축소하는 한편 확장하는 양가적인 계승/차이 관계를 가진다고 지적한다(김현주, 「이광수의 문화이념 연구」, 연세대 박사학위논문, 2002).

> 영웅주의를 숭배치 말라. 영웅을 숭배하여 개체 개체가 각기 자기의 력(力)과 지(知)를 기(棄)하고 그에 의뢰하여 차(且) 신탁함은 시(是) 현대 평민주의의 대적(大敵)이며 균세주의의 역모자니라. 영웅은 실로 위대하니라. 연(然)이나 영웅의 위대는 다수 무명영웅의 결정(結晶)으로 생한자 아니냐.……신인물은 각기 종사하는 방면 여하에 불구하고 반듯이 신인물로 구비할 만한 중요한 또 공통할만한 자격이 있어야 할지니……제일은 자주자립의 인물이니 이는 실로 오(吾) 조선사회에 재(在)하야 더욱 절실히 요구하는 조건이었다.[41]

이 글은 당시대가 군국주의의 영웅시대가 아니고 평상시의 평민시대라는 전제하에 평범[凡庸]한 사람으로서 평상 그대로 자기의 재능을 철저히 발휘하는 인물이 신인물임을 강조하고 있다. 여기에서 주목되는 것은 '영웅주의를 숭배치 말라'는 것과 함께 각 개체가 '자주자립의 인물'이 될 것을 요구하고 있다는 점과 '평상시'라고 하는 시대인식이다. 이 양자는 앞으로 논하겠지만, 1920년대 문화운동의 성취이자 한계로서 작용한다. 전자는 영웅주의를 거쳐 개인의 발견으로 나아간다는 것을 보여주고 있으며, 후자는 식민지 정치현실에 대한 긴장감을 약화시키고 개인이 국가라고 하는 정치공동체와 절연되어 논의될 수 있음을 보여준다.

자기/개인의 발견은 밖으로는 영웅주의를 극복하고 안으로는 개인을 억압하는 전통 사회문화에 대한 철저한 비판과정을 필요로 하였다. 자주적 개인에 대한 초보적인 논의 역시 1880년대 문명개화론에서부터 발견된다. 박영효는 「건백서」(1888)에서 "삼군으로부터 그들의 장수는 빼앗을 수 있으나 보통사람으로부터 그들의 뜻은 빼앗을 수 없다"는 공자의 말을 인용하면서 인민의 생명과 자유를 보전하는 정부를 세

---

41) 이돈화, 「신시대와 신인물」, 『개벽』 3, 1920, 20~21쪽.

울 것을 촉구하였다. 유길준은『서유견문』(1895)에서 정부가 인민의 사적인 일에 가급적 간섭하지 말아야 하는데, 그 이유는 인민의 자주(自主)하는 정리(正理)를 방해하기 때문이라고 하였다.[42] 이들의 논의에서 개인은 개별적 인간으로보다 전체적 인민의 차원에서 국권을 강화하는 수단의 성격이 강하였다. 개별적인 자기/개인 개념은『독립신문』에서부터 실질적인 의미를 인정받게 되었는데, 개화의 핵심개념으로서 '권리'는 인민의 권리가 아니라 'ᄌᆞ긔의 권리'였으며, 권리의 내용도 'ᄌᆞ긔의 신체와 재산이 보호되어야 할 권리'였다.『독립신문』에서 키워드 '독립'은 국가 차원보다 개인 차원에서 더 빈번히 다루어지면서 나라가 자주독립이 되려면 그 나라 백성들이 살기를 자주독립하는 뜻으로 살아야 함을 강조하였다.[43]『독립신문』이후 자기/개인 개념은 국민/민족 개념과 함께 경쟁하며 성장하였다.[44]

'보호조약' 이후 문화계몽운동 기간에는 개인을 의식하면서도 민족/국가의 우선성을 강조하는 경향을 보였다. 신채호는 민족과 개인을 '큰 나[大我]'와 '작은 나[小我]'로 구분하고 개인[작은 나]은 민족[큰 나] 혹은 민족의 정신으로 수렴될 때만 의미를 지니는 것이라고 주장하였다.[45] 여기에서 집단적 자아로서 민족 앞에 개인의 존재는 미약한 것이었다. 오히려 중세적 질곡으로부터 해방된 개인을 민족이라는 인식적 지평 위에서 다시 통합하려는 열망이 당시의 계몽담론을 관통하고 있다.[46] '개체적 자아'보다 '집단적 자아'를 우선하는 이러한 시각은 개

42) 유길준,『서유견문』, 1895, 155쪽.

43)『독립신문』1896. 12. 8.

44) 이에 관해서는 박주원,「근대적 '개인', '사회'개념의 형성과 변화 - 한국자유주의의 특성에 대하여」,『역사비평』2004년 여름호 참조.

45)「大我와 小我」,『대한매일신보』1908. 9. 16～17.

46) 한기형,「동아시아 담론과 민족주의 : 신채호의 논의와 관련하여」,『민족문학사연구』17, 민족문학사학회, 2000, 287쪽.

인을 타자화하고 집단주의를 옹호하는 경향이 있다. 이러한 경향은 신채호만이 아니라 당시 문화계몽운동의 기본 논리였다. 집단과 무관한 개인의 존재 가치를 회의적으로 바라보는 이러한 관점은 당시 유행하던 중국화, 일본화된 사회진화론의 영향을 받은 것이다. 당시 세계가 민족이라는 집단을 중심으로 경쟁하는 시대라고 보았기 때문에, 생존하기 위해서는 민족을 중심으로 단합해야 한다는 것이다. 여기에서 민족을 구성하는 개인들의 자유나 해방의 문제는 일체 배제되어 있다.

> 지금은 민족이 경쟁하는 시대이다.……우리 민족이 이렇게 비참하게 된 것은 무엇 때문인가? 그 까닭이 많으나 개인주의가 제일 크다.……그러므로 한국 장래에 제일 큰 근심도 또한 개인주의라 할 것이다.……바라건대 동포중에 혹 이 개인주의를 가진 자는 큰 칼과 넓은 도끼로 그 용렬한 성품을 끊어버리고 민족주의를 분발할지어다.[47]

여기에서는『독립신문』이래 성장한 자기/개인의 담론이 대외주권 상실의 위기를 맞아 철퇴되고 있다. 하지만, 이를 뒤집어보면 당시 '개인주의'가 상당히 횡행하고 있었음을 확인할 수 있다.

문화계몽운동기 계몽담론의 또 다른 특징은 당시 절망적인 정치현실을 초인적인 능력으로 타개해 줄 인간, 즉 '영웅'의 대망론이 두드러진다는 것이다.[48]『대한매일신보』를 중심으로 전개된 영웅론의 한 자락을 보면, "우리 한국의 오늘이 즉 영웅을 갈망하는 시대라, 이렇게

---

47)「個人主義로 生을 求치 말지어다」,『대한매일신보』1909. 11. 21.

48) 1908년에서 1910년 사이『대한매일신보』에는 '영웅'이라는 어휘를 사용한 제목의 논설이 10여 차례 등장하고, 같은 시기 다른 신문, 잡지들에서도 '영웅'에 대한 논설들이 적지 않게 눈에 띈다. 예를 들면, 최석하,「한국부흥은 영웅숭배에 在함」,『태극학보』10, 1907 ; 임호,「시대는 英雄之冶爐」,『대한학회월보』1, 1908 등.

쇠약한 국운을 만회하며 거의 죽게 된 민족을 구제할 자가 영웅이 아니면 누구냐"라고 하여 영웅 출현을 갈망하고 있다. 그런데 영웅도 혼자 힘만으로는 시대를 구원할 수 없으며, 이러한 영웅들 뒤에는 이들을 뒷받침하는 무수한 민중들, 즉 '무명의 영웅'이 있었음을 역설한다. 그리고 "나의 갈망하는 바는 저명한 영웅에 있지 않고 다수의 무명영웅에 있도다"고 하여 다수의 무명영웅이 필요함을 역설하고 있다. 무명의 영웅이란 보통사람 중에 '애국열혈이 충만'한 사람으로 누구나 될 수 있으니 각자가 영웅을 '자임'할 것을 촉구하고 있다.[49] 이러한 호소는 국가가 한두 사람의 국가가 아니라 전국민[천만인] 모두의 국가라는 '국민국가'의식에 바탕하고 있다.[50] 이것은 '민중'을 '민족'으로 선동하고 국민의 애국심을 총동원하려는 목표에서 나온 주장이지만,[51] 다른 한편 영웅적 개인을 넘어 보통사람 개개인의 가치를 발견하는 것으로도 볼 수 있다. 여기에서 개인은 주체라기보다 여전히 동원의 대상이지만, 보통사람 개개인의 '자임'과 능동적 주체로서의 가능성을 열어놓고 있다는 점에서 그 이전과는 질적인 차이를 보인다. '자임'은 "남을 기대지 말고 자기를 확신하는"[52] 데서 나오는 '자조(自助, self-help)'의 정신으로 자기주체성을 담지하고 있다.[53] '자임'과 '자조'는 근대적 개

---

49) 『대한매일신보』 1908. 2. 26 ; 1908. 9. 15 ; 1909. 5. 15 ; 1910. 7. 24.

50) 『대한매일신보』 1910. 7. 24.

51) '무명의 영웅'론은 중국 양계초의 「신민설」(1902)이나 일본 도쿠토미 소호(德富蘇峰)의 「신일본의 청년」(1887) 및 「무명의 영웅」(1889)과 유사하다. 근대 동아시아 3국에서 영웅 개념의 비교에 관해서는 이헌미, 「대한제국의 영웅 개념」, 『세계정치』 25집 2호, 2004, 137~174쪽 참조.

52) 『대한매일신보』 1908. 2. 26.

53) 사무엘 스마일스(Samuel Smiles)의 *Self-help*은 일본에서 나카무라 마사나오(中村正直)에 의해 『西國立志編』(1871)라는 제목으로 번역되어 후쿠자와 유키치의 『학문의 권장』과 함께 베스트셀러가 되어 일본의 계몽사상 형성에 큰 영향을 미쳤다. 한국에서는 1906년 6월 25일부터 7월 25일에 걸쳐 『조양보』에 번역

인의 형성에 핵심적 요소임은 물론이다. 근대적 개인은 개인의 경제적 사회적 독립을 필요로 하는데 '자임'과 '자조'는 개인의 독립에 필수적인 덕목이기 때문이다.

한편, 문명개화론자들은 유교적 계몽주의자들과는 다른 경로에서 조금 늦게 '영웅' '위인' '천재' 대망론을 전개한다. 이광수는 1917년 「천재야! 천재야!」에서 한 나라의 문명은 그 나라 위인의 사업의 집적임을 전제하고, 위인은 만들어지는 것이 아니라 하늘에서 떨어지는 것인데 조선에서는 모두 말라죽어 저주받은 사회가 되어 멸망의 운명에 빠져 있다고 한탄하고, 지금 조선을 구할 자는 천재뿐이므로 천재를 부르노라고 절규하고 있다.[54] 그런데 1921년 「중추계급과 사회」에서는 문명한 국가의 운명이 위인이 아니라 중추계급에 달려있음을 전제하고, 민족적 이상과 인격(덕, 지, 체)을 갖춘 개인의 집적으로서 중추계급의 형성을 주장하고 있다.[55] '영웅' '위인' '천재'에서 인격적 개인의 집적으로서 중추계급으로 폭이 넓어졌지만, 여전히 개인중심은 아니고 계몽된 엘리트의 역할을 중시하고 있다.

하지만 자기/개인에 대한 적극적인 관심은 점점 더 고조되어 가고 있었다. 송진우는 1915년 『학지광』지에 실은 「사상개혁론」에서 개인의 자립과 자조론을 펼친다. 그는 개인은 가족선을 경유하여 사회와 연결되는 것이 아니라 직선으로 관통하는 것이라고 전제하고, 유교적 가족제도의 타파와 자유연애의 고취, 개인자립 등을 주장하고 있다.[56] 전영택은 효도, 남존여비, 계급제도 등 유교적 구습을 타파하고 신도덕을 건설하되, 신도덕의 핵심은 '백행만사의 본원(本源)'인 '철저한 「나」'를

연재되었다. 안창호는 '자조론'에 기반하여 흥사단 활동을 전개한다.

54) 이광수, 「천재야 천재야」, 『학지광』 12, 1917, 352~358쪽.

55) 이광수, 「중추계급과 사회」, 『개벽』 13, 1921, 24~31쪽.

56) 송진우, 「사상개혁론」, 『개벽』 5, 1915.

건설할 것을 촉구하고 있다.[57] 변영로는 지금까지 자기가 자기의 생활을 못하는 '자아멸각'의 생활을 타파하고 자아를 표현하고 자아의 본령을 발휘하는 자기적 생활, 즉 '주아적(主我的) 생활'을 해야 함을 주장하고 있다.[58] 1920년 6월 이상재를 회장으로 하여 출범한 '조선교육회'는 그 취지서에서 "사회의 완전한 발달은 그 사회를 조직한 각 개인의 원만한 발달"이 전제되어야 한다고 주장하면서 개인의 발달을 위한 교육을 목표로 내걸었다. 이광수도 1922년 「민족개조론」에서는 국망의 책임이 민족 개개인에게 있다는 의미에서 개인의 문제를 논하고 있다. 이들은 모두 공통적으로 자기/개인의 생활을 억압하는 주범으로 전통 유교도덕을 지목하고 그 타파와 함께 신도덕의 건설을 주장하고 있다. 이들의 자기/개인의 자각과 개조가 비록 전체(사회 또는 민족)에 복속하는 방향으로 이루어져야 한다는 경향을 보였지만,[59] 자기/개인의식이 성장하고 있었다는 점 자체는 부인할 수 없다.

하지만, 이들 모두 근대적 개인의 모습을 충분히 보여주는 것은 아니다. 윤리적, 도덕적 차원의 개인론에 치중하고 있기 때문이다. 근대적 개인의 개념은 국가 또는 정치와 분리된 개인의 자유영역 즉 사적 영역의 인정에 그 고유성이 있다. 그런데 사적 자유는 공적 자유, 즉 정치적 자율권을 필요로 한다. 왜냐하면, 정치적 자율권이 없이는 사적 자유가 실현될 공간이 매우 제한되기 때문이다.[60] 그러므로 근대적 개인의 개념에는 개인의 자유가 정치적으로 실현되는 방식에 대한 논의를 수반한다. 그 바람직한 정치적 사회의 모습은 개인의 자유로운 동

57) 전영택, 「구습의 파괴와 신도덕의 건설」, 『학지광』 13, 1917.
58) 변용로, 「주아적 생활」, 『학지광』 20, 1920.
59) 차승기, 「生에의 의지와 전체주의적 형식 - 초기 이광수의 문화적 민족주의」, 『연세학술논집』 30, 1999.
60) 장동진, 앞의 논문, 2004, 79쪽.

의에서 비롯된 정치적 계약단체로서의 근대 자유주의 국가이며, 이런 사회에서 개인은 '시민'으로 승격되고 개별적으로 취급된다. 그런데 1920년대 초 식민지 한국의 문화운동론자들은 개인과 사회의 유기체적 관계 위에서 개인의 자각과 인격적 성장을 추구하였지만, 개인과 정치공동체의 결합 전망을 제시하지는 못하였다. 그리하여 개인과 정치공동체가 분리되어 개인적 자유가 시민적 자유로 승격되지 못하고 정치를 개인윤리화하고 있다.[61] 정치공동체를 갖지 못한 개인은 정치적 '고아'일 수밖에 없다. 정치의 개인윤리화는 곧 탈정치와 동행하는 것이다. 이 점은 공화주의의 수호라는 정치사회적 목표를 가지고 유교비판과 신도덕의 건설을 주장했던 중국의 진독수(陣獨秀)와 대조된다.[62]

이러한 탈정치적인 발상을 가능하게 한 것은 현실을 식민지라는 '특수한' '비상상황'으로 인식한 것이 아니라 '평상시'로 인식한 것에 기인한 측면이 있을 것이다. 물론 현실을 평상시로 보게 한 것은 문명개화론에 압도되어 있었기 때문일 것이다. 근대화는 설사 보편적인 목표가치라고 하더라도 그것을 이루는 과정과 방법은 주어진 정치적, 역사적 특수성 속에서 구체적으로 결정될 수밖에 없다. 식민지라고 하는 특수한 현실을 몰각하고 보편적인 것에 몰두할 때 그 내용은 공허할 수밖에 없다. 더구나 정치적 근대화의 핵심내용이 자주독립국가 건설, 즉 탈식민지임을 생각한다면 그들이 추구한 근대화는 본질을 놓치고 있었던 것이다.

문명론적 보편주의에 압도되지 않고 주체적 근대화론을 개진한 것

61) 『학지광』, 『개벽』에는 개인윤리 문제가 빈번히 다루어지고 있다.

62) 황종연은 이광수의 관점을 '개인주의를 신봉하는 윤리교사의 관점'으로 풀이하고 있다(황종연, 「진독수와 이광수 - 한·중 신문화운동에 있어서의 유교비판」, 『비교문학』, 1988).

은 문화적으로 서구문화 수용지식인과 대립개념인 '원주민'[63]이었다. 그들은 역사 현실의 총체적 연관으로부터 유리되지 않으면서 근대적인 것에 대한 열린 자세의 가능성을 보여주었다. 예를 들어 신채호는 근대적 가치를 인정하되 "동화적 모방"이 아니라 "동등적 모방"을 추구함으로써[64] '모방'과 '저항'의 변증법인 탈식민의 길을 개척하였다. 식민지적 공간에서 '식민주의'와 '탈식민주의'의 차이는 식민지화에 의해 확립된 서구적 근대를 '동일하게' 반복하느냐, 아니면 그것을 반복하는 가운데 '이질성'을 드러내느냐에 있다고 할 수 있다.[65] 동일성의 공간 속에서, 억압된 이질적인 힘들과의 세력관계, 즉 정치적 관계를 인식하고 폭로하는데 탈식민의 힘이 생기는 것이다. 신채호는 더 나아가 민족 내부와 이민족 모두에게서 지배계급의 폭력성을 발견하고 다수 민중의 관점에서 새 정치공동체를 구상하고 있었다.[66] 이런 사상적 토대 위에서 사회주의의 수용이 가능하였다고 보여진다.

4. 맺음말

식민지하에서의 계몽운동은 몇 가지 근본적인 딜레마와 긴장을 안고 있었다. 근대성과 식민성의 중첩 속에서의 딜레마, 외부의 '보편'과 내부의 '특수' 사이의 긴장, 개인의 성장과 민족적 자주독립의 관계 등.

63) 여기에서 '원주민'은 탈식민주의 이론에서 문화적으로 서구문화를 수용한 지식인과 대립되는 개념으로 서구적 근대에 완전히 동화될 수 없는 피식민자의 개념이다. 나병철, 『근대서사와 탈식민주의』, 서울 : 문예출판사, 2001, 257쪽 참조.

64) 신채호, 「동화의 비관」, 『대한매일신보』 1909. 3. 23.

65) 나병철, 『근대서사와 탈식민주의』, 서울 : 문예출판사, 2001, 265쪽.

66) 신채호, 「조선혁명선언」, 1923(『(개정판)단재신채호전집』, 형설출판사, 1998, 별집에서 재인용).

앞의 두 가지는 탈식민 이론가 채터지의 표현을 빌리자면 '모방과 정체성'(imitation or identity)의 딜레마[67]라고 할 수 있다. 근대문명의 '보편성'을 모방하여 수용하면서도 식민지의 특수한 정치현실을 몰각하지 않고 주체적 정체성을 유지한다는 것은 쉬운 일이 아니다. 서구적 근대의 장 속에서 서구적 신문화이념을 반복함으로써 동일화를 추구하는 것은 곧 보편주의에 치우쳐 정치현실과 유리되기 쉬운 조건이었다. 그것이 '문명'으로 표현되었건 '문화'로 표현되었건 서구문명의 '보편성'에 압도되어 결국 식민주의에 함몰된 것은 19세기 말 문명개화론이나 1920년대 초 문화주의나 같은 맥락에서 '연속'된 것으로 볼 수 있다. 이른바 양자 모두 보편주의의 함정에 빠져 정치적 리얼리즘을 결여한 것이다. 그것은 의도하지는 않았지만 민족주의의 자살을 초래하였다. 보편적 문화(문명)론은 신문화 공간을 확립시킨 정치적 억압의 힘을 깨닫지 못하였다. 서구문명은 문화적 힘뿐만 아니라 권력관계를 포함한 일종의 제도였다는 것을 충분히 인식하지 못한 것이다. 사이드는 제국주의 지배의 본질은 그 지배를 정당한 것으로 인식케 만드는 지식권력의 효과에 있다고 보았다. 문화계몽운동, 실력양성론은 그 정당화에 기여했다고 볼 수 있다.

계몽의 진정한 의미가 "다른 사람의 지도 없이도 자신의 지성을 사용할 수 있는" 자주적 주체의 형성에 있다고 할 때, 한국의 문화계몽운동은 서구적 '보편'과 한국적 '특수성'의 관계를 신중하게(prudent) 성찰하지 못하여 결과적으로 주체성을 상실하였다. 그리하여 개인, 사회, 민족이 유기적 관계로 연결되어 자기해방, 사회적 해방, 민족적 해방을 지향하지 못하고 자기학대, 자기분열의 수렁에 빠지고 말았다. 그리하여 개인을 억압하는 전통사회의 힘에 대해서는 파괴를 시도하였지만

---

67) Chatterjjee, Partha, *Nationalist Thought and the Colonial World*, Minneapolis : University of Minnesota Press, 1986, 4쪽.

민족을 억압하는 제국주의적 폭력에 대해서는 저항을 시도하지 못하였다. 이른바 지배와 폭력에 대한 근본적인 성찰의 기회로 계몽을 활용하지 못했다. 이러한 한계가, 즉 지배와 폭력에 대한 근본적 성찰의 미비가 엘리트주의에 입각한 위로부터의 계몽노선을 탈피하지 못하게 한 것은 아닐까? 바꿔 말하면, 엘리트주의를 비판하고 민중을 발견하는 지점이 탈식민주의가 시작되는 기점이자 명실상부한 근대민족주의가 생성되는 지점이 아닐까?

1920년대 초의 계몽담론이 개인과 정치공동체를 분리하고 독립과 자강의 과제를 개인의 차원으로 귀속시킨 것은 민족주의 차원에서는 '배반'으로 볼 수 있겠지만, 자유주의 차원에서는 '성취'라고 볼 수도 있다. 비록 계몽주의의 파편으로 도입되었지만 '문명적 개인'의 형성, '자기의 발견' 노력은 국가로 회수되지 않을 근대적 개인의 탄생을 촉발시켰다. 아직은 개인이 정치적 동원의 대상이거나 공동체에 복속하는 경향이 농후했지만 개인의 가치는 민족의 가치와 경쟁하면서 성장하고 있었다는 것을 부인할 수 없다. 비록 개인의 자유가 사적 영역에 제한되고 공적 영역으로 확장되지 못했지만 사적영역의 고유성을 인정받고자 한 노력은 자유주의의 발전에 필수불가결한 요건을 마련하는데 기여했다고 볼 수 있다. 민족주의도 사적 개인의 자유에 근거하지 않을 때는 전체주의로 전락할 위험을 내포하고 있기 때문에 사적 영역의 고유성은 장기적으로 민족주의의 성장에도 필요한 것으로 볼 수 있다.

일제하 한국의 계몽주의는 개인과 민족간의 연계전망과 우선순위 판단에 분명 문제점을 드러내었지만, 식민지 상황에서도 개인의 성장을 이끌어 해방 후 자유민주주의를 감당할 수 있는 토대가 되지 않았을까? 그러한 한계와 성취의 이중적인 모습이 현대 한국자유주의의 속성이 아닐까?[68]

68) 필자는 이 논문의 연장선에서 한국자유주의의 속성을 「근대적 개인의 형성과 민족 : 일제하 한국자유주의의 두 유형」에서 정리했다(이 책의 다음 장에 수록).

근대적 개인의 형성과 민족
: 일제하 한국자유주의의 두 유형

정 용 화*

1. 머리말

“나(개인)의 행복과 민족/국가와는 무슨 상관이 있는가?” 이러한 질문은 정치철학자가 아니라도 누구나 일상생활 중에 던질 수 있는 질문이다. 이것은 특히 나의 존재조건 및 기대와 내가 속해 있는 정치적 조건이 일치하지 않을 때 심각하게 제기된다. 민족/국가라는 정치공동체가 나의 행복에 도움이 되기보다는 나를 억압하는 실체로 느껴질 때 우리는 탈출을 꿈꾸게 된다. 어떠한 것보다 나(개인)의 자유와 행복이 모든 가치 판단의 출발점이며, 따라서 그것을 실현하는 도구적 목적에서 정치공동체의 정당성을 인정하려는 경향을 우리는 자유주의적 사고라고 한다. 그리고 그렇게 사고하는 인간을 이른바 ‘근대적 개인’이라고 한다. 근대적 개인은 사적 자유, 즉 프라이버시를 중시하면서 그 실현을 가능케 하는 공적인 조건을 만들기 위해 공동체의 운영에 참여하려는 공적 자유를 추구한다. 그러므로 근대적 개인과 자유주의는 상호 형성하는 밀접한 관련을 갖는다. 근대적 개인의 존재 없는 자유주의는 사상누각에 불과한 것이다.[1)]

---

* 연세대학교 국학연구원 연구교수, 정치학

정치적 삶과 민족의 역사를 개인의 관점에서 고찰하는 것은 현재 우리의 자유민주주의를 내면화하고 공고화하는 데 필요하면서도 매우 중요할 뿐만 아니라 한국민족주의의 내연을 충만하게 하고 외연을 확장하는 효과를 가질 수 있다. 근대적 개인은 자유주의의 기본 요소일 뿐만 아니라 민족/국가의 형성원리로 연계되기 때문이다. 말하자면, 민족통일을 추구하는 목적과 방법에 있어서도 이러한 관점은 그 자체로 정치적 효과를 생산해 낼 수 있다. 그런데, 그간 우리의 근현대사를 보는 관점은 자유주의 그 자체보다 민족주의라는 관점에 압도되어 온 경향이 있다. 그리하여 한국의 근현대사는 대체로 민족주의 대 친일, 또는 민족주의 대 사회주의의 대결구도로 역사를 평가해왔다. 사실, 민족주의는 사회주의와 대치개념이 아니다. 국내의 봉건적 지배세력이나 국외의 제국주의 세력으로부터 벗어나 민족국가를 형성하려는 이념인 민족주의는 국내의 정치질서를 구체적으로 어떻게 형성할 것인가라는 이차적 개념, 또는 그 하위개념으로서 자유주의 또는 사회주의를 선택하는 것이다. 자유주의가 민족주의를 독점할 수 있는 것은 아니다. 그럼에도 불구하고 민족주의를 사회주의와 대비시키는 것은 민족국가 내부의 정치질서 운영문제를 소홀하게 다루는 결과를 가져와 민족주의 세력이 오히려 독재에 편승한 역사적 경험을 우리는 가지고 있다.

민족의 잣대가 아니라 개인의 잣대로 보면 비록 정치공동체가 불행한 처지에 있다 할지라도 역사는 단절되게 보이지 않는다. 공적인 삶과는 별개로 사적인 삶은 계속되며, 제한된 조건하에서라도 변화 발전할 수 있다. 일제하에서 한국 민족은 비록 '공적 자유'는 박탈당했지만

---

1) 근대적 개인과 자유주의의 형성과정에 관해서는 Taylor, Charles, *Sources of the self : The making of the modern identity*, Harvard University Press, 1989 ; Mccann, C. Jr., *Individualism and the Social Order : The Social Element in Liberal Thought*, Routledge, 2004 참조.

'사적 자유'의식을 발전시키는 한편 공적 자유의 필요성을 절감하면서 해방 이후를 준비해 왔다고도 볼 수 있다.[2] 이러한 입론이 가능한 것은 해방 이후 미국의 주도하에 자유주의가 도입되었지만 한국민과 제헌의회가 이를 충분히 감당해 냈을 뿐만 아니라 한국식 자유주의의 내용을 헌법에 담아내었다는 사실로도 뒷받침된다. 한국의 자유주의는 자주적인 정치의 부재상황이었던 일제하에서도 성장하고 있었다고 볼 수 있다. 문제는 자유주의의 속성상 그것이 민족주의의 요구와 언제나 일치하지는 않는다는 데 있다. 개인의 자유와 행복, 즉 사적 자유를 최우선가치로 하는 자유주의자에게는 그 목적을 달성하는 한, 지배의 주체가 자민족인가 타민족인가는 부차적일 수 있는 것이다. 타민족의 지배를 배제하고 자민족의 지배를 추구하는 것은 그것이 동족이라는 선험적 이유에서가 아니라 자민족의 지배 하에서는 민족적 차별이 없을 것이라는 기대 때문이다. 더 나아가 자유주의 관점에서는 자민족의 지배일지라도 그것이 개인의 자유를 제한하거나 억압하는 경우 그 정당성을 인정할 수 없다. 자유주의는 민족·국가 등 '공동성'에 회수되지 않는 개인의 존재와 자유를 고집한다는데 그 고유성이 있다.[3] 민족해방이라는 공적 자유를 우선하면서 사적 자유를 유보 내지 제한하려는 시도는 엄격한 의미에서 자유주의라고 하기 어렵다. 개인의 사적 자유를 전제로 하고 이것을 공적인 자유로 연결시키는 방법의 차이에서 자유주의의 여러 측면을 볼 수 있을 뿐이다.

---

2) 여기에서 '사적 자유'는 근대적 개인의식을 바탕으로 개인의 자유를 억압하는 봉건적 정치사회구조로부터의 해방을, '공적 자유'는 정치공동체(민족/국가)에의 참여와 함께 그 정치공동체의 자기실현, 즉 해방(민족자결)을 추구하는 것으로 전제한다.

3) Kymlicke, Will, "Liberal Individualism and Liberal Neutrality", Shlomo Avineri, Avner de-Shalit (ed.), *Communitarianism and Individualism*, Oxford University Press, 1992 ; Bird, Colin, *The Myth of Liberal Individualism*, Cambridge University Press, 1999.

이러한 관점에서 보면, 해방 이전의 한국자유주의는 사적 자유와 공적 자유의 관계를 기준으로 할 때 두 가지 경향을 갖는 것으로 분류할 수 있다. 하나는 양자를 분리하는 가운데 전자를 우선하는 경향이고, 다른 하나는 양자를 불가분의 관계로 연계하여 동시에 추구하는 경향이다. 민족주의 관점에서는 당연히 두 번째 경향이 더 높이 평가되겠지만, 이를 자유주의 관점에서 보면 첫 번째 경향 역시 자유주의적 가치를 지키고자 하였던 것으로 평가할 수 있다. 또한 두 경향은 식민지라는 특수 상황에서 일정한 굴절과 변용이 불가피하였다. 한국자유주의는 다채로운 스펙트럼으로 여러 편차가 있지만, 이 두 경향은 곧 한국자유주의의 속성을 대변하는 것으로 볼 수 있다는 게 필자의 기본 가설이다. 이 글은 이 두 경향을 대표하는 인물로 각각 윤치호와 안창호를 설정하고,[4] 이 두 사람의 정치사상을 비교 고찰하는 가운데 한국 근대자유주의의 속성을 밝혀보고자 한다. 그리하여 현대 한국자유주의 논쟁의 기원을 드러내 보이고자 한다.

---

4) 윤치호와 안창호의 정치사상에 관한 연구는 그간 역사학계에서 주로 진행되어 왔고 근래 정치학계에서도 관심을 높여가고 있다. 그런데 대체로 민족주의적 관점에서 그들의 사상을 접근하고 평가하는 경향이 지배적이다. 자유주의의 관점에서 일제하의 윤치호의 사상을 접근하는 기존연구는 거의 발견되지 않는 반면, 안창호의 사상을 자유주의 관점에서 논한 연구는 더러 발견된다(박만규, 「안창호 민족주의에서의 자유주의」, 『한국사학』 17, 한국정신문화연구원, 1999 ; 장규식, 『일제하 한국기독교민족주의 연구』, 혜안, 2001 ; 장동진, 「식민지에서의 개인, 사회, 민족의 관념과 자유주의 : 안창호의 정치적 민족주의와 이광수의 문화적 민족주의」, 『한국정치사상학회 공동학술회의 논문집』, 2004 참조). 자유주의 관점에서 양자를 비교하는 연구는 본 연구가 첫 시도가 아닌가 여겨진다.

2. 자유주의의 속성과 한국근대에의 의미

한국 근대사를 자유주의 관점에서 고찰할 경우 유의해야 할 점은 무엇보다도 자유주의 자체의 '역사성'을 유념하는 것이다. 자유주의는 하나의 추상적 개념으로 시공간을 초월하여 이해되고 통용되는 것이 아니라, 근대시기 서구의 정치적 맥락에서 당면한 구체적인 문제들을 해결하기 위한 목적에서 형성된 것이며, 따라서 정치환경이 변화함에 따라 그 내용도 변화하는 역사적 이념운동이다. 말하자면, 17세기 로크(Locke)의 이른바 '고전적 자유주의'는 인간의 자유를 억압하는 전제정부와 신분질서에 저항하기 위하여 개인의 자연권을 옹호하는 것이었다면, 18세기와 19세기 초 밀(Mill)과 홉하우스(Hobhaus)의 '근대적 자유주의' 또는 '신자유주의'는 자본주의 발전에 따른 자본가의 전횡으로부터 노동자와 소비자를 보호하기 위하여 개인의 사회적 권리를 옹호하였다. 자유주의는 개인의 자유를 최고의 정치적 가치로 설정하며 어떤 제도나 정치적 실천의 평가기준이 개인의 자유를 촉진·조장하는 데 성공적인가의 여부에 있다고 믿는 신념체계로서[5] 그 고유한 속성을 유지하지만, 역사적 정치적 환경에 따라 개인의 자유를 억압하는 '적'이 변화함에 따라 그것이 옹호하는 제도나 정치적 실천은 수정이 불가피하였다. 그러므로 자유주의는 단지 이념 자체가 아니라 구체적인 정치적 맥락과 상호관계 속에서 파악되어야 한다.[6]

이러한 사실은 근대한국에서 자유주의 수용의 의미가 그 추상적 개념 위주의 접근이 아니라 당시 구체적으로 어떠한 정치적 과제를 해결

5) Ryan, Alan, "Liberalism", Robert Goodin & Philip Pettit (eds.), *A Companion to Contemporary Political Philosophy*, Blackwell Publisher, 1999, 292쪽.

6) Uday, Singh Mehta, *Liberalism and Empire*, The University of Chicago Press, 1999, 10쪽.

하기 위해 자유주의 정치이념이 도입되고 활용되었는가에 주목해야 한다는 것을 말해준다. 그러므로, 이러한 사실은 또한 근대한국에서 자유주의의 의미는 서구의 내용을 일방적으로 답습하는 것이 아니라 한국의 현실적 조건이나 실천 목표에 맞게 선택적으로 수용되고 재구성될 수 있다는 것을 말해준다. 다음에 논하겠지만, 근대한국에서 자유주의가 대면한 정치적 과제는 ① 전통적 지배 억압구조로부터 개인의 해방, ② 외세(일제)의 지배로부터 민족의 해방, ③ 자유주의를 부정하는 사회주의에 대항 등 3중의 과제에 대응하면서 형성, 변용, 발전되었다고 할 수 있다.

한국에서 자유주의의 형성·변용과정을 고찰할 때 또한 유념해야 할 것은 자유주의 자체가 가지고 있는 속성들을 이해하는 것이다. 자유주의의 속성을 인식론, 정치사회론, 국제관계론으로 나누어 보자. 자유주의의 인식론적 특징의 하나는 '자연권' '자연법' '자연상태' 등의 용어가 표상하고 있듯이 전인류를 대상으로 하여 보편적 이상을 기획하고 실천하려는 코스모폴리탄이즘을 내포하고 있다. 또 보편적 이상의 실현조건의 차이에 따라 다양한 지역과 다양한 역사를 단일한 진보관념에 따라 위계적으로 배치하는 진보주의를 포함하고 있다. 코스모폴리탄이즘과 진보주의는 문명과 야만의 관점으로 세계를 재편하는 관점을 통해 '문명적 유아상태'로 낙후된 '야만' 지역을 '문명'으로 이끌기 위한 것이라는 명분으로 제국주의를 정당화하는 논리로 발전한다.[7] 또한 자연권의 실현이라는 정치적 정당성에 치중하는 사고는 정치적 아이덴티티(정체성)와 동포애의 구체적인 조건인 영토성을 무시하는 경향을 내포하고 있다.[8]

자유주의의 정치사회론은 개인주의(individualism)를 기반으로 하여 사

7) Uday, *Ibid.*, 51, 80쪽.

8) Uday, *Ibid.*, 119, 144~146쪽.

회와 국가를 개인의 자유로운 계약에 의해 개인의 생명과 재산의 안전을 목적으로 만든 '수단적'인 것으로 간주한다.[9] 자유주의의 주요원리인 입헌주의, 법치주의, 관용 등은 국가로부터 개인의 자유를 보호하기 위한 장치들로서 의미를 갖는다. 사유재산과 경쟁의 원리는 소유불평등을 인정하며, 따라서 가난은 개인의 실패와 무능의 표현으로 간주된다.[10] 민족(nation)은 초개인(super-individual)이며, 민족주의(nationalism)는 민족국가간의 관계(inter-national) 속에서 형성되는 개인주의적(individualistic) 표현이다.[11] 근대적 개인의 형성(개인화) 과정과 민족의 형성(집단화) 과정은 상호 연계되어 전개되었다. 근대적 개인이 개체적 차원에서 근대적 주체를 하였다면, 민족은 집단적 차원에서 근대적 주체를 형성하였다. 이것은 자유주의가 곧 안으로는 개인의 자유를, 밖으로는 민족의 자유를 요구한다는 것을 말해준다. 다시 말하면, 안으로는 억압적 정치권력과 구체제로부터 개인의 해방과, 밖으로는 제국(주의)으로부터 민족(국가)의 해방의 의지를 담고 있는 것이다.

그런데 현실국제관계에서는 그러한 원리와 이상이 실행되지 못하였다. 자유주의 국제관계론에서는 자유경쟁의 명분하에 현실주의적 힘의 경쟁을 용인하여 결과적으로 강자의 우월성과 제국주의의 정당성을 옹호하였기 때문이다. 여기에는 자유주의의 기본원리인 로크의 재산권 이론이 배경이 되고 있었다. 즉, 자연은 그 자체로는 무가치한 것이며

---

9) '개인' 또는 '개인주의'의 역사에 관해서는 로랑, 「개인주의의 역사」, 2001 ; 반 뒬멘, 「개인의 발견」, 2005 참조.

10) 홉하우스, 그린 등의 19세기 영국의 신자유주의가 사회적 자유 개념을 가지고 개인의 가난을 구제하기 위해 정부의 개입을 주장하지만, 가난에 대한 개인의 책임성 자체를 완전히 폐기한 것은 아니다.

11) Calhoun, Craig, "Nationalism and the Public Sphere", Jeff Weintraub & Krishan Kumar (ed.), *Public and Private in Thought and Practice*, The University of Chicago Press, 1997, 93쪽.

개인의 노동이 가해지면서 가치를 획득하게 되는데, 개발되지 않고 있는 자연을 문명인이 '선점'하여 개발하는 것은 정당하다는 것이다.[12]

여기에서 우리는 자유주의와 민족주의의 상통하면서도 모순되는 듯한 관계를 발견할 수 있다. 초지역성과 지역성, 개인화 과정과 집단화 과정, 제국주의 옹호와 민족(국가)의 해방 등. 이것은 개인에서 출발한 자유주의가 갖고 있는 이상과 현실간의 거리 때문에 발생되는 것으로 볼 수 있다. 자유주의의 이상은 코스모폴리탄이즘적이지만 그것은 현실적으로 영토성을 갖는 근대민족국가라는 정치단위를 통해 실현되는 것이 "역사적으로" 불가피하였기 때문이다. 하지만, 자유주의는 그 역사적 한계를 초월하려는 의지도 항상 갖고 있음은 물론이다. 그러므로 자유주의와 민족주의는 동시에 발전해 왔으면서도 상호긴장관계를 내포하고 있음을 지적할 수 있다. 그 긴장과 모순관계는 자유주의의 피전파지역에서 더욱 분명하게 드러난다. '자유주의'는 그것을 말하는 주체가 누구냐에 따라 지배를 정당화하는 이념이 될 수 있고 지배에 저항하는 이념이 될 수 있다. 이처럼 자유주의는 긍정적 측면과 부정적 측면의 이중적 속성을 내포하고 있다. 개인의 자유와 권리, 경쟁을 통한 개인의 향상 노력, 민족국가의 형성의지 등이 긍정적 측면이라면 강자의 이데올로기로서 제국주의에 봉사할 수 있는 점은 부정적 측면이라고 하겠다. 그럼, 자유주의의 수용이 근대한국에 갖는 의미는 무엇인가?

자유주의가 한국에 수용되는 시점은 안으로 개인과 국가의 관계에 대한 인식이 바뀌고 밖으로 제국(주의)의 지배로부터 민족/국가의 독립을 주장하는 시기부터라고 할 수 있다. 사실 이 양 차원은 동전의 양면처럼 동시적으로 제기되었다. 갑신정변의 「정강」(1884)이 바로 단적인

---

12) Uday, *Ibid.*, 123~132쪽.

예인데, 여기에서는 국내적으로 입헌주의와 법치주의를 통한 인민의 자유평등권을 주장함과 동시에 대외적으로 청국에 대한 종속관계의 청산을 요구하고 있다. 근대한국의 정치적 맥락에서 자유주의적 개혁 대상을－갑신정강, 홍범14조, 『독립신문』 등에서－간추려 보면, 대체로 왕권의 입헌주의적 제한, 조세법률주의, 법치주의, 죄형법정주의, 문벌 폐지, 공개재판, 영장주의, 연좌제 폐지, 민회설립 등이다. 그리고 밖으로는 외세의 간섭으로부터 벗어나 국제사회에서 동등한 대우를 받기를 희망하였다.[13] 이러한 개혁요구사항은 <외양적>으로는 대체로 서구의 자유주의와 중첩되는 것들이라고 볼 수 있다. 즉, 개인의 사적 자유를 억압하는 사회적 제약, 즉 신분질서를 철폐하고 법치주의를 통한 인권보장을 요구하는 한편, 정치참여를 통해 공적 자유를 획득하려 하였다. 그런데 <내면적>으로는 전통 유교정치사회윤리를 재구성하거나 탈피해야 하는 사상적 과제를 요구하였다. 개인보다는 집단위주의 유교정치원리는 개인위주의 자유주의원리와 충돌할 수밖에 없기 때문이다.

자유주의적 관점에서 유교에 대한 공론적 비판은 『독립신문』에서 제기되었지만, 국망 이후 더욱 심화되었다. 1910년대 일본유학생을 중심으로 한 신지식인들은 고전적 자유주의 원리에 근거하여 구사상·구관습을 비판하면서 개인주의와 과학문명의 도입을 주장하였다. 송진우는 1915년 『개벽』을 통해 개인은 가족선을 경유하여 사회와 연결되는 것이 아니라 직선으로 관통하는 것이라고 전제하고, 유교적 가족제도의 타파와 자유연애의 고취, 개인자립 등을 주장하였고,[14] 전영택은 1917년 『학지광』을 통해 효도, 남존여비, 계급제도 등 유교적 구습을

---

13) 국제사회에서 동등한 대우 희망은 청일전쟁 이후 '독립'을 달성했다고 판단한 『독립신문』의 논설에서 두드러지게 발견된다.

14) 송진우, 「사상개혁론」, 『개벽』 5, 1915.

타파하고 신도덕을 건설하되, 신도덕의 핵심은 '백행만사의 본원(本源)'인 '철저한 「나」'를 건설하는 것이라고 역설하였다.[15] 1920년 6월 이상재를 회장으로 하여 출범한 조선교육회는 그 취지서에서 "사회의 완전한 발달은 그 사회를 조직한 각 개인의 원만한 발달"이 전제되어야 한다고 주장하면서 개인의 발달을 위한 교육을 목표로 내걸었다. 이광수도 1922년 「민족개조론」에서는 국망의 책임이 민족 개개인에게 있다는 의미에서 개인의 문제를 논하고 있다. 이들은 모두 공통적으로 자기/개인의 생활을 억압하는 주범으로 전통 유교도덕을 지목하고 그 타파와 함께 신도덕의 건설을 주장하고 있다. 이들의 자기/개인의 자각과 개조가 비록 전체(사회 또는 민족)에 복속하는 방향으로 이루어져야 한다는 경향을 보였지만,[16] 자기/개인의식이 성장하고 있었다는 점 자체는 부인할 수 없다. 조국의 식민지 현실이 오히려 개인의 발견을 촉진시킨 것이다.

한편, 일제의 식민지배는 '민족'이라는 관념의 확산도 유발시켰다. 민족이라는 관념은 기본적으로 근대적 시공간 속에서 집단적 정체성의 재구성의 산물인데, 이것은 국내적으로나 국제적으로 지배와 저항의 관계 속에서 분명하게 그 실체를 드러낸다. 한국에서 근대적 민족관념은 탈중화의 역동성 속에서 형성되기 시작하여[17] 일제 식민지하에서 그 절정에 이른다. 그런데 민족관념의 확산은 자유주의적 공간을 확산시키는 동시에 제약하는 역할을 동시에 수행하였다.[18] 즉, 민족관

---

15) 전영택, 「구습의 파괴와 신도덕의 건설」, 『학지광』 13, 1917.

16) 차승기, 「生에의 의지와 전체주의적 형식 - 초기 이광수의 문화적 민족주의」, 『연세학술논집』 30, 1999.

17) Schmid, Andre, "Decentering the 'Middle Kingdom' : The Problem of China in Korean Nationalist Thought, 1895-1910", Timothy Brook & Andre Schmid (ed.), *Nation Work, Asian Elites and National Identities*, The University of Michigan press, 2000, 83～108쪽.

념의 등장은 정치의 주체를 기존의 국왕과 사대부를 넘어 전국민으로 확장시키기도 하였지만, 민족의 이름으로 개인의 자유를 제약하거나 개인의 희생을 요구하는 일도 생겨났기 때문이다.

그러므로 일본 식민지하의 자유주의는 개인의 자유를 희생하지 않으면서 민족의 자유를 확보할 수 있는 방법을 모색해야 하는 과제를 제기하였다. 정치적으로 공적 자유가 근본적으로 박탈된 상황에서는 개인의 사적 자유의 공간마저 위협당하지 않을 수 없었다. 더구나 공적 자유의 확보는 이제 동족의 지배체제를 개혁하는 것을 넘어 근본적인 민족차별구조인 식민지 지배체제 자체로부터의 해방을 궁극적으로 추구하지 않을 수 없게 된다. 그러므로 식민지하의 한국자유주의는 순수한 자유주의라기보다 식민지라는 현실 속에서 제3의 길을 모색하지 않을 수 없었을 것이다. 제3의 길이란 바로 자유주의적 가치와 민족주의를 어떻게 조화시키느냐의 문제로 귀착될 수밖에 없었다.[19] 그런데 민족주의와 자유주의는 상호 배반할 수도 있고 상호 통합될 수도 있는 긴장 관계이기 때문에 제3의 길은 미묘한 균형을 요구하였다. 이제 윤치호와 안창호를 통해 일제 식민지하 한국자유주의의 변용과정을 살펴보자.

3. 윤치호의 자유주의 이해와 굴절

윤치호(1865~1945)는 1884년 갑신정변부터 1945년 해방까지 한국 근대사의 주요사건에 직간접적으로 관여하면서 자유주의적 사고의 형

---

18) 권희영, 「근대적 공간으로서 한국자유주의」, 『한국사학』 17, 한국정신문화연구원, 1999, 37쪽.

19) 권희영, 위의 논문, 1999, 32쪽.

성과 발전, 그리고 변용과정을 잘 보여주고 있다.[20] 그의 자유주의적 사고는 기독교나 서구교육 경험 이전에 현실정치를 피지배자의 관점에서 보는 것에서부터 출발하고 있다. 갑신정변 전후에 이미 그는 "문명과 야만의 차이를 인의와 잔혹의 차이"로 구분하면서 "우리나라는 법을 만들어 백성을 얽어매고 살육하고 도해(荼害)하는" 야만의 정치로 비판하고 있다.[21] "백성들의 어려움은 물에 말라버린 곳에 있는 고기"[22]와 같아 "이 같은 나라의 정세라면 차라리 모든 국토를 다른 문명한 나라에 맡기어 과중한 세금과 악한 정치 하에 있는 백성들을 구하는 것이 더 낫지 않겠는가"[23]라고 생각하기에 이른다.

조선의 '압제'정치에 대한 비판은 미국유학생활을 지내면서 자유주의적 가치관에 의해 더욱 신랄해진다. "세상에 비할 데 없는 모진 정부에게 500년 압제를 받아 상하관민이 남에게 매여 구차히 목숨 보전하기만 구하고 있는 우리나라 형세로",[24] "(청국으로부터)독립을 구하는 것은 열두 해 죽은 송장이 춤추고 노래함을 구하는 것이나 마찬가지"[25]이기 때문에 "그 같이 더럽고 금수같은 정부는 진작 망하는 것이 백만창생의 복"[26]이라고 일갈한다. 결국 "애족적이고 인민의 복지에 호의적인 관심을 가진 더 나은 정부를 가지면 다른 나라에 종속되었다 해도 실제로는 재앙이 아니다"[27]라는 결론을 다시 확인한다.

이러한 결론에 도달하게 된 배경은 두 가지로 요약할 수 있을 것 같

---

20) 여기에서는 1883년부터 1943년에 걸친 그의 일기(『윤치호일기』 11권, 국사편찬위원회 편)를 중심으로 그의 사상과 행적을 분석한다.

21) 『윤치호일기』 1884. 1. 29. 이하 『일기』로 표기함.

22) 『일기』 1885. 6. 26.

23) 『일기』 1886. 9. 9.

24) 『일기』 1889. 3. 30.

25) 『일기』 1889. 4. 25.

26) 『일기』 1889. 10. 17.

27) 『일기』 1889. 12. 28 ; 1891. 3. 8.

다. 하나는 자유주의적 관점에서 조선의 정치·사회·문화의 개선전망에 대한 좌절, 다른 하나는 역시 자유주의적 관점의 연장으로서 제국주의론의 내면화이다. 먼저 그는 조선인의 삶과 정치를 '압제'(oppression), '억압'(repression), '의기소침'depression)으로 집약하여 표현하였다.[28] 즉, 정치는 국가권력의 사유화를 통한 압제와 부정부패로 권력의 정당성과 지배의 효율성을 상실하였으며, 사회는 양반지배구조로 억압이 일상화되고 있고, 개인은 활력을 잃어 애국심(patriotism)과 공공윤리(public spirit)가 결여되어 있으며, 이것은 모두 순환구조를 갖는 것으로 파악하였다. 그는 "조선정부 5백년의 역사는 전제, 불공정, 잔인, 억압의 악정(misgovernment)의 역사로서 통치자와 피치자들의 감각과 이성을 파괴해 온 최악의 범죄를 범해왔으며",[29] "이 악랄한 체제는 사람들을 불안하게 하고 인생을 헛되게 하여 개인의 덕성과 재능을 파멸시켜왔다"[30] 고 비판하였다. 개인의 관점에서 보았을 때 조선은 개인의 생명과 재산을 보호해 주지 못하는, 그래서 실제적으로 법이 없는 나라[31]이기 때문이다.[32] 조선의 평화는 사실 "지배자의 독재와 피지배자의 굴종으로 유지되어 온 평화"[33]이자, "인민의 피를 제멋대로 빨아먹는 평화"[34] 이며, "불쌍한 백성들이 관리들의 토색질을 피해 기독교에 보호를 요청하는"[35] 현실에서 "한국이 가장 필요로 하는 것은 인민의 생명과 재

28) 『일기』 1904. 5. 27.

29) 『일기』 1893. 9. 24.

30) 『일기』 1893. 12. 8.

31) 『일기』 1895. 8. 5.

32) 당시 김옥균 역시 조선의 현실에 대해 "지옥은 정의에 비추어 벌을 주지만 한국은 이유나 정의와는 무관하게 고문과 죽음을 주기 때문에 지옥보다 나쁘다"(『일기』 1893. 11. 4)라는 절망감을 토로한 바 있다.

33) 『일기』 1894. 6. 20.

34) 『일기』 1894. 6. 16.

35) 『일기』 1895. 11. 6.

산의 안전을 보장해 줄 수 있는 강한 정부"[36]임을 확신하였다.[37] 그는 "현 왕조가 빨리 사라질수록 민족(nation)의 복지는 더 나아질 것"[38]이고, "인민들은 자신들의 안전을 지켜줄 수 있다면 누가 나라를 다스리든지 상관하지 않을 것"[39]이라고 생각했다. 윤치호의 주요 관심은 "한국인들이 언제 공포에 떨지 않고 생명과 재산을 향유할 수 있을까"[40]였으며, 따라서 그에게 '문명화'는 다름이 아니라 "수백만의 인민이 자유를 누리는 것"[41]이었다.

이러한 압제와 억압구조 및 행태를 초래한 원인의 상당부분을 그는 유교에서 찾고 있다. 그는 유교자체가 악이 아니라－다른 종교와 마찬가지로－논쟁되지 않고(undisputed), 이의가 제기되지 않는(unprotested) 독점적 지배형태[42]가 양반지배구조(Yang-ban-archy)와 어울려 가부장적이고 압제정부체제를 허용하여 인민을 억압하게 했다[43]고 분석하였다. 그는 한국인들이 거짓말을 잘하는 습관도 항상 고문과 생명의 위협을 받는 전제주의 때문[44]이며, 게으름 역시 재산의 안전을 보장받지 못해 발생한 결과라고 봄으로써 개인의 습관과 정치환경을 연결하였다. 유교는 또한 "공적인 삶과 사적인 삶을 구분하지 않고 있어 개명한 공화

36) 『일기』 1895. 12. 20.

37) 이러한 점에 착안하여 한국의 자유주의는 강한 국가주의와 배타적인 것이 아니라 밀접하게 발전한 것이 아닌가라는 제안이 있다. 박주원, 「독립신문과 근대적 개인, 사회 개념의 탄생」, 『근대계몽기 지식개념의 수용과 그 변용』, 소명출판, 2004, 163～165쪽 참조.

38) 『일기』 1894. 9. 18.

39) 『일기』 1895. 12. 20.

40) 『일기』 1901. 3. 7.

41) 『일기』 1893. 4. 8.

42) 윤치호는 정치경제상의 독점구조가 경제성장과 민족번영의 희망을 꺾었다고 비판하면서 자유경쟁을 옹호하고 있다. 『일기』 1904. 6. 11.

43) 『일기』 1900. 12. 18 ; 1900. 12. 30～31 ; 1901. 1. 1.

44) 『일기』 1894. 4. 26.

국의 시민윤리로는 적합지 않은 것"[45]으로 평가했다.

자유주의적 가치관은 자연스럽게 제국주의이론을 내면화시켰는데, 그 하나는 로크의 재산권이론과 문명화 논리의 연장에서, 다른 하나는 적자생존의 경쟁원리에서 비롯되었다. 앞에서 잠깐 언급하였듯이, '야만'지역에 대한 '문명인'의 개입은 인류의 진보발전에 필요한 것이라는 주장이 로크의 재산권이론에서 주장된 바 있다. 윤치호는 이를 수용하고 있는데, 즉, 미국유학시절 그는 "미국사람들이 인디언들로부터 사냥터를 빼앗았다고 비난하기에 앞서 돼지에게 진주처럼 쓸모없는 것으로 여기는 야만인의 손에 이 비옥하고 아름다운 땅을 맡기는 것이 현명한지 질문하라"[46]고 주장한다. 그 연장선에서 그는 마침내 "한국인들은 아름다운 국토를 적극적으로 사용하지 않고 나쁘게 남용하였는데",[47] "인류의 성장과 이상은 한국처럼 아름답고 풍요로운 땅을 놀려놓고 영원한 학정 아래 내팽겨쳐두지 않는다. 일본이 여기에서 하려는 것은 세계가 인정할 것"[48]이라고 하여 조국에 대한 일본의 제국주의까지 인정하였다.

적자생존, 약육강식 역시 인류의 진보를 위해 불가피한 것으로 평가되었다. 예를 들면, "영국이 인도를 차지한 뒤로 내란이 진정되고 외우도 잦아들었으며 인민의 생명과 재산을 보호하여 전날보다 태평을 누리니, 사실 인도에게 영국은 은인이라 해도 옳을 것"[49]이라고 하여 제국주의를 긍정하였다. 물론 윤치호는 초기에 기독교인으로서 하나님의 사랑과 적자생존원리 간의 모순에 고민한 적이 있지만,[50] 마침내 "강

45)『일기』 1890. 2. 14.
46)『일기』 1890. 3. 7.
47)『일기』 1905. 11. 6.
48)『일기』 1905. 11. 17.
49)『일기』 1889. 5. 26.
50)『일기』 1892. 10. 14.

한 인종이 약한 인종을 차지하면서 범한 모든 어리석은 행위와 범죄는 인종전체의 궁극적인 향상을 위하여 <하나님의 섭리>가 지향하는 목표를 행하는데 필요악으로 보아야 한다"[51]고 결론지었다. 약육강식의 현실을 '하나님의 섭리'로 인식한 결과는 강한 현실주의와 허무주의에 빠지게 하는 한편, 현실비판의 근거를 상실하고 현실에 순응하는 태도를 유발하였다. 그래서 "이 세계를 지배하는 원리는 정의(right)가 아니고 사실상 힘(might)이다. '힘이 정의다'라는 것이 이 세상의 유일한 신이다",[52] "민족에게는 약함보다 더 큰 범죄는 없다"[53]라고 생각하였다.[54]

그러므로 그에게 '을사보호조약'은 "선과 악 사이의 선택 아니라 더 나쁜 악과 덜 나쁜 악의 선택"[55]일 뿐이며, "일본의 노예상태 하에서 한국인은 한국인 지배자의 전제주의가 외국인 지배자의 전제주의로 가는 징검다리였다는 것을 배우게 될 것"[56]이라고 간주하였다. 대한제국 멸망의 근본원인은 학정(misgovernment)에 있다고 판단했기에 "좋은 정부(good government) 없이 독립을 바라는 것은 내 철갑지팡이 끝에서 장미다발이 피기를 기대하는 것과 같다"[57]고 비꼬았다. 오히려 일제통치는 열등한 조선민족의 불가피한 진보 과정이며, 민족적 갱생의 훈련

---

51) 『일기』 1891. 5. 12.

52) 『일기』 1890. 2. 14.

53) 『일기』 1891. 11. 27.

54) 윤치호의 이러한 태도는 '신의 정의'를 포기하지 않는 당시 또 다른 기독교인 김교신이나 함석헌과 비교된다. 양현혜, 『윤치호와 김교신-근대조선에 있어서 민족적 아이덴티티와 기독교』, 한울, 1996 ; 이황직, 「근대한국의 윤리적개인주의 사상과 문학에 관한 연구」, 연세대 사회학과 박사학위논문, 2001, 104~179쪽 참조.

55) 『일기』 1905. 5. 10.

56) 『일기』 1905. 10. 16.

57) 『일기』 1905. 11. 15.

기간[58]으로 보고, 이러한 상황을 최대한 이용해야 할 것[59]이라고 주장하였다.

일제식민지 통치하에서 윤치호의 사고와 행동을 살펴보자. 기본적으로 한국은 독립자치능력이 없다고 생각했기 때문에 윤치호는 독립운동에 힘을 허비하지 말고 일제하에서 실제적인 삶의 질을 향상시키면서 장기적으로 독립능력을 키우는 데 노력해야 한다고 생각했다. 때문에 민족적 독립운동이었던 3·1운동에 대해서 "우리는 독립으로 이득을 볼 준비를 갖추지 못했다. 약소민족이 강한 민족과 함께 살아야 한다면 자기보호를 위해 그들의 호감을 얻어야하며, 학생들의 어리석은 소요는 무단통치를 연장시킬 뿐"[60]이라며 비판하였다. 대신 개인적 차원의 자유 신장에 더 비중을 두었다. 3·1독립운동이 여전히 진행되고 있던 시기에 일본의 조선군사령관과 일제통치당국을 면담한 자리에서 그는 "조선인들이 불만과 요구사항을 호소할 수 있는 기관을 설치"[61] 할 것과 "일정기간 준비를 거쳐 자치를 허용할 것을 약속하고, 이성적이고 합리적인 조건하에서 언론과 출판의 자유를 허용"[62]하여 한국인들을 달래야 한다고 주장하였다. 윤치호의 관심은 독립 자체보다 개개인의 자유와 재산권보호에 치중하여, 동양척식회사가 추진하고 있는 일본인 이주계획이나 총독부가 토지수용권을 악용하여 조선인들에게 적절한 보상을 해주지 않은 것에 더 큰 불만을 표시하였다.[63]

---

58) 『일기』 1905. 6. 20.
59) 『일기』 1905. 11. 29.
60) 『일기』 1919. 3. 2.
61) 『일기』 1919. 4. 18.
62) 『일기』 1919. 11. 15.
63) 『일기』 1919. 5. 25 ; 11. 15. 윤치호는 일본의 만주(지배)정책도 재만주조선인들의 생명과 재산의 안전, 일자리 제공 차원에서 중국인들의 지배보다 낫기 때문에 지지한다는 입장을 밝히고 있다(『일기』 1931. 9. 23 ; 1932. 2. 22).

일제의 식민통치와 그에 대응하는 한국인들 모두에 대해 윤치호는 양비론적 비판을 하였다. 일제치하에서 한국은 부패한 전제악정을 일본의 유능한 행정으로 대체하여 더 살기좋은 나라가 되었고",[64] "젊은 남녀들이 계층을 막론하고 교육을 받게 되었으며, 다리가 놓이고 신작로가 뚫리고 철도가 놓이는 등 근대적인 발전과 편의를 도입하는 데 놀랄 만한 업적을 쌓았다는 건 의심할 여지가 없"[65]지만, 문제는 일본의 통치가 조선민족을 여전히 차별하고 또한 관용을 베풀지 않는데 있었다. 윤치호의 주관심은 "어떻게 하면 두 민족이 하나로 '병합된' 국가에서 '형제처럼' 사이좋게 지낼 수 있을까?"[66]하는 것이었다. 그런데 일본의 시책이 조선인들의 복지를 통치목적으로 삼지 않아 조선인들을 일본인들과 똑같이 자애롭게 대우하겠다던 천황의 약속, 즉 '일시동인'(一視同仁)의 진실성을 의심하게 하였다.[67] 민족차별은 조선민족의 수준이 일본인과 동등하게 되기 전까지는 감수할 수밖에 없다고[68] 생각하지만, 일본이 신도(神道)를 강요하면서 조선인들의 역사·전통·정서·선입견을 무정하게 짓밟는 짓[69]은 그의 자유주의적 이상—관용, 신앙의 자유 등—에 어긋나는 것이었다.

한편, "대중목욕탕 하나 운영하지 못하는" 한국민족이 "현대국가를 다스리겠다고"[70] 자치청원이나 독립운동을 하는 것 역시 비판의 대상이었다. 그는 자치운동에 대해 "설령 일본이 허용한다하더라도 자치를 잘 운영해나갈 수 있는 능력이 있는지 의문"[71]이라고 하였고, 더구나

64) 『일기』 1919. 1. 29 ; 1920. 10. 29 ; 1938. 8. 20.
65) 『일기』 1920. 7. 25 ; 1935. 8. 4.
66) 『일기』 1919. 5. 28 ; 1920. 8. 14.
67) 『일기』 1919. 10. 5.
68) 『일기』 1920. 8. 22.
69) 『일기』 1919. 7. 8.
70) 『일기』 1919. 2. 28.

독립운동은 "한겨울 눈 속에 씨를 뿌리고 잘 자라게 해달라고 하느님께 기도하는 것과 같은 것"[72]으로 혹평하였다. 그래서 그는 "명목상의 독립이 조선인들의 진정한 복지에 얼마나 도움이 되겠나? 그래서 난 이름뿐인 독립보다 자치를 해가며 현재의 지위를 유지하는 게 최대의 이익이라고 확신"[73]하기 때문에 "일본의 보호 하에 사는 한 좋든 싫든 생명과 재산의 안전을 위해 법령을 준수해야 한다"[74]고 주장하였다. 특히 독립운동 등 정치활동에 집중하는 것은 어리석은 짓으로 신랄히 비판되었다.[75] 그 이유를 들어보자.

> 종교와 도덕은 민족의 영혼이고, 지식은 민족의 두뇌이며 부는 민족의 실체라 할 수 있다. 정치적 지위란 그저 민족의 의복에 불과하다. 한 민족이 도덕적으로 건전하고, 지적으로 수준이 높으며, 경제적으로 자립을 이루었다면, 정치적 지위야 어떻든 매우 편안하게 살 수 있다. 이와 반대로 그저 정치적 독립만 있다면 이것이야말로 아무짝에도 쓸모없는 일이다.[76]

민족의 실체는 경제적 부이지 정치적 지위가 아니라는 생각은 전형적인 부르주아의 발상이다. 경제적 이익을 위해서는 어떤 지배세력과도 결탁할 수 있는 이러한 사고는 민족주의적 비판에 앞서 고전적 자유주의의 가치관임을 우리는 역사를 통해 알고 있다. 윤치호가 근거하고 있는 자유주의는 이미 19세기 초 이래 부르주아 이익의 실현을 위

71) 『일기』 1919. 7. 8.
72) 『일기』 1919. 4. 22.
73) 『일기』 1919. 9. 16.
74) 『일기』 1919. 10. 30.
75) 『일기』 1919. 10. 15 ; 1921. 9. 27.
76) 『일기』 1920. 5. 17.

한 자유방임의 고전적 자유주의를 비판하고 국가의 존재와 그 적극적 개입을 통한 개인의 '적극적 자유'와 '공동선'의 실현을 추구하는 신자유주의(New Liberalism) 사조를 반영하지 못한 것이다.[77)]

경제적 자유와 안전을 중시하는 이러한 관점에서는 당시 민족운동의 한 방법으로 성장하고 있던 사회주의를 용납할 수 없었다. 그 이유는 사회주의는 걷잡을 수 없는 혼란과 유혈사태를 유발[78)]할 뿐만 아니라, 기본적으로 자구(自救)하려 하지 않고 남에게 의존해 살려는 조선인들의 오랜 기생(寄生)본능과 연결되어 있다고 보았기 때문이다.[79)] 그래서 그는 일본통치와 러시아 볼셰비즘 사이에서 선택해야만 한다면 전자를 고르겠다고 확신하였다.[80)] 이것은 오기영의 비판처럼 "여덕(餘德)이나마 실제에 있어서 재산을 보호해주는 일본경찰의 혜택 하에 옛날 이조시대의 탐관오리들에게 붙들려가서 토색을 당하던 억울함을 면한 자들이 시민사회의 사적영역에 안주하면서, 노동자계급의 진출에 맞서 자신들의 계급적 이해를 지키기 위해 일제와 타협하려는 경향을 드러낸 것"[81)]으로 볼 수도 있다. 일찍이 독립협회 시절에 동학을 비판

---

77) 자유주의의 역사에 관해서는 Arblaster, Anthony, *The rise and decline of western liberalism*, Blackwell, 1984 참조.

78) 『일기』 1920. 12. 6.

79) 『일기』 1921. 1. 22.

80) 『일기』 1934. 3. 23. 윤치호는 1925년경부터 YMCA농촌계몽운동에 참여하여, 1930년에 '연농회'를 설립하고 1933년에는 '중앙진흥회' 이사장에 취임하여 생활개선, 미풍진작, 양습보지를 목표로 활동하였으나 결국 일제의 '농촌진흥운동'('자력갱생운동')에 포섭, 흡수되었는데, 이것은 사회주의자들과 농민획득 경쟁과 관련되어 있다는 지적이 있다. 윤해동, 『식민지의 회색지대』, 역사비평사, 2003, 242쪽 참조.

81) 오기영, 「예수와 조선」, 『민족의 비원』, 성각사, 1947, 251쪽 ; 梶村秀樹, 「일본제국주의하의 조선자본가층의 대응」, 『한국근대경제사연구』, 사계절, 1983, 443~450쪽(장규식, 『일제하 한국기독교민족주의 연구』, 혜안, 2001, 243쪽에서 재인용).

하고[82] 만민공동회의 군중을 폭도(turbulent mob)로 보고,[83] '민변'(民變)을 우려한 바 있는[84] 그에게 이러한 태도는 아주 자연스러운 것이다. 이로써 윤치호에게 '개인'은 '인민' 일반이라기보다 '유산자' 중심이었으며, 따라서 개인과 인민(또는 민족)이 연속적으로 연결되기보다 서로 어긋나 있었던 것으로 볼 수 있다.

경제적 측면을 중시하는 자유주의적 관점은 조선의 독립의 조건으로 민족의 경제적 상황 및 지적·도덕적 수준향상을 요구하였다. 즉, 서구 자유주의를 이끌었던 유산자(부르주아)와 그들의 시민윤리를 국내에 확립할 것을 요구하였다. 그래서 그는 "조선인들은 정치적 평등을 요구하기 전에 경제적 평등에 도달해야한다",[85] "지금으로서는 텅빈 주머니를 가지고 만세를 외치는 것보다 교육, 종교, 기업에 힘쓰는 게 더 중요하다"[86]고 주장하였다. 아울러 "조선의 정신적, 정치적 발전의 현 단계에서는 정치에 간여치 말고 민족의 도덕적 향상에 전념해야 한다"[87]고 하였다. 그의 '도덕'은 '공공윤리(public spirit)'로서 개인의 이기심보다 공공의 이익을 우선 생각하는 것, 기강, 협력, 멸사봉공, 청결, 근면, 극기[88] 등과 같은 것이었다.

독립의 방법은 체코슬로바키아의 사례처럼 민족의 지적 수준을 향상시킨 후에 국제정세를 이용하는 것이 현명한 것으로 간주되었다.[89] 국제정세를 이용하기 위해서는 국제관계 '현실'을 알아야 하는데, 그것

82) 『일기』 1895. 2. 18.
83) 『일기』 1898. 3. 10.
84) 『독립신문』 1898. 7. 9, '논설'.
85) 『일기』 1919. 8. 11.
86) 『일기』 1920. 11. 12.
87) 『일기』 1919. 5. 10.
88) 『일기』 1919. 9. 4 ; 1920. 7. 26 ; 1935. 10. 2.
89) 『일기』 1919. 12. 20 ; 1920. 9. 17 ; 1920. 11. 14.

은 한마디로 약육강식이었다. 국제관계는 개인간의 관계가 확대된 것으로 보았다. 즉, 인간의 본성이 사악하고 포악하며 전쟁을 좋아하는 것처럼[90] 국제관계 역시 "강제수단에 의해서만 도덕이 힘을 발휘하는"[91] 곳으로 파악하였다. 그래서 "이 세상은 이상을 숭상하지만 결국엔 현실에 굴복하고" 말기 때문에 "감정만 가지고 구체적인 사실에 대들거나 주먹만 가지고 기관소총에 덤벼드는 행위는 결국 비웃음을 살 수밖에 없다"[92]고 생각했다. 그러므로 한국인은 "싸울 수 없다면 독립을 외쳐봐야 소용없다. 강해지는 법을 모르는 이상 약자로 사는 법을 배워야 한다"[93]고 결론지었다.

결국 식민지 치하에서 윤치호의 정치적 이상은 민족의 독자성과 정체성을 유지하는 가운데 다민족이 자유롭게 공존하는 대제국이었다. 그에게 다양성은 관용의 결과로서 자유주의적 가치 실현의 중요 요소이다.[94] 그래서 그는 조선의 역사・전통・정서를 유지하는 가운데 일본이 조선을 일본의 아일랜드가 아니라 스코틀랜드로 만들기를 염원하였다.[95] 다민족 대제국을 향해서 윤치호는 총독에게 조선인에 대한 차별을 철폐하고 내선일체 실현을 위한 방안으로, 조선인 학생이 일본인학생과 같은 수만큼 관립학교에 입학할 수 있도록 하고, 관리 임용시 조선인을 차별해서는 안되며, 조선어사용 및 교육에 대한 규제를 철폐할 것을 제안하였다.[96] 총독부를 정부로 간주하는 대신 차별 시정

---

90) 『일기』 1919. 1. 31 ; 1921. 5. 26 ; 1932. 1. 24 ; 1934. 2. 12.

91) 『일기』 1933. 6. 12.

92) 『일기』 1919. 5. 11.

93) 『일기』 1919. 1. 29.

94) 윤치호는 다양성과 관용의 관점에서, 신일본주의를 제창하는 친일파 민원식이 피살되었다는 소식을 듣고 의견이 다르다면 그것으로 그만이지 사람을 죽일 필요는 없다고 비판하였다(『일기』 1921. 2. 16).

95) 『일기』 1943. 3. 1.

96) 『일기』 1939. 3. 3.

을 요구하는 등 자유주의적 원리에 부합하는 지배를 촉구한 것이다.

그가 평생 구관습의 불합리에 저항하고 "이성과 양심에 따라"[97] 새로운 행위규범을 개척해 나가는 모습은 '자유주의자'로서 대단히 용기 있는 행동으로 평가할 수 있다. 하지만, 개인/민족/국가를 분리하고, 국가권력보다 인민의 권리를 중시하며, 시민사회의 공고화를 통해 장기적으로 국가건설을 지향하는 윤치호의 자유주의적 태도[98]는 식민지하의 현실과 유리되어 결국 일제의 지배를 강화하는 효과를 가져왔다. 그렇지만, 개인/집단을 분리하여 개인을 우선하는 관점은 오히려 역설적으로 '근대적 개인'의 존재출현을 촉진하였다고 볼 수도 있다.

4. 안창호의 자유주의 실험과 그 변용

윤치호의 경우에서 살펴보았듯이, 정치를 '민족의 의복' 정도로 간주하고 국가를 필요악 정도로 보는 고전적 자유주의 국가론에 근거해서는 강렬한 국권회복 의지를 이끌어 낼 수 없었다. 사적 자유의 추구가 공적 자유의 추구로 강고히 연결되기 위해서는 개인과 민족(국가)의 관계가 통합적으로 연계되는, 자유주의 사상의 일정한 변용을 필요로 하였다. 그 사례를 안창호(1878~1938)를 통해 살펴보자.

안창호 역시 동시대인들의 기본관념이었던 우승열패, 적자생존의 논리에서 자유로울 수 없었다. 그러므로 개인이든 민족·국가든 생존하기 위해서는 힘을 필요로 한다는 '힘의 철학'을 형성하였는데, 그 내용은 윤치호와 약간 다르다.

97) 『일기』 1895. 2. 22.

98) 일제하 기독교진영의 자유주의 국가건설의 논리와 구조에 관해서는 장규식, 앞의 책, 2001, 217~256쪽 참조.

세상의 모든 일은 힘의 산물이다.……누구든지 자기의 목적을 달성하려는 자는 먼저 그 힘을 찾을 것이다.……힘은 건전한 인격과 공고한 단결에서 난다는 것을 나는 확실히 믿는다. 그러므로 인격훈련, 단결훈련 이 두 가지를 청년제군에게 간절히 요구하는 바이다.[99]

곧 지금 세계가 민족경쟁시대라, 독립한 국가가 없고는 민족이 서지 못하고 개인이 있지 못하는 것과, 국민 개개인이 각성하여 큰 힘을 내지 아니하고는 조국의 독립을 유지할 수 없다는 것[이다]. 큰 힘을 내는 길은 국민 개개인이 각자 분발 수양하여 도덕적으로 거짓 없고 참된 인격이 되고, 지식적으로 기술적으로 유능한 인재가 되고 그러한 개인들이 국가 천년의 대계를 위하여 견고한 단결을 해야 한다.[100]

민족사회는 각개 분자인 인민으로 구성된 것이므로 그 인민 각개의 방침과 계획이 모이고 하나가 되어서 비로소 공통적인 방침과 계획 즉 합동의 목표가 생기는 것은 민족사회에서는 피치 못할 원칙입니다.[101]

즉, 안창호의 힘의 형성논리는 '건전한 인격'의 '개인'이 '민족사회'의 '각개 분자'임을 자각하고 민족적 이해를 위해 '견고한 단결'과 '합동'을 이루어야 한다는 것이다. 도산의 힘의 철학에 나타난 개인관념의 특징은 개인이 공동체와 독립된 것이 아니라 일단 민족의 부분 또는 기초단위로 이해된다. 그리고 개인이 민족사회로의 연계방식이 단순한 민족감정이나 집단적 요구에 의한 강제적인 것이 아니라 철저하게 자각한 개인의 의사로 이루어진다는 데 그의 자유주의적 면모가 드러나고

99) 안창호, 「청년에게 부치는 글」, 『안도산전서』 중권, 도산기념사업회, 1993, 29쪽.

100) 이광수, 『도산안창호』, 범우사, 2000, 27~28쪽.

101) 안창호, 「동포에게 고하는 글」, 『안도산전서』 중권, 도산기념사업회, 1993, 9~10쪽.

있다.

> 그러므로 각 개인은 이 원칙에 의거하여 참맘으로 정성껏 지혜껏 연구하여……각각 의견을 발표하노라면 그것들의 자연도태와 적자생존의 원리에 의지하여 마침내……여론을 이룰 것이니, 이 여론이야말로 한민족의 뜻이요 소리요 명령입니다. 우리는 자유의 인민이니 결코 노예적이어서는 안됩니다. 우리를 명령할 수 있는 이는 오직 각자의 양심과 이성뿐이라 할 것이니 결코 어떤 개인이나 어떤 단체에 맹종하여서는 아니됩니다.[102)]

이렇게 안창호의 자유주의에서는 개인주의와 민족주의가 결합하고 있는데, 그 매개는 "양심"(이성이 아닌, 감정이 포함된)과 "단체"이다. 먼저 안창호 사상에서 양심의 내용은 "우리 민족사회에 대한 영원한 책임감"으로 표명되었다. 논리상 개인이 사회의 실재라는 생각(개인주의)과 정치사회에 대한 책임감을 우선하는 생각(민족주의)은 서구사상사에서도 화해하기 힘든 개념이다. 루소와 헤겔이 이를 종합시키고자 했지만, 그들의 강조점은 사회쪽에 있었다. 개인과 사회를 결합시키기 위해 안창호는 우선 서구 개인주의의 공리주의 인간관을 수정해야만 했다. 서구 자유주의에서 '개인'이 자연권에 기초해서 추상수준에서 연역된 것인데 반해, 안창호의 '개인'은 양심과 이성에 기초한 자각을 통해 이루어진다.[103)] 안창호는 자기의 양심에 귀 기울이는 사람은 누구나 식민지 조국의 상황을 변화시키고자 노력할 것이라고 믿었다. 개체와 전체의 결합을 강조하는 안창호의 생각은 몸의 유기체론으로 보강된다.

---

102) 안창호, 위의 글, 1993, 9~10쪽.

103) 이황직, 「근대한국의 윤리적개인주의 사상과 문학에 관한 연구」, 연세대 사회학과 박사학위논문, 2001, 79쪽.

> 사지(四肢)와 백체(百體)로 이루어진 우리 몸으로서 그 사지와 백체가 분리되면 그 몸이 활동을 못하기는 고사하고 근본되는 생명까지 끊어집니다. 이와 같이 각개분자인 인민으로 구성된 민족사회도 그 각개분자가 합동하지 못하고 분리하면 바로 그 순간에 그 민족사회는 근본적으로 사망할 것입니다.[104]

둘째, 안창호는 개인과 민족을 매개하는 것으로 '자원단체'를 설정하고 있다. 개인의 이해관계를 단체(association)를 통해 실현하고자 하는 것은 근대시민사회의 기본원리 중 하나이다. 개인은 단체를 통해 사회(society)를 형성하고 민족·국가 등 공동체와 연결되는 것이다. 그러므로 안창호의 사상은 근대시민사회사상을 잘 이해하고 실천한 것이라 할 수 있다. 그는 독립협회, 신민회, 흥사단, 한국독립당 활동 등 평생을 단체를 조직하고 이를 통해 실천을 모색하였다. 1907년 비밀결사로 조직한 신민회는 ① 신정신을 가진 신민, 곧 근대적 국민을 양성하고, ② 그 신민들이 널리 결합하여 신단체 혹은 근대사회를 형성하며, ③ 그 신단체를 국내외에 걸쳐 확대 발전시킴으로써 마침내 신국가, 곧 공화정체의 근대국가를 건설한다는 것이다.[105] 여기에서도 개인, 사회, 국가가 유기적으로 긴밀히 연결되어 있다. 먼저, 개인은 전통의 신민(臣民)이 아니라 자각한 근대적 개인으로서 '신민(新民)'이다. '신민'은 건전한 인격뿐만 아니라 근대적 지식과 생활능력을 갖춘 사람을 가리키는데, 그런 사람을 형성하기 위한 핵심 덕목이 바로 청년학우회와 흥사단에서 표방된 '무실, 역행, 충의, 용감'이다. 이들 개념은 그 본래

---

104) 안창호, 앞의 글, 1993, 8쪽.

105) 국사편찬위원회, 『한국독립운동사』 1, 정음문화사, 1983, 1027쪽, "본회의 목적은 우리 한국의 부패한 사상과 습관을 혁신하여 국민을 유신케 하며, 쇠퇴한 교육과 산업을 개량하여 사업을 유신케 하며, 유신한 국민이 통일연합하여 유신한 자유문명국을 성립케 함".

의 의미를 긍정하는 것이었을 뿐만 아니라, 당시 한민족의 낡은 정치제도와 봉건적 사회의식의 굴레에서 살아오는 동안 형성된 성격적 약점들을 교정하기 위한 현실적 의미를 더 강하게 갖고 있었다. 그러므로 이들은 모두 일반적 의미의 근대적 인간이 갖춰야 할 덕목으로서만이 아니라 근대민족운동의 주체로서 반드시 갖춰야 할 덕목으로서의 의미를 함께 지닌 것이라고 할 수 있다.[106)]

개인 스스로의 자각에 의한 자신(自新)이 기본적으로 중요하지만 혼자서는 취약하다고 판단하여 안창호는 뜻을 같이 하는 개인들이 결합하여 단체를 형성, 동맹수련할 것을 제안하여 수양동우회와 흥사단을 조직하였다. 이것은 자칫 계몽운동이 빠지기 쉬운, 우민관에 입각한 일방적 계몽주의나 국가론이 사상된 근대화지상론의 한계에서 벗어날 수 있게 해주었다고 평가된다.[107)] 그리고 신단체를 기반으로 한 신국가건설의 기획은 시민사회의 공고화를 기반으로 한 민주국가 건설의 의미를 갖는 것이다. 그러므로 신국가는 이제 당연히 대한제국으로의 복귀가 아닌 새로운 민주공화국의 설립을 목표로 하였다. 신민회의 이념과 목표는 그가 주도적으로 참여한 미국의 '대한인국민회의'에서 실험되었고, 마침내 임시정부 헌법에 자유민주주의국가 건설 목표로 명시되었다.

신민 → 신단체 → 신국가 혹은 국민형성 → 국민의 통일연합 → 자유문명국 설립이라는 방식은 당시 실력양성론과 맥을 같이 하는 것으로 볼 수 있다. 그런데 1920년대 중반이후 안창호는 이러한 실력양성론의 방식을 스스로 비판하고 '사회대공주의(社會大公主義)'를 제시하였다. 사회대공주의는 당시 윤치호의 경우에서처럼 개인을 강조하는

106) 박만규, 「안창호 민족주의에서의 자유주의」, 『한국사학』 17, 한국정신문화연구원, 1999, 133쪽.

107) 박만규, 위의 글, 134쪽.

자유주의적 국가관이 시민사회의 비정치화로 기울며 그 한계를 드러내면서 수양동우회 내부에서 노선투쟁이 일어나자 그 대안으로 제시된 것이다. 그리고 무엇보다 사회대공주의는 1920년대 러시아와 중국에서 사회주의가 주요 정치적 대안의 하나이자 유력한 민족해방의 수단으로 등장하면서 그 영향을 크게 받은 것으로 볼 수 있다. 1930년 1월 결성된 한국독립당의 강령, 그리고 '동우회 약법'에 나타난[108] 사회대공주의의 요지는 다음과 같다.

첫째, 일본침탈세력의 박멸을 목표로 민중의 반항과 무력적 파괴의 방안이 제시되었다.
둘째, 독립국가 건설의 방향으로서 정치 경제 교육의 평등에 기초한 신민주국 건설을 지향한다. 그 구체적인 방침으로 보통선거제 실시, 토지와 대생산기지의 국유화, 공비(公費)에 의한 의무교육제 실시.
셋째, 독립운동과정에서의 연대와 협조를 기대하면서 민족간 국가간 완전평등에 기초한 평화적 국제질서를 희망한다.[109]

사회대공주의 성격으로 첫째, 실력양성을 통한 점진적 개혁방안을 비판하고 무력에 의한 혁명을 주장한 것은 '시민사회에 기초한 자유주의 국가건설론'이 '일제침략 하'라는 역사적 조건에서 수정되고 있음을 의미한다.[110] 그는 외교론과 모험주의(또는 '무계획적') 무장투쟁론을 모두 비판하고 비타협 반일투쟁론을 주장하면서 실제 전쟁 준비를 위

108) 박만규는 한국독립당의 강령이 안창호의 주도로 내용이 결정되고 조소앙이 이를 문장화하였다는 근거를 제시하고 있다(박만규, 위의 글, 144~146쪽), 그리고 구익균은 조소앙이 이를 계승하여 삼균주의로 발전시켰다고 회고하고 있다(구익균, 「도산을 회고한다」, 『도산사상연구』 4집, 1997, 319~320쪽.

109) 국사편찬위원회, 『한국독립운동사자료 3 임정편Ⅲ』, 1973, 396쪽.

110) 장규식, 앞의 책, 2001, 242~243쪽.

해 군사양성과 군비조달문제를 고심하였다.[111] 그리고 조직적 민족혁명운동 추진을 위해 대혁명당, 유일독립당 운동을 추진하였다.[112]

둘째, 사회대공주의는 당시 민족운동의 한 줄기로 형성되어 가고 있던 사회주의의 이념을 대폭 수용하고 있다. 이것은 당시 좌우로 분열되고 있는 독립운동 진영을 통합하려는 목적에서 시작되었지만, 그 과정에서 이미 자유주의는 크게 수정되고 있었다.[113] 과거 조선왕조국가에 대한 부정적 경험을 토대로, 국가에 대한 시민사회적 가치를 우선하는 실력양성논리가 도출되었다면, 이제 시민사회가 제국주의의 침략과 노자문제(勞資問題)의 대두로 왜곡 굴절되자 자유방임의 고전적 자유주의를 넘어 '사회적 국가'의 개입을 모색하기에 이른 것이다.[114] 안창호의 사회대공주의는 마르크스 레닌주의라기보다 유토피아 사회주의나 19세기 후반 영국의 신자유주의, 손문의 삼민주의와 유사한 것으로서 당시 동서양의 시대조류를 수용하고 종합한 것으로 평가된다.[115]

셋째, 독립과 국제평화를 위해 민족간 국가간 평등한 연대와 협조를 기대한 것은 적자생존의 힘의 논리 속에서 비관주의에 빠진 윤치호의 국제관계론과 대조된다. 여기에는 주어진 현실에 굴복하지 않고 약자들의 연대를 통해 '정의'를 추구하는 열정이 담겨있다.[116]

안창호의 사상을 사회대공주의를 중심으로 요약하면, 1) 개인은 윤리의 주체로서 양심에 기초해서만 행동한다, 2) 개인은 그들의 뜻을 모

---

111) 「일기」, 『안도산전서』 중권, 1993 참조.

112) 박만규, 앞의 글, 1999, 137～142쪽.

113) 실제로 안창호는 좌우합작을 위해 방문한 수많은 무정부주의자, 공산주의자 등 젊은 급빈주의자들과의 대화에서 그들의 문제의식을 수용하고 동감을 표시했다(도산기념사업회, 앞의 책, 1993, 393～394쪽).

114) 장규식, 앞의 책, 2001, 244쪽.

115) 장규식, 위의 책, 2001, 241, 246쪽 ; 이황직, 앞의 글, 2001, 84쪽.

116) 이것은 오늘날 민족적, 국제적 문제 해결을 위해 추진되고 있는 국제연대활동들의 맥락과도 닿는 부분이다.

은 '단체'활동을 통해 사회문제에 개입한다, 3)단체들의 다양성은 국가(또는 독립운동)의 윤리성을 강화하지만, 일단 뜻을 모으면 대공주의라는 대원칙에 따라 합동해야만 한다. 이처럼 개인의 양심과 단체 활동의 자유는 공개토론을 통해서 자연스럽게 민족공동체의 수립과 유지로 이어질 것이라는 생각이다.[117] 대공주의는 실천적인 측면에서 이렇다 할 실체를 보여주지 못했지만, 신간회 출범을 전후하여 기독교 내부에서 기존의 자유주의 국가관의 수정을 이끌었고, 민족적 정치투쟁으로써 신간회운동에의 참여를 이론적으로 뒷받침한 것으로 평가된다.[118] 또한 안창호의 사상은 개인의 자유와 민족공동체의 운명, 즉 개인주의와 민족주의가 어떻게 결합될 수 있는가라는 한 모형을 제시하고 있다.

5. 맺음말

자유주의의 핵심은 개인의 자유를 최대한 실현할 수 있는 정치적 공간을 모색하는데 그 본질이 있다. 이러한 의미에서 자유주의는 두 가지 개념, 즉 사적 자유와 공적 자유의 개념을 포함한다. 근대의 역사적 공간에서 한국자유주의는 이 양 차원의 자유를 세 가지 영역에서 획득하거나 방어해야 하는 과제를 안고 있었다. 첫째는 사적 자유와 공적 자유를 억압해 온 전통질서와의 대결, 둘째, 외세 일제지배 하에서 사적 자유와 공적 자유를 확보하는 것, 셋째, 사회주의의 도전에서 자유

117) 이황직은 이처럼 개인의 양심과 단체활동의 자유가 공개토론을 통해 자연스럽게 민족공동체의 수립과 유지로 이어지는 안창호의 사상을 '윤리적 개인주의'로 평가하고 있다(이황직, 앞의 글, 2001, 85쪽).

118) 장규식, 앞의 책, 2001, 247쪽.

주의를 방어하는 것. 지금까지 살펴본 윤치호와 안창호의 자유주의 실험과 변용은 자유주의 자체의 속성을 보여줄 뿐만 아니라 근대 한국자유주의의 성격을 표상한다고 볼 수 있다. 양자의 사고와 행동을 비교, 분석해 보자.

첫째, 사적으로나 공적으로 개인의 자유를 억압해 온 전통질서에 대한 대응은 양자가 공통성을 보이고 있다. 사적 자유, 즉 개인적 자유의 확보를 위해 이를 억압하는 사회적 관습과 정치체제를 변혁하고자 했다. 봉건적 신분질서와 관습의 철폐, 입헌주의 및 법치주의 실현, 나아가 '자유문명국' 건설 기획은 모두 개인의 자유와 권리를 보장하기 위한 것들이었다. 사적 영역의 고유성을 담보하는 '근대적 개인'을 출발점으로 정치사회를 재구성하고자 하는 관념은 필연적으로 개인의 정치사회적 윤리, 즉 시민윤리를 확립하려는 노력과 함께 실력양성을 통한 점진적인 사회변화의 관념을 수반하였다.

둘째, 공적인 정치적 결정권을 상실한 상태인 일제강점기 하에서 개인의 자유, 민족의 자유를 어떻게 확보할 것인가 라는 문제에서 양자는 서로 다른 대응을 보여주었다. 윤치호가 개인과 민족을 분리한 가운데 개인적 자유 확보에 치중하였다면, 안창호는 개인과 민족을 불가분리의 관계로 연계하여 개인적 자유와 민족적 자유를 동시에 추구하였다. 이러한 대응의 차이는 근대(국제)정치의 성격에 대한 이해의 차이와 개인의 정체성에 대한 이해의 차이에서 비롯된 것으로 보인다. 개인적 자유의 보호, 즉 사적 자유의 보호는 정치적 자유 즉 공적 자유가 보장되어야 가능하기 때문에 사적 자유는 정치적 자율권이 전제되지 않은 상태에서는 매우 제한될 수밖에 없다.[119] 그래서 근대국제정

119) 장동진, 「식민지에서의 개인, 사회, 민족의 관념과 자유주의 : 안창호의 정치적 민족주의와 이광수의 문화적 민족주의」, 『한국정치사상학회 공동학술회의 논문집』, 2004, 78~79쪽.

치는 독립된 근대국민국가를 단위로 편성되었던 것이다. 그런데, 윤치호는 근대국민국가의 개인-민족(국가)간 일체성을 파악하지 못한 채, 근대적 개인의 필요조건으로서 사적 자유만을 추구하였지 충분조건으로서 공적 자유를 확보하려 하지 않았다. 또한 개인의 자유와 정체성은 민족문화와 깊이 연관되어 있는데, 윤치호는 개인의 자유에만 관심을 두었지 개인의 정체성에 관해서는 관심이 빈약하였다. 이것은 역사(인간사)를 형성하는 주요인을 '감정'이나 '양심', 그리고 '동정심'(sympathy) 보다 '이성'에 의한 '진보'로 보는 관점에서 기인한 것으로 보인다.[120] 안창호의 '양심'이 동포의 고통에 동정심을 느끼는 감정의 표현이었다면, 윤치호의 '이성'은 동포의 고통을 약육강식에 의한 당연한 결과로 보게 했다.

셋째, 사회주의에 대응하여 윤치호는 계급적 이해에 집착하는 폐쇄적 보수적 태도를 보였다면, 안창호는 민족의 현실적 요구로 인정하고 이를 수용하면서 자기변화를 하는 개방적 태도를 보였다. 윤치호의 계급적 이해 집착이 어떠한 지배권력과도 타협할 수 있도록 했다면, 안창호의 탄력적 개방적 사고는 다수의 고통에 저항하도록 했다. 서구의 자유주의가 생성한 이래 꾸준한 자기수정을 통해 근현대사의 주요 이념으로 살아남게 되었던 것을 상기한다면, 이를 소홀히 한 윤치호의 고전적 자유주의의 집착은 현실과 유리된 보수적인 이념으로 기능할 수밖에 없었다. 그럼에도 불구하고 윤치호와 안창호의 자유주의는 일제하에서 사적인 영역과 공적인 영역에서 각각 자유의식을 키우는 데

---

120) Uday는 자유주의에는 이성의 보편성(cosmopolitanism of reason)을 중심으로 한 J. Locke, J. S. Mill과 동정심(sympathy)에 기초한 감성의 보편성(cosmopolitanism of sentiment)를 중심으로 한 D. Hume, E. Bucke의 두 종류가 있음을 지적하고, 전자가 제국주의로 연결되었다고 본다(Uday, Singh Mehta, *Liberalism and Empire*, The University of Chicago Press, 1999, 17~45쪽).

일정한 역할을 했다고 볼 수 있다.

해방 후 건국헌법은 사유재산권이나 시장의 절대성보다 분배정의나 균점, 그리고 강력한 '사회국가'의 성격을 갖는 것이었다. 말하자면, 사유재산권이나 시장의 절대성보다 분배정의나 균점, 그리고 강력한 '사회국가'의 성격을 갖는 것이었다. 이것은 한국의 자유민주주의가 미국식 자유민주주의를 그대로 이식한 것이라기보다 '제도 형성자'로서 미국이 구조화해 놓은 한계 내에서 일제를 거치면서 형성된 한국자유주의의 성격을 일정하게 내포하고 있음을 보여준다.121) 한국 근현대사에서 자유주의의 발전과정 뿐만 아니라 개인의 사회적 책임을 강조하는 한국인의 정서를 고려할 때 한국자유주의의 속성은 시장자유주의 보다 사회적 자유주의에 더 가까운 것으로 보인다. 그러므로 세계화의 대세에도 불구하고 한국자유주의의 역사성을 고려할 때 시장자유주의가 주류가 되기는 어려울 것으로 보인다. 하지만, 오랫동안 민주화운동과 결합하는 과정에서 한국의 자유주의는 '평등'의 가치에 압도되어 '비자유'적인 경향을 내포하고 있었던 것도 사실이다. 민주화 이후 민주주의와 분리를 시도하면서 본래의 '자유'가치를 회복하고자 하고 있는 한국의 자유주의는 질적 심화와 재구성의 단계에 있다고 할 수 있다.122)

한국자유주의는 민족주의와 결합 또는 분리되는 이중의 모습을 식민지시기 이래 보여주고 있다. 한국자유주의는 '민족'의 가치와 '자유'

---

121) 문지영, 「한국의 근대국가 형성과 자유주의」, 『한국정치학회보』 39집 1호, 2005, 203~205쪽.

122) 해방 이후 한국 자유주의의 전개와 그 속성에 관해서는 문지영, 위의 글 ; Chung Yong Hwa, "Liberalism in Korea : It's Development and Characteristics", paper presented at the International Convention of Asia Scholars 4, Shanghai, 2005 참조. 필자는 해방 전과 연계하여 해방 이후 한국자유주의의 전개과정에 관해서는 별도의 논문으로 발표하고자 한다.

의 가치 사이에서 항상 어려운 선택을 요구받고 있다. 자유민주주의사회에서 개인과 공동체, 그리고 자유와 평등(민주)의 긴장관계는 항상적인 것이지만, 한국은 그 외에 개인과 민족간의 딜레마를 추가로 안고 있다. 그 딜레마와 갈등은 민족통일을 이루는 그 날까지 계속될 것으로 보인다.

조선박람회와 식민지 근대

김 영 희*

1. 머리말

박람회는 서구 국가들이 자신들의 근대화 성과를 대중들에게 보여주는 커다란 볼거리였다. 과학의 발전, 인간의 진보와 미래상이 제시되고 실천되는 장이었다. 또한 이의 등장은 해외 식민지를 확보한 서구 제국들이 지배담론의 장치를 만들기 시작한 시점과 일치했다. 따라서 박람회는 제국주의 선전의 장이면서 근대를 전파하는 주요한 제도였다.

일제는 폭력과 강압만이 아니라 조선민중의 동의와 협력에 근거하여 안정적으로 지배체제를 구축하고 작동하려고 했다. 이에 일제는 조선민중 스스로 체제적합적인 사고와 가치를 내면화하여 생활하도록 유도했다. 이런 기획의 하나가 박람회를 통해 진행되었다. 박람회는 제국 일본과 식민지 조선의 이미지를 재구성하고 대중화하는 데 유의미한 역할을 했다. 타자에 의해 형성된 조선의 이미지는 제국의 이미지와 대조를 이루면서 조선민중의 체제에 대한 자세, 자기 인식에 결정적인 영향을 미칠 수 있었다.

서구의 역사에서 '근대'란 개인주의, 산업화, 식민주의, 민족주의가

---

* 연세대학교 국학연구원 연구교수, 한국사학

형성되고 상호 연관되는 장이었듯이, 박람회는 이런 가치와 이념이 공존하고 충돌하는 공간이었다. 또한 근대는 전통(전근대)과 길항관계에 있으면서 자신의 안정을 담보하기 위해 전통을 활용하기도 한다. 여기서 전통의 변용과 재구성이 파생한다. 일제 역시 조선의 전통을 그들의 지배에 알맞게 변형 왜곡했고, 박람회는 근대와 전통이 배열되고 서열화되는 공간이었다.

종래 조선의 박람회에 관한 연구에서 조선물산공진회(1915년)는 비교적 상세하게 검토되었는데,[1] 반해 조선박람회(1929년)는 충분하지 않았다.[2] 전근대성과 근대성을 대조하여 식민지배의 정당성을 창출하는 박람회의 정치적 의도를 밝히는 데 초점을 맞추거나(최석영, 신주백), 대만 혹은 중국의 박람회와 비교하여 같은 식민지 박람회로서 유사성과 차이를 드러내거나, 식민지과 비식민지의 차별성을 제시하기도 했다(하세봉). 또한 박람회를 둘러싼 근대적 양상 즉, 조선인의 박람회 체험과 반응, 그리고 근대적 요소의 침투와 소비 현상을 정리하여, 박람회가 식민지 완성과 근대 이식의 계기가 되었음을 주장하기도 했다(이태문). 그리고 박람회 건축의 의장적 특징을 살펴 박람회에 사용된

---

1) 이경민, 「근대적 공간으로서의 박람회」, 『황해문화』 35, 2002 ; 김태웅, 「1915년 경성부 물산공진회와 일제의 정치선전」, 『서울학연구』 18, 2002 ; 주윤정, 「조선물산공진회와 식민주의 시선」, 『문화과학』 33, 2003 ; 박성진, 「일제 초기 '조선물산공진회'」, 수요역사연구회 편, 『식민지 조선과 매일신보 1910년대』, 신서원, 2003.

2) 최석영, 「조선박람회와 일제의 문화적 지배」, 『역사와 역사교육』 3·4, 1999 ; 이태문, 「박람회를 둘러싼 다양한 견해들 - 식민지 조선과 박람회」, 『한국근대문학과 일본』, 소명출판, 2003 ; 신주백, 「박람회 - 과시, 선전, 계몽, 소비의 체험공간」, 『역사비평』 67, 2004 ; 하세봉, 「식민지권력의 두 가지 얼굴 - 조선박람회(1929)와 대만박람회(1935)의 비교」, 『역사와 경계』 51, 2004 ; 하세봉, 「1928년 中華國貨展覽會를 통해 본 상해의 풍경 - 조선박람회(1929)와의 비교를 통한 묘사」, 『중국사연구』 46, 2007 ; 강상훈, 「일제강점기 박람회 건축을 통해 본 건축양식의 상징성」, 『건축역사연구』 15-3, 2006.

건축양식의 상징적 의미를 검토하기도 했다(강상훈).

이상의 연구에서 박람회가 식민지화와 근대화에 기여한 점, 이를 위해 일본과 조선, 근대와 전통, 문명과 비문명의 대립 구도 속에서 통치의 근거를 창출하려고 기획된 점, 조선인의 체험과 반응의 면면도 밝혀졌다. 그러나 식민지 통치와 근대 이식의 근거인 新舊 이분법적 대조 속에서 조선의 이미지가 어떠한 설정 속에서 어떻게 재구성되었는지, 박람회에서 도출된 조선의 이미지와 근대적 요소 사이에서 조선인의 정체성이 어떻게 형성되었는지를 구명하지 못했다. 따라서 이 연구에서는 조선 이미지의 형성과 정체성 문제를 중심으로 조선박람회의 본질을 밝히려고 한다.

이 글은 기존 연구성과를 수용하면서 1929년 조선박람회를 둘러싸고 식민성, 근대성, 정체성 문제가 어떻게 전개되었는지를 살펴보고자 한다. 이를 위해 식민정책 수단의 하나인 박람회 공간에서 조선의 이미지가 어떻게 표현되었으며, 왜곡되고 변형된 조선의 전통과 근대가 어떻게 배치되었는지, 조선민중이 박람회를 수용하는 방식을 계층별로 살펴보면서 박람회 체험이 자기 정체성을 형성/재구성하는 데 어떠한 영향을 미쳤는지를 살펴보려고 한다.

연구방법은 조선박람회의 전시관(파빌리온, 조형건물) 중에서 조선관(직영관, 각 도 특설관)과 일본관(府縣과 기업의 특설관)의 조형성, 전시 내용을 검토하여 조선과 일본의 이미지가 어떤 모습으로 대비되어 재현되었는지 살펴본다. 또한 식민지적 맥락에서 왜곡된 형태로 정형화된 전통은 부정과 방기의 대상이었고, 이를 압도하면서 눈앞에 펼쳐지는 동경과 추구의 대상인 근대 사이에서 불안정한 잡종의 정체성이 부상하고 있음을 구명하려고 한다.

2. 조선박람회의 식민지 조선의 이미지

박람회는 19세기 말 서구에서 시작되어 산업화와 제국의 위력을 과시하는 공간이었다. 이중 식민지 박람회는 식민화와 근대화를 동시에 파악할 수 있는 기획으로, 식민지 정책의 성과와 현재의 식민지 모습, 미래에 대한 전망을 집약해서 보여주었다.[3] 즉, 식민지 분위기를 연출할 뿐 아니라 제국의 문명화 정도를 대조적으로 묘사하여, 식민지와 제국 사이에 설정된 서열화가 가시화되었다. 이때 전시관과 전시물은 설정된 상황을 증거한다.

조선총독부는 일본에서 개최되는 박람회에 참가하면서, 1915년 조선물산공진회에 이어 1929년 조선박람회(9월 12일~10월 31일)를 개최했다. 총독부는 물산공진회 직후 1916년부터 경복궁 안에 총독부청사를 신축하기로 했다. 이후 발생한 3·1운동 민심 수습책과 청사 완공 기념사업, 산업자본의 요구[4] 등이 결합되어 박람회가 준비되었다. 일제는 특히 3·1운동의 정치성을 의식하여 "목하 인심이 안정되거든 일반인심을 새로 산업방면으로 인도"하는 데, 박람회 개최가 "매우 적당한 조치"라고 판단했다. 이에 총독부청사가 완공되는 시점에 박람회를 열려고 했지만 예산 문제로 그 실현 여부가 한때 불투명했다. 다소 진통은 있었으나 청사가 완공되는 시점인 1925년, '始政15년'을 기념하여

---

3) パトリシア・モルトン 著, 長谷川 章 譯, 『パリ植民地博覽會 - オリエンタリズムの慾望と表象』, 東京 : ブリュッケ, 2002(Patricia A. Morton, *Hybrid Modernities : Architecture and Representation at the 1931 Colonial Exposition, Paris*, Massachusetts Institute of Technology, 2000), 65쪽.

4) 조선에 진출한 일본자본을 포함하여 산업자본가들도 일찍이 박람회 개최를 추진했다. 1921년 9월 정무총감을 위원장으로 구성되어 개최된 산업조사위원회에서 경성상업회의소 副會頭와 조선은행 총재가 박람회 개최를 제안했고, 위원장은 개최 시기 등의 의견을 모았다(조선총독부, 『産業調査委員會會議錄』, 1921. 1, 11~12쪽).

박람회를 개최하기로 했다.[5] 그러나 청사 건설이 해를 넘겨 1926년 1월에 완공되고, 같은 해 4월 26일 순종의 사망이란 정치적 사건이 돌발하자, 총독부가 아닌 조선신문사 주관 형태의 조선박람회가 5월에 열렸다. 총독부는 1928년부터 다시 박람회를 기획했다. 1928년은 昭和 천황 즉위(11월 10일)를 기점으로 昭和體制가 궤도에 오르기 시작한 해였다. 이에 일제는 1928년을 전후해서 체제변혁의 요구를 사전에 봉쇄하면서 개개인의 일상생활에 국가 관념을 주입할 수 있는 제도와 법률을 정비하고 확충했다.[6] 이 같은 일본의 정치 사회적 움직임에 대응하여 총독부는 천황 즉위를 기해 조성된 昭和維新의 정치 지형을 조선에 부식할 만한 행사를 준비했고, 그 하나가 1929년 조선박람회였다. 엄밀하게 말해서 '시정20주년'은 1930년에 해당하지만 새롭게 출발한 제국 일본의 권위를 수용하여 제국의 한 영역으로서 식민지 조선의 위상과 진로를 자리매김하려는 의도에서 '시정20년'이란 이름을 내걸고 조선박람회를 개최했던 것이다. 1928～29년에는 국내외에서 민족주의와 사회주의 양 계열 활동가들의 민족운동이 활발했는데, 박람회는 이 같은 체제저항세력도[7] 겨냥한 정치선전장이었다. 또한 당시 세계사적으로 박람회의 주된 역할의 하나가 산업진흥과 상품시장의 확대였는데, 특히 일본자본은 조선박람회를 침체된 경제불황의 돌파구로 활용하려고 했다.

조선물산공진회 때와 달리 조선박람회에서는 '조선색'이 유난히 강

---

5) 『조선일보』 1921. 5. 7, 「총독부 신축을 기념하는 대박람회의 준비」 ; 1921. 5. 24, 「難문제의 조선 박람회 설립」 ; 1923. 7. 20, 「조선박람회, 2백만원 예산 明後年頃 개최」.

6) 赤澤史朗, 「敎化動員政策の展開」, 『日本歷史』 20(근대 7), 岩波書店, 1981 참조.

7) 『조선일보』 1929. 6. 25, 「共産黨 滿洲部 密使 잠입설」 ; 1929. 8. 5, 「조선박람회 압두고 고려공산당 密議」.

조되었다.[8] 조선박람회에 등장했던 전시관의 조형디자인과 전시 내용/기법에 대한 당대인의 시선과 인상을 재구성하여, '조선색'을 주장하면서 생산된 조선의 이미지가 어떻게 표현되었는지 살펴보고자 한다.

1) 이분법적 공간 배치

이번 박람회의 구상은 '조선색'을 내세우면서 新舊, "근대문명과 고유문화",[9] 문명과 비문명(원시성), 근대와 전통의 대비였다. 문명화된 제국과 미개발의 식민지, "始政 발달의 자취"와 "조선의 고유문화", 공업제품과 농산물의 이분법적 구도로 '열악한' 조선이란 인상을 명확히 가시화하는 것이다.

약 10만 평 부지에 전시관은 크게 직영관[10]과 특설관으로 구성되었다. 10여 개 직영관과 80여 개 특설관을 더하면 전시관만 90여 개, 여기에 야외극장과 매점 등을 합치면 100여 개 공간이 마련되었다. 일제가 경복궁 터를 부지로 선정한 이유는 신구의 공간 배치에 적합했기

---

8) 우선 각 전시관과 장식탑의 건축양식을 "부근 경회루, 근정전 등 기존 건물과 조화를 고려하여 충분히 朝鮮色을 표현"하는 데 노력했다고 한다(조선총독부, 『朝鮮總督府施政年報(1929년도)』, 301쪽). 선전광고탑 보조물로 "천하대장군 지하여장군의 기둥"을 세워 '조선 칼라'를 표현했다고 한다(朝鮮博覽會彙報」, 『朝鮮公論』 1929. 5, 100~101쪽). 또 포스터 도안도 "반드시 조선에 근거"하도록 했고, 선전용 부채 역시 "경회루를 넣어 조선 정서를 풍부히" 하도록 제작했으며, 미술공예교육관에 진열할 사진을 모집할 때도 "조선을 소재"로 찍은 것을 요구했다(「朝鮮博ポスター圖案懸賞募集」, 『조선』 1928. 9, 144쪽 ; 「朝鮮博覽會彙報」, 『朝鮮公論』 1929. 6, 2-63~264쪽).

9) 조선총독부, 『朝鮮博覽會記念寫眞帖』, 1930.

10) 조선박람회는 총독부 기구 중에서 식산국에서 관장하되, 제반 사무를 총괄하는 조선박람회사무국을 별도로 두고 정무총감이 사무총장을 맡았고, 경성부와 각 도에 협찬회가 구성되어 사무국을 지원하는 형태로 추진되었다. 사무국이 직접 전시관을 시설 관리하는 것이 직영관이었다.

때문이었다. "大正의 阿房宮"이라고 불릴 정도의 동양 최대 "白堊의 완미"한 총독부청사가 서 있고, 그 뒤에 근정전을 비롯한 옛 조선왕조의 자취를 느낄 수 있는 건축이 배치되었다.

근정전, 경회루 등 고건축과 '千古斧鉞' 즉, 아주 오랫동안 손길이 닿지 않은 밀림 속 옛 궁궐의 흔적을 배경으로 조선 물산의 '精粹'를 모아놓은 직영관은 '조선색'[11] 즉, 조선미를 풍기는 '향토 칼라' '조선식' 건물로 채워졌다.[12] 박람회장을 "완전히 조선문화의 縮圖"로[13] 재현하여, 식민지 "조선의 박람회 건물이라는 것을 직감적으로 보고 알아차리게" 하려고 했다.[14] 여기서 '조선식'이라고 하지만, 조선시대의 건축양식도 아니고 어느 특정 시대의 전형적인 건축양식도 아니었다. '新羅式' 등 조선 땅에 선 보였던 건축양식의 모티브를 차용하여 조선 느낌을 낸 것에 불과했다.[15] 이에 산업남북관 같은 경우는 "조선의 특이한 형태만 취했을 뿐 경직된 모습"을 띠었다고 한다.[16] 또한 당시 세계 박람회장의 색채는 '미개' 단계의 "야만적인 어두운 색"에서 '문명' 단계의 "섬세하고 밝은 색"으로, 적색에서 백색으로 변화하고 있었다.[17] 그런데 이곳 건축 색채는 진한 "赤과 綠"[18]이었고, 부분적으로 변색되어 황색을 띠는 등 원시성을 노출했다. 이로써 근정전을 포함한

---

11) 이 글에서 조선색, 일본색이라고 하면 색깔만 의미하지 않고 독자적인 양식 등 전통 일반을 포괄한다.
12) 笹慶一, 「朝鮮博覽會の所感」, 『朝鮮と建築』 8-9, 1929. 9, 9쪽.
13) 「博覽會彙報」, 『朝鮮』 1929. 10, 327쪽.
14) 岩井長三郎, 「會場の選定と建築施設」, 『朝鮮と建築』 8-9, 1929. 9, 2쪽.
15) 岩槻善之, 「博覽會の建物に就て」, 『朝鮮と建築』 8-9, 1929. 9, 12~13쪽.
16) 「朝鮮博覽會建築物に就ての移動漫談會」, 『朝鮮と建築』 8-9, 1929. 9, 23쪽.
17) 요시미 순야 지음, 이태문 옮김, 『박람회 - 근대의 시선』, 논형, 2004(吉見俊哉, 『博覽會の政治學 : まなざしの近代』, 東京 : 中央公論社, 1992), 225~226쪽.
18) 編輯同人, 「朝博見物記」, 『조선농회보』 3-10, 1929. 10, 76쪽 ; 彌次生, 「朝博建築を彌次る」, 『朝鮮と建築』 8-9, 1929. 9, 36쪽.

조선색을 띤 전시관 구역은 “마치 왕조의 꿈을 꾸는 듯하고, (일본 전설상의 주인공이) 거북이를 타고 용궁에 가서 놀았던 것 같은 느낌을 들게” 했다고 한다.[19] 문명 이전 상태의 ‘원시성’(千古斧鉞, 赤綠 등)이 식민지 조선의 토대임을 증명하는 모양새가 되었다. 이 같은 조선관[20]과 달리 대체로 서양식 건축양식의 일본관은 총독부청사와 함께 “눈에 띄게” “현대적인 기분”을 자아냈다.[21]

직영관은 두 개 공간으로 구획되었다. 산업남관－산업북관－米館－사회경제관－심세관－미술공예교육관의 조선식 전시관에 이어 교통토목건축관－경무위생사법관－기계전기관－참고관－내지관－육해군관－활동사진관 등은 서양식 건축이었다. 앞쪽 공간은 근정전 뒤편에서 적색과 녹색의 획일적인 조선관 6개 동이 배열되었다. 이곳을 지나서 참고관－내지관－육해군관－활동사진관 쪽은 ‘새로운 양식’의 ‘산뜻한’ 느낌을 주었다.[22] 그 다음 구역부터는 사무국이 특정한 양식을 지정하지 않고, 각 도와 일본 府縣 · 기업 등이 각기 특색을 발휘할 수 있도록 허용된 공간이었다. 충청남도관을 위시한 각도 특설관이 東京館 · 大阪館 · 三菱館 등의 일본관 사이사이에 배치되었다.

다음에서는 조선 물산을 선보인 산업남북관 등 직영관을 포함하여 각 도 특설관의 건축적 특징과 전시물을 정리한 뒤, 일본 府縣과 기업의 전시관과 비교하여, 조선관에서 어떠한 이미지와 관념이 창출되었는지 살펴보려고 한다.

---

19) 岩槻善之, 앞의 글, 1929. 9, 12쪽.

20) 여기서 조선관과 일본관이라고 할 때는, 대체로 조선과 일본 관련 전시관을 포괄적으로 지칭한다.

21) 笹慶一, 앞의 글, 1929. 9, 9쪽.

22) 岩槻善之, 앞의 글, 1929. 9, 14쪽.

(1) 직영관

産業南館부터 미술공예교육관까지는 조선식 전시관이었다. 산업남관은 조선의 농업, 임업, 수산업 방면의 생산물과 이에 관한 기계 기구, 각종 모형 등 관련 자료를 수집 진열했다. 비료의 모형과 현물, 잡곡, 왕골 가마니 등 부업품, 수산물과 축산품, 製絲와 담배의 제조 실연장 등이 한자리를 차지했다. 전시물 중에는 권업모범장 출품 등과 같이 총독부 정책에 따라 생산된 제품은 물론, 동양척식·丁字屋·三中井吳服店과 같은 일본인 경영 회사와 상점이 각각 농촌 풍경·금강산·해금강 등의 모형도 만들어 내놓아,[23] 일본 취향이 물씬 풍기는 전시도 적지 않았다.

産業北館에는 면직·염직·요업·화공·식료 등의 공업제품과 광산품이, 중앙시험소 등 유관 기관의 시험 연구결과 및 시제품과 함께 선보였다. "광업품은 탄광의 모형 및 작업 상태를 표시하고, 전기 점멸 장치를 이용하여 조선 전역의 鑛區분포상태를 일목요연"하게 전시하여 '偉觀'을 이루었고,[24] 의자와 책상 등 목제품, 철기와 직물류 등이 "마치 큰 백화점을 방불케" 했지만, "아침저녁으로 경성 시내를 걷는 자에게는 특별히 새로운 흥미를 자극하지 않았다"는[25] 반응도 있었다.

米館은 조선이 일본의 식량공급지로서 산미증식계획이 진행되고 있던 사실과 관련하여 산업남관에서 미곡을 분리해서 따로 진열했다. 여러 종류의 쌀, 수리시설과 개간 및 토지개량 등이 "예전과 오늘의 미작 상황", "조선 농업의 진보 자취"를 보여주었고, 조선 경제에서 미곡이 차지하는 비중을 정미업·주조업·금융업·운수업의 동태와 연관시켜

---

23) 編輯同人, 앞의 글, 1929. 10, 76~77쪽 ; 조선총독부, 앞의 책, 1930 ; 鄭寅燮, 『朝鮮博覽會案內』, 조양출판사, 1929, 33쪽.

24) 「朝鮮博覽會槪觀」, 『朝鮮』(조선문) 144, 1929. 10, 229쪽.

25) 編輯同人, 앞의 글, 1929. 10, 77쪽.

증명하려고 했다. “내지로 쌀” “조선으로 돈”의 흐름을 보여주는 전시에서는, 쌀을 매개로 조선 경제가 일본 경제에 편입된 양상을 확인할 수 있었다.[26)]

社會經濟館은 다소 이채를 띤 각 도립의원의 진료상황을 보여주는 전시 이외 불량아동 등의 보호시설·청년지도시설·빈민구제 등 사회사업에 관한 출품, 은행·금융조합 등 경제기관의 출품으로 꾸며졌다. 전시품이 대개 사진과 통계여서 관람자의 흥미를 끌기기 쉽지 않아 영화를 상영하는 등 눈길을 끌려고 고심했다고 한다.[27)] 조선생명보험회사·조선식산은행·조선화재보험회사·금융조합 등 대표적인 정책 금융기관이 사업을 선전 소개하고 있었는데, “社會經濟館이라기보담 融和宣傳館”[28)]으로 인식될 수 있었다.

審勢館은 도별로 산업·교육·토목·수리·관개·위생 등의 주된 사업 시설과 주요 물산, 그리고 지리 명소 등을 모형, 도면, 사진 등을 이용하여 전국의 추이를 볼 수 있게 했다. 조선의 진수를 한 곳에 모았다고 할 수 있었다. 그러나 전시공간이 협소한 점이라든가, 각 도의 자랑거리가 실소를 자아내게 하는 등 서로 경쟁적으로 자랑을 하려다가 도리어 ‘실패’한 느낌마저 주었다고 한다. 평남에서는 기생을 자랑거리로 내놓았고, 한복과 기모노를 입은 인형이 나란히 장식되어 있었다.[29)]

美術工藝敎育館의 미술부는 조선 고미술품과 鮮展 입선 서화를 전시했는데, 조선인 나전칠기 실연장과 함께 일본인 磁器 가마가 “멀리 신라, 고려시대의 미술의 精華”에 대한 감회를 자아냈다고 한다. 교육

---

26) 「朝鮮博覽會記事」, 『醇和會報』 1929. 12, 54쪽 ; 編輯同人, 위의 글, 1929. 10, 77~78쪽.

27) 조선총독부, 앞의 책, 1930 ; 「朝鮮博覽會槪觀」, 229쪽.

28) K기자, 「朝鮮博覽會見物記」, 『新民』 1929. 11, 32쪽.

29) 本誌 記者, 「朝鮮博覽會を一巡して」, 『朝鮮及滿洲』 263, 1929. 10, 120쪽 ; 조선총독부, 앞의 책, 1930.

부는 각 학교의 교육 현황과 함께 일본 府縣의 교육 내용을 전시했다.[30]

交通建築土木館부터 內地館까지는 직영관이면서 서양식 전시관이었다. 교통건축토목관은 주요 역을 점멸식으로 표시한 內鮮滿交通模型圖를 비롯하여 전신전화기, 자동교환대, 新舊도로모형도, 항만모형도 등으로 "시정 이래 교통발달의 상황"을 보여 주었다. 또 체신국의 출품 텔레비전은 완성된 것은 아니었지만, "라디오를 능가할 만한 과학문명 발달의 結晶"으로 주목받고 있었다.[31]

司法警務衛生館은 신구 재판 광경을 모형으로 재현했는데, "조선식 촉대 위에 50와트 전등을 밝(힌) 구한국시대의 재판 상황"과 "고등법원의 법정에서 판사, 당사자, 방청객의 재판 실황"을 대비해 보여주었다. 재판의 어제와 오늘, 暗黑의 사회와 照明의 사회의 점멸식 전기 장치 등으로,[32] 옛 조선에 대해 총독부 통치의 근대성을 과시하였다.

電氣機械館은 농업자의 눈을 끌 만한 정미기와 석유발동기를 비롯한 기계류, 비료분말기 등의 실연장이 있었다. 이런 전기기계류는 "위대한 동력의 효과"를 보여주었지만 이를 당장 농업에서 이용할 여지가 적음을 지적하는 한편, 조선의 기계공업 수준이 일본에 비해 '유치'하다는 느낌을 주기도 했다.[33]

陸軍館과 海軍館은 각각 서양식과 군함 모양으로, 명치유신 이후 청일·러일 전쟁 무기류의 변천을 실물로 보여주었다. 군수품에 관한 통계 실물 모형, 군용통신, 비행기의 실물과 모형, 육해군전투실황 도

---

30) 編輯同人, 앞의 글, 1929. 10 ; 조선총독부, 앞의 책, 1930.

31) 「朝鮮博覽會槪觀」, 231쪽.

32) 「朝鮮博覽會記事」, 57쪽 ; 「朝鮮博覽會槪觀」, 231쪽 ; 編輯同人, 앞의 글, 1929. 10, 80쪽.

33) 「朝鮮博覽會槪觀」, 231쪽 ; 編輯同人, 위의 글, 1929. 10, 80쪽.

면 및 모형 등을 진열했는데, 육군 발명의 광선과 해군의 잠수정 등은 관람할 가치가 충분했다고 한다. 육해군관이 "제국 국방의 위력을 보여 신뢰를 깊게 한 것은, 조선의 실정에 비추어 극히 필요"했고,[34] 그 "과학의 진보"와 "과학의 경이"에 감탄을 금치 못했다고 한다.[35]

參考館은 大阪每日新聞, 大阪朝日新聞, 大阪商船會社, 국제통운회사, 농림국, 東京工業試驗所, 大阪營林局, 간이보험국, 자원국, 체신박물관, 남양청 등 일본 공공기관과 독일, 불란서, 벨기에 등지의 해외 물품을 참고 자료로 배치했다. 대판매일신문사가 내놓은 초기 로봇으로 보이는 '인조인간'은 '과학의 위대'를 보여준 것이라고 한다. '인조인간'은 세간에 화제가 되었고, "電氣人形이 일정한 활동을 반복하는 것보다 더 진보적인 자취가 보이는가!"[36]라고 찬탄했다.

內地館은 전시관 중에서 가장 큰 서양식 건물에 30여 縣의 물품이 전시되었다. 특설관을 마련한 府縣을 제외한 일본 지방의 물품이 전시되었는데, 조선의 공산품을 망라한 산업북관의 출품과 비교하면, "조선의 공산품이 얼마나 유치한가"[37]를 알 수 있었다고 한다.

이상에서 본 바와 같이 사무국 직영의 조선관과 일본관 사이에도 新舊의 뚜렷한 격차가 있었고, 당시 산업력을 집약한 일본관은 충분히 사람들의 시선을 붙들고 있었음을 알 수 있었다. 또한 조선관에도 일본 색채를 띤 전시물과 상품이 적지않이 섞여 있었음을 확인했다.

다음에서는 특설관의 외관과 전시 내용을 각 도에 이어 府縣(기업) 순서로 검토해 보겠다.

---

34) 조선총독부, 『朝鮮總督府施政年報(1929년도)』, 301쪽.
35) 編輯同人, 앞의 글, 1929. 10, 86~87쪽.
36) 編輯同人, 위의 글, 1929. 10, 81쪽 ; K기자, 앞의 글, 1929. 11, 26쪽.
37) 編輯同人, 위의 글, 1929.10, 82쪽.

(2) 각 도별 특설관

충청남도관은 중앙 출입구 위에 은진미륵 거불을 돌출되게 장식하여 지방색을 드러냈다. 이를 두고 “이상한 괴물이 서 있다”, “뭔가 연극의 무대 배경과 같다”, “장난감 같다” “돌출된 것은 좋으나 박람회적이다”는 반응을 보였다. 그리고 “휴게실과 식당” 이외 볼만한 것이 없다고 하였다.38)

함경북도관은 팔각형의 12층 白堊塔을 건물 중앙에 세워 고딕풍의 “하이 카라” “특설관 중 백미”라는 반응과 함께 “촌사람이 아니라고 기염을 토한”39) 즉, 애써 근대적 외관을 쫓았다고 꼬집기도 했다. 입구에 큰 석탄 덩어리를 세워 석탄 산지임을 보여 주었고, 호안석의 세공과 벼루 등이 출품되었다.

전라남도관은 사각의 외관, 황색의 벽, 적색과 청색의 横板 등으로 새로운 시도를 보였지만, “感心할 것은 없다. 그렇게 나쁘지도 않다”, “상당히 어수선하다”, “장식이 너무 많다”는 평가 속에 바로 인접한 參考館과 “걸맞는 한 쌍”을 이루고 있었다.40) 전남관이 조선양식에서 벗어나 여러 시도를 한 것은, 1926년 목포에서 개최한 전라남도물산공진회 겸 조선면업공진회의 전시관의 연장선상에서 볼 수 있다. 당시 일본에서 건너온 건축가가 설계한 본관과 심세관 등은 “일찍이 본 적이 없는 화려하고 장중”했으며, 영빈관은 일본 清水寺와 銀閣寺 등을 합쳐 모방한 건물이었다고 한다.41) 1929년 박람회장에 등장한 전남관은

---

38) 編輯同人, 위의 글, 1929. 10, 79쪽 ; 「朝鮮博覧會建築物に就ての移動漫談會」, 25쪽.

39) 「朝鮮博覧會建築物に就ての移動漫談會」, 26쪽 ; 本誌 記者, 「朝博の跡をたづねて」, 『朝鮮及滿洲』 264, 1929. 11, 111쪽.

40) 彌次生, 「朝博建築を彌次る」, 『朝鮮と建築』 8-9, 1929. 9, 37쪽 ; 內藤資忠(총독부 건축과), 「博覽會の建築に就て」, 『朝鮮と建築』 8-9, 1929. 9, 17쪽.

41) 「全南の二大共進會」, 『朝鮮及滿洲』 227, 1926. 10, 86쪽.

1926년 공진회의 그것처럼 여러 양식이 혼합된 건축이었음을 짐작할 수 있다.

전라북도관은 위로 불쑥 솟아 있는 중앙탑 좌우로 낮은 탑을 배치하여 삼각 모양을 띠었는데, 이를 두고 "터무니없이 모난 건축양식", "건물 전체가 마분지를 접어서 세운 느낌"밖에 없다는 반응이었다. 외관은 "극채색"으로 처리되었다. 물품 진열, 휴게소와 식당, 매점을 둔 것은 다른 도와 차이가 없지만, 단지 임실군 박월선 노인이 송죽매를 그리고 있는 모습이 별스러워 이목을 끌었다고 한다.[42]

경기도관은 교외에 위치한 규모가 큰 문화주택 같은 외관이었다. 경기도가 조선의 중심인 만큼 특설관 중에서 가장 규모가 크고 전시기법도 세련되었다고 한다. 그러나 경성의 유명 상점의 陳列競技會라고 할 정도로, 三越・三中井・丁子屋 등이 경쟁하고 있어 "경성특설관" 같았다고 한다. 그래서 "실제로 경기도 전부가 도회는 아니다. 田舍의 존재는 잊었는가?"[43]라고 할 정도로, 조선에 진출한 일본 상점과 백화점이 앞다퉈 상품을 내놓았다.

경상남도관은 교회 건물 같은 느낌을 주고 "朝鮮家에 없는 색"을 써서 "이야기할 가치가 없다"고 하고, 배・사과・해산물을 특별 판매하고 있지만 "그다지 경남다운 정취가 나지 않는다"고 하였다. 식당과 매점, 휴게용 벤치가 있을 뿐 역 대합실 같은 기분을 들게 했는데, 일본인 관람자는 식당 여급이 "일본 예복을 입고 있는 것에 놀라 느긋하게 있을 수 없어" 서둘러 나왔다고 한다.[44] 경남관의 경우는 조선식과 거

42) 編輯同人, 앞의 글, 1929. 10, 82쪽 ; 彌次生, 앞의 글, 1929. 9, 38쪽 ; 조선총독부, 앞의 책, 1930.

43) 編輯同人, 위의 글, 1929. 10, 88쪽 ; 「朝鮮博覽會建築物に就ての移動漫談會」, 31쪽.

44) 「朝鮮博覽會建築物に就ての移動漫談會」, 33쪽 ; 編輯同人, 위의 글, 1929. 10, 88쪽.

리가 먼 전시관 외관에다가 특별한 출품도 없이 시선을 끌기 위해 점원에게 일본 여급 행세를 시켰는데, 억지로 일본 취향을 흉내 낸 것이 일본인에게는 역겨웠던 것 같다.

함경남도관은 사각의 건물 벽에 이집트풍의 그림을 넣어 주목을 끌려고 했지만, 처마가 적색과 흰색으로 얼룩얼룩한 것은 '혐오'를 느끼게 했다. 또 조선질소비료회사와 조선전기 등의 공장 모형과 함남 명승지를 선전하는 파노라마를 보여줬지만 외관에 비해 빈약했다고 한다.[45)]

경상북도관은 커다란 자동차 바퀴 모양의 집으로 색다른 맛을 주었다. 포항의 한 농장에서 생산된 포도주와 백단나무 제품이 진열되었는데, 이 전시품 옆에 "신발장"이 있는 것과, 경북특산인 백단나무를 거무튀튀하고 질이 안 좋은 일본종이로 겹겹이 쌓아 놓아 상품의 가치를 떨어뜨렸다고 한다.[46)]

충청북도관은 공원의 모던풍 찻집을 생각나게 하는 여름철 휴게소 같은 분위기를 내고 있었다. 이 충북관은 경북관, 황해도관과 함께 "논할 가치도 없다. 보면 해가 되는 것은 눈을 감고 빨리 지나가는 것이 좋다"는 평가를 받았다.[47)]

평안남도관은 玄武門이란 현판을 단 성문 외관에 "현란한 색채"를 띠었는데, 회장 안 조선식 건물 중에서 제일 수준이 낮았다고 한다. "形, 색채, 세부 모두 거짓이 많다. 차마 평가할 수 없다"고 했다.[48)]

강원도관은 회장 안에서 제일 외관이 나쁘다는 인상을 주었다고 한다.[49)] 깊숙한 처마에 마치 오늘날 방갈로 같은 모습을 띠고, 근대식 어

45) 編輯同人, 위의 글, 1929. 10, 88쪽 ; 彌次生, 앞의 글, 1929. 9, 39쪽.
46) 編輯同人, 위의 글, 1929. 10, 89~90쪽.
47) 編輯同人, 위의 글, 1929. 10, 89쪽 ; 彌次生, 앞의 글, 1929. 9, 39쪽.
48) 本誌 記者, 앞의 글, 1929. 11, 115쪽 ; 彌次生, 위의 글, 1929. 9, 39쪽.

린이 놀이시설이 있는 '어린이 나라' 입구 쪽에 있어, 더욱 볼품이 없었던 것 같다.

각 도의 특설관은 직영관의 전시품과 중복된 것이 많았고, 형식적인 곳도 있어 그다지 돋보이지 않았다고 한다. 그래서 "호의적인 눈으로 보아도 설계가 맨 끝자리이고 출품이 빈약"하다고 평가할 수 있었다고 한다.[50] 음식점 구역이 후문 쪽에 있음에도 불구하고 특설관마다 식당 영업에 열중하여 특설관을 "食堂館"이라고 부를 정도였다고 한다.[51] 또 각 도 특설관은 일본 府縣 특설관과 섞어 배치되어 자연히 대비되었다. 따라서 "東京館, 大阪館, 名古屋館, 九州館 등의 내지관의 출품이 찬연한 것을 보면, 조선은 아직 공업지로서 거의 원시시대 느낌이 든다"고 했다.[52]

여기서 언급한 조선관에 대한 시선과 감상은 대체로 총독부 관련 혹은 안목이 있는 일본인의 것이다. 그러나 이들이 조선관과 제품에서 받았던 감상은 뒤에서 살펴볼 조선인의 그것과 큰 차이가 없었다고 생각된다. 일본과 조선 사이의 新舊 이중성은 '가시성' '확실성'을 동반한 박람회의 핵심 개념이었기 때문이다. 또한 이들의 조선 재현과 시선이 신문 잡지 등 여러 매체를 거쳐 생산되고 유통되어 조선민중의 신체에 각인되는 과정도 주목할 필요가 있다.

각 도의 특설관은 모두 도/도협찬회가 경영하는 것으로, 도당국과 조일 지방유력자들의 합작품이라고 할 수 있다. 특설관의 외관이 조선식 건축양식에서 크게 벗어나 있었고, 서양식과 일본식 건축양식에 가까워지려고 했고, 또는 이목을 집중시키기 위해 도발적이고 과장된 외

49) 編輯同人, 위의 글, 1929. 10, 85쪽.

50) 「朝博の側面觀」, 『朝鮮及滿洲』 263, 1929. 10, 137쪽.

51) 위의 글, 1929. 10, 137쪽.

52) 本誌 記者, 앞의 글, 1929. 10, 121쪽.

형을 취하면서, 애매모호하고 혼종된 모습도 연출했다. 어설픈 외래 모방은 혼란스럽고 저급한 이미지를 배가시킬 수 있었다.

(3) 일본 府縣·기업 특설관

일본 府縣과 기업 특설관은 奈良縣館 등 몇몇 전시관을 제외하고 모두 서양식이었다. 三井館은 '白堊'의 양식 건물로 접대실까지 두었고 전시품도 충실했다고 한다. 三井 계열 회사의 사업과 제품—제지·시멘트·생사·면화·광산·농림 등—을 진열하여, "이 회사가 얼마나 국산장려 수출진흥 외국무역 개척에 진력하고 있는지 명백하게 드러나 있다"는 평가 속에 "관중의 눈"을 끌고 있었다.[53)]

당시 조선은 일본의 식량공급지이자 상품시장이었는데, 이를 米館과 일본관에서 파악할 수 있었던 것 같다. 특히 大阪館은 일본의 대표적인 공업도시에 걸맞게 제품이 풍부하고 다양했는데, 이 상품들을 통해 "조선이 농산물을 이출하고 공업품을 이입하여, (일본과) 매우 밀접한 관계"를 맺고 있음을 알 수 있었다고 한다. 또 大阪滿鮮貿易商同業組合을 통해 단위조합이 연합해서 제품을 내놓은 것을 두고, "조선 국산장려가 요란한 이때, 반도 공업자에게 깊은 인상을 남겼을 것"이라고 했다.[54)] 이는 일본상인의 공판활동을 전시공간에서 확인한 조선의 물산장려운동 주도세력이 일본 공업제품의 공세 앞에서 취약한 자기 기반을 절감할 것으로 판단했던 모양이다.

九州館은 서양식이 아니며, 지붕 위에 탑을 올려놓아 형태가 우습고 색채가 미묘하여, "조선식을 생각해서 그런지 모르지만, 황색 적색 녹색이 조금도 조화를 이루지 않았다"고 한다.[55)] 외관이 다른 전시관에

53) 編輯同人, 앞의 글, 1929. 10, 85쪽.
54) 編輯同人, 위의 글, 1929. 10, 82쪽.
55) 彌次生, 앞의 글, 1929. 9, 39쪽.

비해 근대적이지 않았던 것 같다. 특히 세련되지 못한 색채를 두고 '조선식'을 들어 부조화를 말한 점에서, 일본인이 조선의 것이라고 하면 낮게 치부할 정도로 조선의 이미지는 왜곡된 채 고정화되고 있음을 알 수 있다. 전시 내용은 九州와 조선이 지리적으로 밀접한 관계에 있음을 모형으로 보여주고, 九州 사람들이 조선에 많이 이주하여 九州 물산이 조선에 잘 알려졌다고 하지만, 개장일부터 호객하는 행위가 일본인 시선에서 "그다지 권위가 없(어)" 보였던 것 같다.[56]

東京館은 白堊의 서양식 건물로 외관의 비율과 색채가 모두 좋고, 東京의 대형 상점의 상품이 비교적 잘 정돈되어, "동경의 최근 상점 건축은 대체로 이러한 느낌"이라고 확인해 주었다.[57] 이외 "동경의 대표적인 현대 미인"을 보여주는 마네킹을 비롯한 새로운 볼거리도 제공되었다. 동경관은 "현대 문화의 기분이 漲溢"하며, "동경을 이전해" 온 듯한 느낌까지 주었다고 한다.[58] 당시 최첨단 동경의 면모가 경성 한 복판에서 재현되어, 조선민중은 근대체험의 동시대성 안에 포획되어 있었다.

住友館은 그리스풍의 "근대적이고 스마트한", "모던 영화" 속에 등장하는 건축처럼 외관이 아름다웠다고 한다. "청동 물새의 부리에서 떨어지는 물방울이 수반에서 파문을 그려 나가는 것을 응시하고 감개무량"했다는 찬사를 받고 있었다.[59] "내용은 요령이 없다"고 하지만, 기계 제작 등 계열사 제품이 "넉넉히 있어, 기분이 좋을 따름"이었다고 한다.[60] 住友館은 특히 함경남도관과 나란히 있어 "한층 두드러지는지

56) 編輯同人, 앞의 글, 1929. 10, 82~83쪽.
57) 「朝鮮博覽會建築物に就ての移動漫談會」, 29쪽.
58) 編輯同人, 앞의 글, 1929. 10, 83쪽 ; 「朝鮮博覽會槪觀」, 230쪽.
59) 內藤資忠, 앞의 글, 1929. 9, 19쪽.
60) 編輯同人, 앞의 글, 1929. 10, 88~89쪽.

모르겠다"고 하듯이, 양자는 '문명'과 '비문명'의 이중성으로 차별화가 시도되었다.

京都館은 京都式 색채가 풍부한 다각형 건축으로, 일본의 전통 수공예품을 전시했다. 값비싼 견직물, 면직물, 염직물을 위시하여 도자기, 칠기, 병풍 등의 공예품과 미술품을 진열하여, "값나가는 고가뿐이어서 부르주아들만 들어갔다고 하면" "수긍"이 가는 전시관이었다.[61] 이 공간은 일본이 "오랜 전통을 가진 섬세하고 미적 감각을 지닌 나라"라는[62] 이미지를 서구에 심어주고 자포니즘을 불러일으켰던 전시 효과의 일부가 재연된 모양이다.

이와 같이 조선관과 일본관의 건축양식과 전시품 등에 대한 인상 일부를 살펴보았다. 식민지와 본국 사이에 확립된 서열화는 전시관의 디자인에 투영되었다. 세련된 도시 스타일의 건축양식과 전시기법에 대해 토착양식과 전시기법의 미숙성, 근대문명을 체현한 일본관에 대해 비문명의 조선관이 대조를 이루었다. 특히 전라남도관과 참고관, 住友館과 함경남도관이 그랬다. 조선관 사이에도 위계가 엄존했다. 산업남북관 등 조선식 직영관과 '문화주택'[63]을 위시하여 총독부 주요 정책기구/시설인 근대식 조선농회관·수산관·토목건설교통관 사이에도 문명과 비문명의 구도가 형성되었다. 그리고 각 도 특설관 중에서, 서구적 분위기를 한껏 내려고 했던 함북관·경기도관에 이어 서구화를 흉내를 내려다가 일본색을 모방한 평북관[64]·경남관, 그 사이에 기이

61) 本誌 記者, 앞의 글, 1929. 11, 113쪽.

62) 김영나, 「'박람회'라는 전시공간 - 1893년 시카고 만국박람회와 조선관 전시」, 『서양미술사학회논문집』 13, 2000, 85쪽.

63) 문화주택은 당시 '스윗홈'의 욕망을 자극하며 도시인들의 마음을 사로잡고 있었다.

64) 평안북도관은 "새로운 양식이지만 문제 삼을 만한 가치는 없(고)", 압록강 목재로 만든 순일본식 다실 별관을 목재의 선전과 접대를 위해 이용하고 있었

한 외관의 전북관, 특색이 없는 강원도관, 조선색을 띠려고 했지만 어색한 향토색만 연출한 충남관·평남관이 있었다. 근정전에서 보여준 조선 최고의 건축 양식 → 조선의 것이란 느낌만 주는 산업남북관 등 → 서구적이지도 조선적이지도 않은 괴이한 전라북도관 → 서구적 양식을 쫓아가는 함경북도관 → 일본색을 가미한 평안북도관 → 촌스러운 조선식이 된 충청남도관·평안남도관 등으로 박람회장은 모호하고 어색한 혼종의 건축 전시장과 같았다. 이 같은 조선관을 두고 "百鬼夜行" 즉, "괴상한 모습을 하고 해괴한 짓을 하는 무리가 제멋대로 날뛴다"[65]는 혹평도 나왔던 것이다. 일제가 "완전히 조선문화의 縮圖"를 재현한다고 했던 조선관의 실제는 이 같은 것이었다.

그러면 '조선색'을 강조하면서 내놓은 조선관을 보고 일제가 말한 대로 "조선인이 좋은 느낌"을 받았을까?

2) 식민지 근대와 조선 이미지의 재구성

박람회에서 식민지 세계를 표현하는 기본적인 구도는 문명과 비문명, '진보'한 서구와 '원시적인' 식민지였다.[66] 일제가 주도하여 조선의 역사 문화를 규정하고 표현한 결과, 식민지 조선에 대한 독특한 이미지가 창출되었다.

총독부는 일본 국내를 비롯한 해외에서 개최되는 박람회에 '조선관'을 마련하고 출품 전시하였다. 1925년 8월 大連市 주최 大連勸業博覽會에 조선관이 설치되었다. 그런데 이 조선관은 "우리는 도모지 사람대하기가 귀치안키에 후원 별당에 깁희 가처 잇소하는 듯이 박람회장

다고 한다(彌次生, 앞의 글, 1929. 10, 38쪽 ; 조선총독부, 앞의 책, 1930).

65) 內藤資忠, 앞의 글, 1929. 9, 17쪽.

66) 이에 대해서는 パトリシア・モルトン 著, 長谷川 章 譯, 앞의 책, 2002 참조.

전체 중 제일 궁벽한 뒤구석"에 위치했고, 그 모습은 "마치 조선 각처 시가에 일본 사람이 몰려 들어오면 조선 사람이 쪼겨서 빈방으로 나간 것과 흡사"했다고 한다. 또 조선의 옛 그림을 모방하여 조선관을 오색 단청했으나, "집웅 위에 당연히 잇서야 할 개와(瓦)는 간 곳업고 다 썩어가는 함석조각을 덥허 노앗기 때문에 벌거벗고 은장도 친 것"과 같은 형상을 하고 있었다. 식민지 권력은 '진짜' 모습과 거리가 먼 왜곡된 조선관을 제일 후미진 공간에 위치시켜, 보는 사람으로 하여금 '일본인 진출로 변두리/외지로 쫓겨가는 조선인의 처지'를 상기시키고 망국의 현실을 각성시키는 효과를 거두었다. 또 이미 시세가 과학기술의 발달에 기초하여 근대적 외향을 선호하고 지향하고 있을 때, 조선관 앞에 천하대장군/지하여장군을 배치한 것도[67] 낡고 비루한 이미지를 한층 강화시켰다.

근정전을 모티브로 한 조선 전각과 장승이 결합된 조선관은 大連博覽會를 전후하여 해외 박람회에서 조선의 표상이 되었다. 1천만 명이 관람한 1922년 3월 동경평화박람회의 조선관에서도 이와 유사했다. 빗물에 벗겨진 단청, 양철조각으로 덮여진 지붕, 전각의 장식으로 여염집 부엌에나 붙일 법한 개와 닭 등의 그림을 사용한 점, 조선관 앞에 세워진 험상한 농군 인형, 진열품으로 수수 빗자루 등은[68] 너절한 조선의 이미지를 재현했다. 조선관은 시대에 뒤처진 관찰과 계몽의 대상으로서 식민지 조선의 축소판이었다.

해외 조선관에 나타난 조선 표상의 짜임새, 즉, 조선 전각과 장승은

---

67) 『조선일보』 1925. 8. 31, 「哀調띠인 朝鮮館 同病相憐格의 臺灣館」.

68) 『동아일보』 1922. 5. 4, 「咀呪하라! 平和博覽會」. 1926년 조선박람회에서는 "外來 機械聲이 宏壯한" 진시 옆에 "朝鮮古式喪轝"가 나란히 있어, "기계문명에 뒤저서 참혹히 패한 조선인의 전생활을 상징"하는 양상이었다(有光熱, 「朝鮮博覽會를 보고」, 『개벽』 1926. 6, 103쪽).

1933년 만주대박람회 조선관에서도 되풀이되었다. "온갖 문명의 시설"을 구비하여 "호화와 번영"의 대도시 대련, 일본 각 부현 특설관의 "현대적인 상품진열", 그리고 천하대장군·지하대장군을 앞세운 "채색 농후한 純朝鮮式 궁전형"의 조선관, "보잘 것 없는" 전시품이 나란히 배열되었다.[69] 정체와 낙후의 이미지는 다른 나라 사람에게는 이국적 정서를 자극하고 호기심을 유발하겠지만, 조선민중에게는 식민지 조선의 조악한 처지, 부끄러운 자기 존재를 확인하는 거울과 같은 것이었다.

일제는 이렇게 조선의 전통을 해체하고 자의적으로 설정한 방향과 목적에 따라 선택하고 해석하여 독특한 식민지 스테레오타입을 만들었다. 조선의 이미지가 낙후/미개(원시)/잡종으로 고착되어 가는 현상은 되풀이되는 재현의 효과라고 할 수 있다. 일제가 조선박람회에서 강조했던 조선색/조선식은 이런 맥락에서 이해해야 한다.

아래 대화에서 조선민중은 조선색을 어떻게 받아들였는지 살펴보자.

> A : 자네 또 朝鮮館이란 데 가 보앗나? 그 사진들 느러노온 것……
> B : 그는 못 보앗서……
> A : 안이 참말 그 놈들이야말로 깍정이 놈들이데 조선사람의 흉꺼니는 모다 모앗데 그려 아이 창피해.[70]

> S군 : 만히 변햇구려 경복궁 압히 아조 桑田碧海로구먼. 여기 어데 동십자각자리가 아니던가? 宮墻도 헐여버렷구먼!
> S군 : 그건 또 그럿타하고 이 門樓의 건축양식은 엇덧케 된 셈인가?
> 기자 : 이 문루뿐만이 아니라 박람회장 전부가 죄다 이 式일세. 웨 일본신문에 굉장히들 떠들지 안엇는가 '순조선식의 당당한 대건축'이라는 표제로.

---

69) 李孝寬, 「滿洲紀行-大博覽會와 各都市視察記」, 『조선』 17-11, 1933. 11, 66쪽.
70) 春坡, 「서울 구경왓다가 니저버리고 가는 것」, 『별건곤』 1929. 9, 130쪽.

S군 : 오-라 그러면 이것이 조선식 건축이구먼……[71]

일제측이 '순조선식의 당당한 대건축'이라고 선전했던 조선관은 '조선사람의 흉'을 모아 놓아, 이를 바라보는 조선인 관람자들에게 수치심을 갖게 했다. 담장이 헐리고 망루가 사라지는 등 경복궁 주변이 '상전벽해'가 된 현실은 탄식을 절로 나오게 했다. 조선인 관람자들이 조선관을 대면할 때 실망하고 위축을 느꼈던 장면은, 일본인 관람자가 이를 두고 '硬化'되었고 '百鬼夜行' 같다고 묘사했던 부분과 큰 틀에서 상통하는 것을 알 수 있다. 일제가 선전했던 조선색은 '실제 상황'을 가장한 얼치기에 불과했다. 이러한 전시관의 외관에다가 빈약한 제품은 실망감을 증폭시켰을 것이다. 조선산 제품인 줄 알았던 것도 일본인이 자원을 개발하여 생산한 것이었고, 면직물 · 견직물 등과 같은 "중요산업이 모다 생산액보담 수이입액이 2~3배 넘치고", "삼베까지 약 2배반이나 수입 초과"인[72] 현실 앞에 허탈해지지 않을 수 없었을 것이다. 이 같이 주객이 전도된 박람회를 두고, 염상섭은 다음과 같이 일갈했다.

그러나 저러나 나의 가장 의문이요 유감으로 생각하는 것은 이름이 '조선'박람회라 하면서 조선사람의 손으로 된 것이 몃가지나 되느냐는 것이다.……이 박람회야말로 '조선'을 일흔 '조선'을 축소하고 압축하야 노흔 것이 아닌가?[73]

이왕이면 400만원이나 드렷고 일홈이 조선박람회라면 야좀 조선맛을 내일 요량도 잇서야 할 것이 아닌가……원체 박람회니 공진회니 하는 것은 모다 그 뻔세인지는 모르겠지만 조선 것을 하나씩이라도 없새는

71) K기자, 앞의 글, 1929. 11, 24쪽.
72) K기자, 위의 글, 1929. 11, 32쪽.
73) 『조선일보』 1929. 9. 19, 「박람회 보고 : 보지 못한 記(4)」.

회가 아닌가?[74)]

염상섭이 "일홈이 조선박람회라면 야좀 조선맛을 내일 요량……이 아닌가"라고 하였는데, 여기서 '조선맛'이란 근정전으로 표상된 조선 건축양식의 정수를 느낄 수 있는 조형디자인이나 조선의 정서를 담은 표현물을 의미한다고 본다. 그런데 실제 조선관 중에는 전형적인 조선 양식도 아니고 일본식과 서양식이 엉성하고 거칠게 조합된 경우가 상당히 있었고, 전시물 역시 일본인이 생산하거나 일본을 모방하거나 일본 취향의 것이 많았다.

최첨단의 동경관과 저급하고 어설픈 조선관이란 조형성의 차이는 어디서 나오는 것일까? 전시관의 디자인은 발주자(총독부, 각 도당국과 조일 지방유력자로 구성된 협찬회)의 의견이 주로 반영되었겠지만 동시에 건축업자의 기술력 등에 의하여 좌우된 면도 있었다. 동경관은 당시 최고 수준의 동경의 건축업자 손으로, 조선관은 동경 등지 혹은 조선 소재 건축업자들이 저가로 수임한 낮은 기술의 업체가 시공을 맡았을 가능성이 있었다. 실제로 직영관은 목재를 포함하여 조선산 건축자재를 썼고 설계자와 청부업자 모두 조선 소재업자였다. 그러나 특설관의 경우는 일본을 포함하여 다방면의 업자가 참여했다고 한다.[75)] 또 이 박람회장을 짓는데 참여했던 박길룡(1898~1943, 근대건축가)은 일본인 관계자와 박람회장을 둘러보면서, "처음 스케치할 때는 제대로 된 조선식으로 해보려고 했으나, 돈이 들기 때문에 색에서 胡麻가 되었다", 그래서 "조선의 특이한 형태만을 내어 硬化되어 버렸다"고 했다.[76)] 이를 종합해 볼 때, 조선관의 조형성과 전시기법이 일본관에 비

74)『조선일보』 1929. 9. 18,「박람회 보고 : 보지 못한 記(3)」.

75) 笹慶一, 앞의 글, 1929. 9, 10쪽.

76) 최순애 · 김형만,「박길용의 생애와 건축」,『대한건축학회학술발표논문집』

해 뒤쳐졌던 배경에는 지배세력의 정치적 의도 이외에도 적은 예산 할당, 발주자/건축업자의 조선 문화에 대한 몰이해가 낳은 결과라고 생각된다.

이렇듯 일제가 "조선인이 좋은 느낌"을 받을 것이라고 조선색/조선식을 강조했던 '조선박람회'는 "조선을 잃은 조선을 축소하고 압축한" "조선이 없는" 공간이었다. 염상섭이 말한 대로 박람회는 "조선 것을 하나씩이라도 없새는 회"가 되고 말았다. 조선의 전통이 단절되고 변용되는 일련의 과정을 모르는 사람들에게는 눈앞에 보인 전시관과 제품이 전부였다. 박람회 기획자가 설정한 조선과 일본, 전통과 근대의 이중성이 신체에 각인될 수밖에 없었다. 낡음과 왜소의 상징이 된 조선의 전통은 일본/근대로 대체되어야 할 대상이었다. 이 과정에서 때때로 '金冠'과 같은 전통에 자부심을 느끼게 하여, "지금의 우리는 우리 자신의 죄가 아니겠는가!"라고[77] 망국의 책임을 되새김질하게 했다. 그러나 이런 이성적인 판단과 인식은 '문명'의 상징성 앞에 침잠하게 된다.

조선의 고유성은 역사적 맥락을 유지하지 못한 채 애매모호하게 재구성되고, 이것이 마치 본래의 '조선색'인양 반복 재현되어 하나의 이미지로 고정화된다. 이렇게 형성된 이미지는 시간이 지나감에 따라 '하나의 전통'—본래 그랬던 것처럼—으로 자리잡게 되었다. 이는 다음 대화에서 보듯이[78] 이미 한 장르로 자리잡은 신문학을 빼고, 예전 유생 선비들의 詩作 행위를 '조선문예'로 명명하는 데서(①), 양악기를 지표로 전통 악기를 '원시적인' 것으로 치부하는 모습에서(②), 조선은 낡음의 표상으로 내면화되어 갔다.

1-2, 1981, 30쪽 ; 「朝鮮博覽會建築物に就ての移動漫談會」, 23쪽.

77) K기자, 앞의 글, 1929. 11, 31쪽.

78) K기자, 위의 글, 1929. 11, 30~31쪽.

① 산 위 천막집에 朝鮮文藝大會會場이란 간판이 붓텃다.

기자 : 자네 녯날 백일장이라는 것 기억하는가. 아이웨 시골선베들이 모여서 詩賦古風을 짓는 모임말일세.

S군 : 소위 國泰民安, 歲華年豐의 표상이구먼. 그러나 그것이 엇제서 조선문예대회가 될가? 신문에는 무시하는셈이란 말인가?

② 경학원 출품의 아악에 쓰는 석반을 보고

기자 : 녯날 조선의 악기랍니다. 퍽 원시적이지요.

S군 : 원시적이라고는 하야도 이 돌맹이 마다가 죄다 딴소리를 내고 또 그 소리를 구별해서 악곡을 꾸며낸다는 것은 여간 테리케이트하지 안네그려. 악공들의 머리도 상당히 정밀햇든 것을 알 수 잇지 안는가!

일제하 조선민중은 세계사적 의미에서 근대성 즉, 경제적 산업화, 사회적 합리성과 유동성의 증대, 소비생활의 물질적 향상 등을 경험할 수 있었다. 그러나 다른 한편 식민지 권력은 조선민중의 의식과 생활을 통제하고 규율하는 과정에서, 조선의 전통을 뒤처진 열등한 것으로 규정하고 이미지화하는 전략을 취했다. 일본은 근대와 전통이 상호 작용하면서 때로는 전통을 적극적으로 전면에 내세우면서 근대를 향해 질주했다고 하면, 조선은 전통을 결여와 낙후의 형태로 부인하는 방식으로 근대를 겪었고, 이것이 식민지적 특징이었다. 식민지 조선은 과학, 기술, 자본 등 근대적 가치에 대한 동시대성을 경험하는 한편 제국 일본과 달리 자기 전통의 상실－그것은 배제되거나 저류에 침전하는 형태로－에 저항하여 제국의 시선과 대립하면서도 닮아가는 가운데 착종된 정체성이 싹트게 되었다.

다음에서는 조선민중이 박람회의 상징전략과의 관계에서 자신들의 정체성을 어떻게 형성해 갔는지를 알아보려고 한다.

3. 조선민중의 조선박람회 체험과 정체성

1) 조선민중의 '동원'과 호응

조선박람회는 총독부가 국내외 협조를 얻어 최신의 과학기술로 만든 공업제품과 기계류, 농산물을 한자리에 모아놓고, 관람자에게 새로운 지식과 정보를 제공하여 견문을 넓히고 인식을 변화시키는 기능도 발휘했다. 총독부가 주최한 것이지만 전국적 규모로 조선민중이 참여하는 형식을 취하기 위해 "주최자의 마음가짐 그대로" "우리들 박람회라는 느낌"을 가지고 "문화의 혜택"을 알 수 있도록 추진한다고 했다.[79] 그리고 "가급적 다수를 관람시키는 것이 극력 필요하여 기회 있을 때마다 박람회 선전에 노력하고 특히 관람자 권유를 위해 각 방면에 의뢰장을 발송"했다고 한다.[80] 일제는 조선 전역에서 구경 오게 하여, 전시관과 전시물 등을 통해 형성된 정보와 관념, 감각을 일시에 대량으로 확산시키려고 했음을 알 수 있다.

조선박람회사무국과 경성협찬회는 50일 동안 관람자 100만 명을 예정하고(실제는 120여만 명), 다양한 형태로 선전을 했다. 출품구역은 조선을 포함한 제국 일본 전역과 만주 그리고 프랑스, 영국, 독일 등이었는데, 서구 각국에는 경성 주재 영사·총영사를 통해 출품을 요청했다. 사무총장인 정무총감 이름으로 대만총독, 관동청장관, 만철사장, 북해도장관, 각 府縣知事 등에게 관람을 권유하는 의뢰장을 보냈다. 국내외 출품 지역의 주요 도시에 포스터, 삐라, 책자 등 인쇄물이 배포되었다. 선전용 성냥과 부채 등도 제작하고 조선을 알린다고 하여 앞에서 말한 천하대장군도 선전광고탑과 함께 국내외 요소에 설치했다.[81]

---

79) 「朝博開設準備委員會」, 『조선』 1928. 8, 149쪽.

80) 조선총독부, 앞의 책(1929년도), 310쪽.

81) 「朝鮮博覽會彙報」, 1929. 5, 98~101쪽 ; 「朝鮮博覽會彙報」, 1929. 6, 2-59~60

매월 30일을 朝博선전데이로 정하고 1929년 5월부터 松井 경성협찬회장이 선전 강연을 했다. 경성협찬회에서 현상 모집한 노랫말을 일본 기생이 레코드 취입한 선전가는 전시관 꼭대기에 설치된 확성기를 통해 이목을 집중시키고 박람회 분위기를 고조시키는 데 한 몫을 했다.[82]

지방 관람자 확보는 각 도협찬회를 통해 부군도 읍면에서 해당자를 모으도록 지시가 내려졌다. 부군에서는 담당자를 두고 관람을 알선 종용했다.[83] 지역별 관람의 할당과 종용은 1915년 물산공진회 때와[84] 마찬가지로 1929년 박람회에서도 참관 유치의 주된 방법이었다. 그러다 보니 관람자 "대부분은 지방 관청의 지명에 의하여 부득이 뽑혀온 말하자면 義務求景軍"[85]이었다고 할 정도였다. 자연히 무리가 따랐다. 경남 울산군 언양면은 박람회 관광단 예정 인원을 채우지 못하자 구장을 단원으로 편입시키고, 동회를 소집하여 강제로 부과하여 마련한 여비로 출발시켰다.[86] 또 구경할 사람을 모집했지만 역시 여비가 없다고 하면 "금융조합에서 아조 저리로 유통을 하야주겟스니 가지고 가라"고 하여, 지주와 소작농까지 식산은행과 동척, 고리대업자에게서 빚내어 상경하는 현상까지 벌어졌다.[87] 이렇다 보니 "쇠(牛)" "虛廳" "눈물" 팔아 "권유 못이겨서" "면장 따라" 경성에 올라온다는[88] 풍자까지 나

쪽 ; 『매일신보』 1929. 4. 11, 「朝博宣傳重任지고 天下大將軍出馬」. 박람회의 선전일에는 기생과 예기들이 경성 시내를 돌면서 대대적인 선전을 하였다(『조선일보』 1929. 6. 13, 「조선박람선전」 ; 1929. 7. 10, 「기생 행렬선전」).

82) 「朝鮮博覽會彙報」, 1929. 6, 2~64쪽.

83) 「朝鮮博覽會彙報」, 1929. 6. 2-62쪽.

84) 豊田鐵騎, 「十五年前の共進會」, 『조선지방행정』 1929. 10.

85) 『조선일보』 1926. 5. 23, 「박람회와 조선인」.

86) 『조선일보』 1929. 9. 24, 「朝博관광단 여비 일반에게 징수」.

87) 「朝鮮인으로서 본 朝鮮博覽會」, 『新民』 1929. 11, 36, 39쪽.

88) 『조선일보』 1929. 10. 10, 「서울구경」.

돌 정도였다. 이에 "長蛇陳列"의 일행 대부분이 "초췌한 形影에 풀죽은 백의를 걸친" "유한자 반대층"[89] 다시 말해 여유가 없는 이들인 경우도 적지 않았다.

박람회 구경꾼 중에는 이 같이 과도한 부담을 안고 '권유'를 받아 '동원'된 사람도 적지 않았겠지만, 자발적으로 호응하여 상경한 사람도 많았을 것이다. "천여 원이란 막대한 돈을 가지고" 구경 온 사람, "박람회 구경이 하도 좋다고 하여 생각하다 못하여" 주인 돈을 훔쳐 출발을 시도한 사람, "서울 박람회 구경에 미처" 다른 사람을 꼬드겨 토지를 저당하려고 한 사람까지 나타났다.[90] 이런 면면을 보면 박람회가 꽤 선전되었고, 매우 유혹적인 볼거리로 받아들여지고 있었음을 알 수 있다.

이 같이 박람회가 사람들의 시선을 집중시키고 흥분시켰던 배경에는 첨단 상품을 체험하는 것 이외 오락과 여가 공간이 곁들여진 것도 한 요인이었다. 사람들은 반복적인 일과 역할에서 오는 규제와 단조로움에서 벗어나고 싶은 욕구가 있었고, 경성과 시골이 선명하게 대비되는 일제하 조선민중에게 박람회 관람은 비일상적 일탈의 출구였다. 박람회장 안 '연예관'과 '어린이 나라' '萬國街'에서는 기생 무용 공연과 놀이시설, 곡마단 공연이 있었고, 구경꾼이 몰렸다. 여가로 1920년대 중반까지는 씨름, 줄타기, 제비뽑기와 같은 전통 오락도 있지만 뒤로 갈수록 활동사진, 기생 무용, 자전거 경주, 궁술대회, 生花盆栽大會, 연주대회 등 근대적 오락이 주류를 이루었다.[91] 여기다가 때로는 비행기

89) 『조선일보』 1929. 9. 26, 「사설 무엇을 얻을까」.

90) 『조선일보』 1929. 10. 6, 「全財産 一千圓, 博覽會 구경 왓다 紛失」; 1929. 10. 6, 「博覽會 구경하랴다 警察署구경」; 1929. 11. 9, 「博覽會 구경에 土地文書 훔쳐」.

91) 『조선일보』 1925. 10. 30, 「晉州 물산공진 각종 여흥 경주」. 진해물산공진회에는 갖가지 장식과 전등이 어우러진 밤벚꽃놀이, 활동사진과 연극, 각종 운동

까지 동원하여 "폭음과 은색 날개의 섬광"으로 박람회 분위기를 고조시켰다.92) 이 같이 박람회는 계몽과 선전의 장이면서 오락과 여가의 공간이기도 했다. 또 경성 구경의 기회였다. 박람회 관광단 일정에는 대체로 경성 구경(종로－파고다공원－창덕궁－창경원－경성운동장－장충단－상품진열관－남산공원－덕수궁－사직공원－세검정－독립문－한강철교)이 포함되었다.

따라서 박람회에 사람이 운집하고 '호응'할 수 있었던 배경에는 행정력을 이용하여 동원한 점도 작용했겠지만, 민중 사이에 박람회에 대한 호기심과 기대감이 적지않이 퍼져 있었음을 알 수 있다. 이런 사실은 관광단 모집 공고가 나자마자 신청이 '답지'할 수 있었던 한 요인이었다고 본다.93)

2) 계층별 반응과 식민지적 정체성 형성

일제는 박람회를 하나의 기회로 삼아 식민지배의 정당성을 선전하고 관람자 스스로 식민지 질서를 재생산하는 주체로 만들려고 했다.

다음에서는 박람회를 둘러싸고 지식인층에 속하는 사람들과 일반 민중이 어떤 입장과 반응을 보였으며, 박람회가 이들의 인식 체계와 정체성 형성에 어떻게 영향을 미쳤는지 살펴보려고 한다.

경기 등이 곁들여졌다는 소식에 "각 디방에서는 혹은 단체로 혹은 개인으로 이를 한번 보고자 남으로 남으로 진해에 모혀논 관중은 실로 남선에 잇서서는 처음 보는 장관"을 연출했다고 한다(『조선일보』 1927. 4. 9, 「8일에 개막된 진해물산공진회」).

92) 조선박람회경성협찬회, 『조선박람회경성협찬회보고서』, 1930, 97쪽.

93) 『조선일보』 1929. 6. 25, 「조선박람회 관람자 旣신입 61만」; 1929. 8. 11, 「경기 조선박람회 구경 신청 11만명」.

(1) 일반 민중[94]

조선 각지에 때아닌 박람회 열풍이 몰아쳤다. 박람회 개장 당일, 생일도 잊고 지내던 염상섭도, 이 날만은 구경 가기 위해 "신새벽가티" 일어났고, "길에 나서니 마음이 더욱 조급"하여, 다른 구경꾼과 '경주' 하듯이 달려갔다고 한다.[95] 이렇다 보니, 어느 시골 사람이 "가자! 가자! 서울로! 박람회로"라고 외쳤던 장면도[96] 있을 법하다. 당시 농촌의 풍경을 들여다 보면, "조선박람회라는 것은 무슨 큰 수가 나는 것가티 선전을 하야 박람회를 보지 못하면 아조 사람갑에도 못가는 것가튼 생각을 일반이 갓게 맨들어 노핫다"[97]고 한다.

이런 분위기에 휩싸여 상경한 시골 사람이 박람회를 대면하는 장면을 재구성해 보자.

이들이 타고 온 "전차는 오는 것마다 남녀학생, 지방의 大단체로 꼭꼭 차고 빈틈"이 없었고, "이상스런 깃발을 선두로 형형색색의 표를 혹은 가슴에 혹은 억개에 또 혹은 소매에 붓친" 채, 거리는 "3~40명 혹은 5~60명의 단체 행렬로 우왕좌왕 복작"거렸다. 이들은 곧 시골에서 볼 수 없었던 복잡한 시내 교통수단을 접하게 되었다. "전후에서 뿡뿡 때때하는 자동차, 전차 소리에 넉들을 일코 입을 아— 버리고 눈을 둥그럿케 뜨고", "번적번적한 전등의 장식"과 "상상도 할 수 없는 대건물의 광경"들로 인해 어지럽고 어리둥절해하며 신경이 극도로 불안해졌다.[98] 그래도 단체 이동이 이들을 다소 안심시켰고 "단체적으로 행동

94) 일반 민중이라고 하더라도 이는 사실상 지식인이나 신문기자 등이 본 민중의 반응이나 태도를 재구성한 것이지만, 당대 민중의 시선과 감상을 포착한 것으로 보아도 무방할 것이다.

95) 『조선일보』 1929. 9. 15, 「박람회 보고 : 보지 못한 記(1)」.

96) 『조선일보』 1929. 6. 8, 「도회풍경 4 박람회狂」.

97) 「朝鮮인으로서 본 朝鮮博覽會」, 38쪽.

98) K기자, 앞의 글, 1929. 11, 22쪽 ; 一記者, 「顯微鏡」, 『朝鮮之光』 1929. 11, 63

치 아니면 아니될 그들은 혹은 단체의 지도를 위반하게 될가 일행을 일어벌이지나 아니할가?"하여 인솔자의 깃발만 보고 다니는 경우도 적지 않았다.[99)]

다음으로 이들은 "관객이 보고 望洋의 嘆을 생기지 않을 수 없게" 준비된 "일즉히 보지 못한 대규모의 조선박람회가 굉장한 총독부의 청사를 압두고 경회루를 중심으로……외관만은 극히 雄大美麗한 진열장"에 도착한다.[100)] 건물과 물품은 "관중의 시선을 현혹"하기에 충분했다. 그리고 대열에서 처지지 않고 따라붙으려고 노력하면서 전시물을 보게 된다. 그것은 "신기와 경악과 감탄"이었다. 사람들은 통계와 도표 등 난해한 부문은 제외한다고 해도, 전시품 중에서 무엇이 주목받는 물건인지 선별할 것이다. 다음과 같이 축음기를 비롯한 생경한 시설과 소비상품에 시선과 마음을 빼앗겼을 것이다.

> 여하간 그 웅장한 성량과 모던식 소래는 실노 박람회장내의 인기물임에는 틀림업섯다.……모든 관람객들은 다 이 근처에 와서는 눈이 둥글어지고 어데로 갈지를 몰나서 어림어림 도취경에 헤매엿다.

S군과 S부인("지방의 선각자 지도자, 훌륭한 지식계급에 속하는 인물")도 축음기 앞에서 "멍하니 서서 발을 옴기러 하지 안헛다"고 했으니, 일반 민중이 받았을 ('도취경'에 헤매는) 충격의 크기를 짐작할 수 있겠다. 大阪特設館 앞은 "다시 나올 수도 업시 사람의 행렬에 꼭 끼여서 밀니는 대로 맥여 둘 수밧게 (없을)" 정도였고, 사람들은 "다만 무엇 한 가지식이라도 사가지랴"[101)]고 북새통이었다.

쪽.

99) 一記者, 위의 글, 1929. 11, 63쪽.

100) 一記者, 위의 글, 1929. 11, 62쪽.

90여 전시관을 돌려면 S군과 같이 식견이 있는 사람들도 하루 더 관람해야만 했다. 그러나 대개 관람자들은 "4~5일로도 다 볼 수 업는 박람회장을 주마등갓치 1일간" 보았고, 그것도 연예관 등의 '유흥'에 시간을 보낸 경우가 많았다고 한다.[102] 결국 짧은 일정에 일반 민중은 새로운 감각의 호기심을 자극하는 시설과 상품을 접하고 커다란 문화적 충격을 받고 소비를 욕망하는 채 귀가하게 된다.

시골에서는 박람회 구경이 화제가 되어 이런 저런 이야기가 오고 간다. 아래 대화 속에 담긴 박람회, 경성 구경에 대한 인상을 정리해 보자.[103]

A : 자네 서울 구경 갓다왓다지? 그래 무엇 무엇을 구경하얏나? 박람회 구경은 물론 잘 하얏겟지만……
B : 참말 구경 조테 뭐 업는 것 업데

C : 아저씨 서울 구경갓다 오셧지요? 그래서 구경이 대개 엇댓습뒷가? 물론 굉장하셧슬 것이오
D : 구경이고 뭐고 정신이 얼떨떨해서……무엇무엇을 구경하엿는지 좀처럼 아라 낼 수가 업네 그야말로 소경단청구경한 셈이엿섯네 그마나 혼자 가서 찬찬히 구경이나 하얏스면 좀 기억이나 남아 잇슬터인데 단첸가 뭔가 드러가지고 밤낫 서로 꽁문이 붓잡고 쥐꼬리잡이 내기만 하다가 구경은 다 놋처버린 셈일세 생각하면 분해 못살겟네 공연히 돈만 업새고

E : 자네 구경 좀 내노케 나와 비교해 보세 그래 동물원 구경 하엿나?

101) K기자, 앞의 글, 1929. 11, 21, 26, 30쪽.
102) 一記者, 앞의 글, 1929. 11, 63쪽.
103) 春坡, 앞의 글, 1929. 9, 129쪽.

F : 그래 하엿서

E : 자네 또 조선관이란 데 가 보앗나? 그 사진들 느러노온 것……

F : 그는 못 보앗서……

E : 안이 참말 그 놈들이야말로 깍정이 놈들이데 조선사람의 흉꺼니는 모다 모앗데 그려 아이 창피해

이처럼 대화를 나누는 사람을 포함하여 상당수 관람자들이 소경 '단청', '코끼리' 구경하는 격으로 박람회를 제대로 이해하지 못했을 수도 있었다. 그러나 "참말 구경 조테 뭐 업는 것 업데", "疑懼와 공포의 중에 이게 대체 무슨 세상인고?"라고 연방 감탄하는, 이들에게 박람회 풍경은 강렬한 인상을 심어주었고, 근대 문물과 과학 기술력 앞에 압도당했을 것이다. 그리고 이들은 구경하지 못한 "시골 농민들 압헤서 박람회를 보앗다는 한 이약이와 자랑거리를 남겨"놓고,[104] 경성 구경이란 비일상적인 관광으로 획득한 지위를 증명하기 위해 일본특설관을 기웃거리며 뭐 하나 샀던 '제이차공진회보따리', '박람회보따리'를[105] 끌러놓았다. 구경과 선물은 이들에게 지역 사회에서 문화권력 내지 지위 축적의 사회적 도구였다. 이렇게 보태진 사회적 지위를 바탕으로 박람회 풍경과 근대화의 가능성을 지역에 선전하고 일반 민중의 태도 변화를 추동하기도 했을 것이다.[106] 또한 이들은 조선관에 투사된 낡

---

104) 「朝鮮인으로서 본 朝鮮博覽會」, 40쪽.

105) 『조선일보』 1929. 6. 8, 「도회풍경 4 박람회狂」; 理河潤, 「조선박람회와 경성」, 『實業之朝鮮』 1-4, 1929, 34쪽.

106) 공주 영명고등보통학교 학생으로 3・1운동에 참여했던 충남 연기군 윤봉균은 일본 유학과 국내외 공진회, 박람회의 관람 등을 경험하면서, 근대문명과 전통, 일본과 조선이 대립구도를 이루면서도 공존하는 고유한 세계관을 형성하고 있었다. 그는 충남 4개군 연합물산품평회에 출품하여 입선한 뒤 일제가 주도하는 농업정책에 동참하였다. 윤봉균의 사례는 체제적합적인 사고와 가치의 내면화를 유도하는 데 박람회 경험 역시 적지않이 기능했음을 보여준다

음의 표상에 불만을 품고 반발하기도 하지만 불만은 점차 겉으로 표면화되지 않은 채 의식의 저변에 침전될 수도 있었다.

이 같은 일반적인 반응 속에도 "비교적 조직적이고 타산적이고 침착한 지방유지"들은 서울 구경을 했으나 놓친 것을 뒤늦게 깨닫기도 했다.

> 아모리 밧버도 사회적으로 유명한 유지 몃분을 차저보고 지방사정과 아울러 그들의 政見이나 좀 듯고 왓더면 그 안이 조홧슬가 천도교 불교 기독교 등 교육기관을 차저가 그들의 수뇌 간부들과 의견교환이나 해보고 왓스면 그 亦 조흘일이 안인가 신간회 근우회 勞總 靑總 등 운동기관은 왜 못차저 보앗스며 동아 중외 조선 개벽사 등 신문 잡지 기관은 왜 못차저 보고 왓는지 생각하면 생각사록 분통한 일이다.107)

일제는 전국 각지에서 운집한 사람들이 바로 이렇게 사회운동세력(민족운동 활동가/단체)과 접촉하여 식민지 현실을 자각하고 저항적인 행동으로 발전할 가능성을 사전에 봉쇄하는 조치로, 박람회를 앞두고 국외 운동세력의 잠입을 막고 국내 운동단체들의 집회를 금지했던 것이다.108) 일제는 이와 같이 박람회에 대한 대중의 반응, 돌발 변수까지 염두에 두고 박람회를 개최했다.

(2) 지식인층109)

(김영희, 「일제시대 체제 저항과 협력 사이의 중간지대 - 평암 윤봉균의 사례를 중심으로」, 『한국민족운동사연구』 39, 2004 참조).

107) 春坡, 앞의 글, 1929. 9, 130쪽.

108) 『조선일보』 1929. 8. 28, 「박람회 開期中 일절 집회 취체 益甚」.

109) 여기서는 신문 잡지에 글을 기고하여 견해를 밝힌 사람들도 지식인층에 포함시켰다.

앞에서 살펴본 대로 염상섭은 '조선' 박람회라 하면서 '조선을 일흔' 조선을 압축해 놓았다고 비판한 바 있었다. 유광열 역시 "조선인의 박람회는 아니(다)"고 일갈했다. 그는 이어 "재조선일본인의 박람회", "일한병합 후 20년간에 공적표와 대일본제국 대륙발전의 찬송가", "조선의 富源을 가장 조직적으로 계통적으로 나열하야 일본의 대자본을 끌려는 것", "일본의 상품을 조선에 더 잘 팔기 위하야 매개의 역할"을 하고 있다고 비난했다.[110] 또 "경술 이후 20년을 기념하는 정치적 得勝樂이 그위 경제진출의 행진곡과 겹들이어 가장 雄猛한 교향악"[111]이 되었다고 하는 등, 이번 박람회의 본질을 간파한 견해가 이어졌다.

그리고 긴축재정, 불황기, 연이은 한재 등 좋지 않은 경제 여건을 이유로 박람회의 부작용을 우려하는 목소리도 있었지만,[112] 일단 열린 박람회의 심리, 의도를 파악하면서 순기능, 유용성을 최대한 살려보자는 입장도 있었다. 박람회가 '사회실업교육보급회'가 될 수 있으니, "박람회 견학에 역량을 집중"시켜 식민 본국의 이익에 맹종할 것이 아니라 "식민지 민중 자체의 이익"을 지키도록 노력해야 한다는 것이다.[113] 또한 박람회는 "전에 우리가 상상조차 못하든 모든 물품을 생산하는가 하는 것을 한 곳에 모혀 노코……견주어 보아써 나의 不及하는 것을 더욱 힘써, 그보다 더 조코 더 미려한 것을 산출하는 동력이 되게 하고……충동과 자극을 주어……개량과 증식할 필요를 늣기게 하는 것"이 있다고 했다. 구체적으로 개량농법이나 증산방법, 과학기술의 발달, 세계 대세 등에 대한 지식을 제공하고 개선에 노력하도록 만든다고 보

---

110) 「朝鮮인으로서 본 朝鮮博覽會」, 42~43쪽.
111) 『조선일보』 1929. 6. 26, 「사설 조선박람회에 대하여」.
112) 「朝鮮인으로서 본 朝鮮博覽會」, 35쪽.
113) 朱泰道, 「果然 博覽會는 열니엿다 産業과 博覽會와의 關係」, 『實業之朝鮮』 1929. 9, 22쪽.

왔다(鄭秀日).114)

또한 대표적인 사회지도자인 송진우와 안재홍은 박람회 구경 오는 이들에게 균형 있는 시각을 요청했다. "碧海桑田보다도 더 격변"하는 경성에서 "우리의 衰敗의 현상"만 보고 비관할 것이 아니라 "시세를 잘 살피여서 우리의 압길을 개척"하자고 했고(안재홍), "모든 시설이 완비하고 외면이 번화"한 곳과 함께 "형언할 수 업는 빈민굴"이 있음을 알고, 이들도 잘 살게 할 생각을 갖기를 당부했다(송진우).115)

이런 시각과 달리 근대주의자 윤치호는 다음과 같이 박람회를 인식했다.

> 근 20년 동안 이러케 변화되엿다는 것은 참 놀라운 일이 안인가…… 이러한 진보는 만일 조선으로 그대로 잇고 조선 사람끼리만 잇섯들면 이러케나 속히 변화가 되엿슬는지 의문이외다.
>
> ……조선 사람의 제품들도 대개는 日本向으로 또 일본식으로 표현된 것이 만아……이것이 모다 일본서 건너온 것 갓치 뵈임니다. 그밧게 東京, 大阪이 들끄러오고 九州, 京都 기타 내지라 하는 일판이 그대로 건너온 것 같이 진열되어, 우리의 생활환경을 날로히 위여싸고 잇는 줄을 알아보왓스며
>
> ……지금이나 전일이나 의연히 변하지 않은 것은 갓쓰고 흰옷입고 이리로 저리로 羊의 떼갓치 돌녀 다니는 사람의 떼들뿐인가 생각하여 집니다.116)

윤치호는 식민통치를 겪으면서 이전과 다른 근대적 면모를 '진보'로 보았고, 이것이 "조선 사람끼리만 잇섯들면" 가능했을지 '의문'이라고

114) 「朝鮮인으로서 본 朝鮮博覽會」, 38쪽.
115) 송진우, 「경성에 와서 무엇을 배울 것인가」, 『별건곤』 1929. 9, 31쪽.
116) 「朝鮮인으로서 본 朝鮮博覽會」, 34~35쪽.

하여, 조선의 독자적 내적 발전에 회의적인 자세를 보였다. 그리고 그는 일본 문화에 대한 선망의식을 내면화하여 조선 제품이 "日本向으로 또 일본식으로 표현"되고, 일본 각지에서 들어온 물품이 "우리의 생활환경을 날로히 위여싸고" 있는 현실 즉, 삶의 조건과 생활 방식이 일본화되어 가는 것을 묵인하고 더 나아가 욕망하는 듯한 속내를 내보였다. 그의 인식대로라면 박람회는 식민지 개발의 환상을 심어주고 의식을 마비시키는 힘을 가졌다.

서구문명/일본의 도시성을 내면화한 윤치호는 제국 일본의 시선에서 박람회를 '문명과 근대'의 공간으로 보았고, 이 기준에서 조선민중의 행동 즉, "갓쓰고 흰옷입고 이리로 저리로 羊의 띄갓치 돌녀 다니는 사람의 띄들"에게 노골적으로 반감을 표시했다. 그는 조선 내부에서 비문명의 풍경을 이질적 대상으로 분리 배제하려는 엘리트의식과, 제국 일본을 모방하고 순응하려는 욕망을 박람회 공간에 투사했다. 또 앞에서 살펴본 S군을 안내했던 K기자는 '문명'의 전시장으로서 또 식민정치의 선전장으로서 박람회의 양면성을 인식한 인물이었다. 그는 "친분관계로 부득이 박람회 안내역이란 영광스런 임무를 사양할 도리가 업섯다"고 하여, 별로 가고 싶지 않았는데 친분 때문에 걸음한 것 같이 말했다. 그는 이미 박람회 정도쯤은 그다지 관심의 대상이 아니라는 듯한 자세를 취하면서, 지방에서 구경하러 온 민중의 몸짓을 묘사할 때,[117] 윤치호와 비슷한 엘리트의식을 드러냈다.

한편 유광열은 이전부터 박람회에 대해 비판적 관점을 갖고 있었지만[118] 그 활용성까지 부인하지 않았다. S군 역시 박람회의 문제점과 함

117) "이상스런 깃발을 선두로 형형색색의 표"를 달고, "자동차, 전차 소리에 넉들을 일코 입을 아 버리고 눈을 둥그럿케 뜨고는 ……기겁을 하고 뒤로 물러서는 꼴이며……질팡갈팡으로 넘어지는 양 별별 희비극을 다 연출……"(K기자, 앞의 글, 1929. 11, 21쪽).

께 유용성을 인정하고 '문명'에 매료당했다. 이들을 포함하여 당시 지식계층 중에는 조선의 "衰敗 현상"과 함께 "질적 향상은 실로 昔日의 比가 안일 것"이라 하여[119] 식민통치의 근대성을 인정하고, 조선민중의 분발과 개선을 요구하기도 했다. 분발과 개선의 기준은 역시 박람회에서 제시된 '새로움' '진보' '산업화'였다.

박람회를 둘러싸고 지식인층은 서구문명을 지표로 조선의 비문명에 노골적인 반감을 드러내고 이를 타자화하려고 한 경우도 있었고(윤치호), 역시 같은 기준을 수용한 채 제국 일본의 의도를 비판하면서 이를 모방하려는 심리가 내재했을 수도 있고(정수일 등), 저항과 모방 사이에서 균형 있는 안목과 실천을 모색했는가 하면(송진우·안재홍), 조선을 부정한 제국의 시선에 반발하고 그들의 시선을 통해 조선의 현실과 자신을 성찰하는 계기로 삼으려고 했던 경우도 있었다(염상섭).

(3) 식민지적 정체성 형성

조선박람회의 전시관과 전시물은 식민지 조선과 조선인이 처한 사회 경제 문화의 단계를 가늠할 수 있는 척도였다. 조선관과 일본관으로 구분된 전시공간에서 조선양식은 부정되고 서양식은 모방해야 할 대상이었다. "조선 건축의 정수"인 경복궁이 "무참히 헐리고", 그 자리에 세워진 "현대건축의 정수"를 "높이 자랑하는" 총독부청사는[120] 이를 상징한다. 1920년대 경성 시내는 급속히 서구화되면서 "하나에서 열까지 東京, 大阪"을 흉내 내고 있었다.[121] "朝鮮靴가 洋靴로 대체되고, 바지와 저고리가 양장으로" "고풍스런 조선의 복장이 모던 스타일"

---

118) 주 68) 참조.

119) 一記者, 앞의 글, 1929. 11, 62쪽.

120) 和氣生, 「京城初見參の記」, 『朝鮮及滿洲』 246, 1928. 5, 62쪽.

121) 植村諦, 「第一印象(1)」, 『朝鮮及滿洲』 258, 1929. 5, 71쪽.

로 바뀌고 있었다.[122] 이런 변화가 "고대 혹은 구한국의 풍습, 풍속"–"陋倭한 조선인 집", "기와집이라고 해도 원시색을 띤 작은 陋屋", 이러한 가옥 중에서 "두드러지게 宏大한" "시대 역행"을 느끼게 하는 창덕궁과 같은 궁궐[123]–과 근대식 洋館/일본 상점처럼 선명한 대치 구도 속에서 진행된 만큼, 경성은 "최대 문명과 최대 야만"이 "狂的인 악수"를 하는 "혼연한 과도기"를 겪고 있었다.[124] 이 같은 경성 변화의 극단성은 조선 팔도로 조금씩 전이되었고, 박람회 공간에도 그대로 투영되었다.

박람회를 둘러보고 "조선에서 이만한 것이 가능했다는 사실이 놀랍다"는[125] 반응은 일본인만은 아니었다. 산업남관에 진열된 누에나방 검사의 장면과 기구 옆에 "조선에서 길렀다고 해서 웃으려면 웃어라, 虫體達者 운운"[126]이라고 쓰인 푯말은, 당시 사회에 조선인 열등의식이 상당히 만연되었음을 보여준다. 박람회를 구경한 조선인 관람자의 소감 대부분이 '황홀'과 '신기', '복잡'과 '화려'였고 혹은 "그 사람들 재조만터라 조선사람이야" "해볼 수 업서"[127] 같은 열등의식을 감추지 않았다. 앞에서 언급했던 일본 여급으로 행세하며 호객하는 행위, 특산물 백단나무를 '일본종이'로 애써 포장했지만 질 낮은 종이로 인해 상품가치가 떨어지는 것도 모른 채 맹종에 가까운 일본 따라가기, 이는 위축되어 가는 조선의 현실과 민중의 심정이 투사된 현상이었다. 박람회는 조선인의 문명에 대한 동경과 자기부정의식을 생산하고 유통시켰고, 조선인의 자기부정의식은 박람회를 포함해서 일본의 힘과 권위

---

122) 伽耶生(총독부박물관), 「朝鮮暫見漫想」, 『朝鮮及滿洲』 268, 1930. 3, 56쪽.
123) 一旅客, 「朝鮮暫見」, 『朝鮮及滿洲』 263, 1929. 10, 63쪽.
124) 鄭寅燮, 앞의 책, 1929, 63쪽.
125) 「朝博に對する批判」, 『朝鮮及滿洲』 264, 1929. 11, 32쪽.
126) 編輯同人, 앞의 글, 1929. 10, 76쪽.
127) 『조선일보』 1929. 9. 26, 「사설 무엇을 얻을까」.

를 느끼는 공간에서 더욱 뚜렷이 표출되었다.

일본은 해외 박람회에서는 '일본색'을 강조함으로써 자신을 관찰의 대상으로 제시하고, 국내 박람회에서는 서양건축을 채용하여 자신을 문명사회로 표상하려고 했다. 일본은 전통을 효과적으로 전시하여 자기 존재를 서구에 각인시키는 데 성공했다. 그러나 서구에 대한 일본의 열등감은 조선을 비롯한 식민지에 대한 제국의식과 표리의 관계에 있었다.[128] 자기혐오의 열등감은 식민지 조선의 '미개'와 거리를 두고 문명국으로서 자신을 위치시킴으로써 배출되고 해소되는 국면을 띠었다. 조선박람회의 공간 배치만 보아도, 일본관은 초현대 서양식으로 조선관과 차별화를 시도하여, 문명과 미개의 차이만큼 서구를 향해 가졌던 복잡한 심성을 식민지 조선에게 이양 전가시킬 수 있었다. 이에 반해 조선인은 피지배민으로서 자신의 위치를 확인할 뿐 아니라 조선의 낙후성을 실제 체험하게 된다. 여기서 식민지 조선은 일본과 좀 다른 형태로 이중적 분열성을 경험하였다. 근대에 대한 동경과 모방의 욕구, 자기혐오의 열등감 사이에서 내적 혼돈을 겪게 되었다. 이때 제국의 시선을 내재한 일본유학생 등 지식인 엘리트 일부는 식민지 내부에서 비도시적 개인/세계의 분리, 타자화를 시도하면서 선진문명에 대한 콤플렉스를 해소하려고 했다.[129] 때때로 조선인의 열등의식은 간도 등지에서 시찰 오는 '비문명'의 조선동포를 '내려다보면서'[130] 일시적으로

---

128) 하세봉, 「모형의 제국 - 1935년 대만박람회에 표상된 아시아」, 『동양사학연구』 78, 2002, 94~95쪽 ; 요시미 순야 지음, 이태문 옮김, 앞의 책, 2004, 237~238, 243쪽 ; 有山輝雄, 『海外観光旅行の誕生』, 吉川弘文館, 2002, 226~227쪽 ; パトリシア・モルトン 著, 長谷川 章 譯, 앞의 책, 2002, 323쪽.

129) 김진량, 「근대 일본 유학생의 공간체험과 표상」, 『우리말글』 32, 2004. 12, 263~266, 270쪽 ; 차혜영, 「1920년대 해외 기행문을 통해 본 식민지 근대의 내면형성경로」, 『국어문학』 137, 2004. 9, 417, 422~423쪽.

130) 1921년 7월, 간도지방 조선인 유력자로 구성된 조선관광단에게 경성의 거리와 건축의 '번화'/'교묘 화려'는 '진보'/'경이' 그 자체였다. 각 신문사 사진반은

벗어날 수도 있었다. 그러나 조선이 간도를 식민지 '미개'로 고정적으로 표상해 두고 심리적인 만족감을 느낄 수 있는 처지는 아니었다.

조선의 이미지가 낙후/잡종으로 정형화되는 가운데, 조선민중은 다음과 같은 내적 세계의 혼미를 경험하게 되었다.

> 마음의 폐허는 더 한층 황량해간다. 나에게 살림다운 살림이 업고 나에게 진실의 사랑이 업고 나보다 더 큰 마음의 폐허를 등에 지고서 지금 나는 무엇에 놀래며 무엇에 늣기며 무엇을 구하며 무엇에 잇글며 무엇을 잇글고 무엇을 미드며 어느 곳으로 아아 어느 곳으로 더듬어 가느냐? 사람이 사는 곳 땅우의 백성이 모여 잇는 곳 곳곳마다 사람사람마다 보히지 안이 하는 마음의 폐허를 가지고 잇다![131]

조선민중 즉, "땅우의 백성이 모여 잇는 곳 곳곳마다 사람사람마다", 자기 근본에 대한 자부심과 구심점을 상실한 채 "마음의 폐허", 공허한 무력감에 좌절하고, 그 빈 곳에 집단심성의 한 갈래로 억압적인 열등의식이 형성되었다고 본다. 이 같은 집단심성은 끊임없이 외부의 시선과 가치에 규정받으며 浮遊하면서, 어떤 보편적 유력한 문화가 등장할 때마다 쉽게 거기에 경도될 수 있는 식민지적 정체성을 배태했다.

일부에서 박람회의 식민주의를 비판하거나 그 기능을 부정한다고 해도, 대부분 관람객에게 박람회는 지향해야 할 '문명'의 가치를 체현한 장으로 수용되었을 것이다. 여러 가지 물건을 늘어 놓은 것을 두고 "박람회 물품 진열"[132]한 듯하다고 비유하고, 지방의 어느 집안에 있는 갖가지 서양물품을 가리켜 "조선박람회장에 가서 그긔괴괴하고 시록

이들이 어찌할 바를 모르고 엉거주춤해 있는 행동거지를 촬영하려고 '장관'을 연출했다고 한다(「間島琿春在住同胞觀光團入京」, 『儒道』 4, 1921. 12).

131) 基鎭, 「痛哭」, 『개벽』 1924. 12, 128쪽.

132) 郭昌鉉, 「鄕村農老閑話」, 『조선』 120, 1927. 10, 99쪽

새록한 동서양 물품"을 사왔는가 하며 박람회와 연관지우고,[133] 박학다식한 사람을 가리켜 "博覽博識"[134]하다고 평가할 정도로, '박람회'라는 개념은 신문 잡지 등 대중매체를 통해 재조직되어 일상생활 속에 전달되고 있었다. 박람회를 직접 구경하지 않았던 사람들 사이에도 '박람회'는 '새로운 것' '우월한 것'의 표상으로 수용되어 갔다. 이러한 감각이 널리 공유될수록 그와 함께 형성되었던 식민지적 정체성도 조선인의 집단심성의 일부로 내면화될 수 있었다고 생각된다.

4. 맺음말

조선박람회는 식민통치 20주년을 기념하여 치적을 과시하기 위해 기획되었다. 이를 위해 '서구화'를 기준으로 제국 일본과 식민지 조선을 문명과 비문명으로 대비하고, 조선의 산업과 문화가 이전 시대와 얼마나 차별화되었는지를 보여주려고 했다. 시각적 매체는 다른 어떤 매체보다 재현의 사실성을 증명해 주는 데 결정적인 기능을 발휘한다. 그리고 박람회가 근대화를 위한 중요한 제도이고, 공업제품이 근대를 찬양하는 기호라고 한다면,[135] 조선박람회는 지향해야 할 가치가 '문명'과 '근대'임을 확인하는 장이었다. 뒤처진 조선의 이미지가 부단히 생성되고 재현되는 가운데 조선의 전통과 가치는 회피하거나 가볍게 지나칠 수 있는 존재가 되었고, 일본의 것은 추구하고 소유하고 싶은 대상으로 전환되었다.

또한 조선박람회는 제국 일본의 존재를 각인시키고 민족적 차별과

133) 郭蘭史, 「千里駒-新舊生活相의 交響樂(10)」, 『조선』 14-5, 1930. 5, 132쪽.
134) 郭昌鉉, 「漫談 新舊式縱橫觀(12)」, 『조선』 16-2, 1932. 2, 118쪽.
135) 요시미 순야 지음, 이태문 옮김, 앞의 책, 2004, 64쪽.

억압의 원리가 작동하는 공간이었다. 근대성과 함께 식민성을 동시에 볼 수 있는 공간이었다. 일제가 '조선색'을 강조하면서 제시한 전시관과 전시물은, 고유한 역사성을 배제한 채 몇몇 모티브를 선택하고 근대적 요소를 가미한 얼치기, 통일감을 잃은 잡종의 재현에 불과했다. 조선민중은 부분적으로 조선관에서도 최신 산업기술을 확인할 수 있었다. 그러나 일본 앞에서 조선은 '가시성'이란 '객관성'을 담보한 낡음의 표상이었다.

이 같은 박람회의 구경은 대중을 지배담론의 소비자이자 생산자로 만드는 중요한 고리 역할을 하여, 자기 정체성의 형성 내지 재구성에 적지않은 영향을 미쳤다. 저급하고 낙후된 조선의 이미지와 대면하는 횟수가 거듭되면서, 조선민중들은 자기 삶에 대한 자부심과 구심점을 상실한 채 공허한 무력감에 방황하고, 그 빈 곳에 억압적인 열등의식이 집단심성의 한 갈래로 내재된다. 이 같은 집단심성은 끊임없이 외부의 시선과 가치에 규정받으며 浮遊하면서 어떤 보편적 문화에 쉽게 경도될 수 있는 식민지적 정체성을 배태했다. 이는 서구화/일본화를 보편적 가치와 체험으로 받아들이고 때로 과도하게 욕망하는 모습에서 그 일단이 드러났다.

식민지배 20년이 되었어도 여전히 "조선과 일본"이란 대립의식/민족의식 역시 조선인의 집단심성의 한 갈래였다. 지배측은 일본과 조선을 '內地'와 '外地'로 명명하여 조선을 제국 일본의 일부로 예속시키려고 했다. 그러나 조선민중은 "내지라고 하지 않고 일본 일본"이라고 할 뿐만 아니라, "조선 일본"이라고 하여 "조선을 일본 앞에 두고", "조선과 일본"이란 대립의 경계선을 부단히 유지하려고 했다. 이처럼 "어떻게 해서라도 민족정신을 일본인 앞에 노골적으로 대담하게 표명"하려는[136] 조선민중의 저항의식을 약화시키는 데, 박람회는 매우 효과적인 통치수단의 하나였다.

일제가 경복궁을 조선박람회 장소로 선정한 의도는 "옛 역사의 도읍이, 끝없는 추억을 가슴에 품고 새로운 시대에 순응하여"[137] "일본과 같은 정도의 진보"로 나가고 있는 과정을 사람들에게 확인시키기 위해서였다. 박람회 공간은 조선의 산업과 문화가 다소 성장 발전하는 모습을 보여 주면서, "금일은 그 중도에 있(으며)", "도달의 遲速"은 조선인의 자각 여부에 달려 있다는[138] 메시지를 생산하고 있었다. 따라서 자기부정의 열등의식과 외부 追隨의 심리가 결합되어 형성된 식민지적 정체성은 식민통치에 유효하게 작용할 수 있었다. 새로움과 경이로움을 체험할 수 있었던 박람회는 어느 정도 의식과 인식 체계의 변화를 유도하는 데 기능을 수행했을 것이다.

경성이 북적거릴 때는, "독립만세라든가, 박람회라든가, 축제라든가"[139]하는 경우였다고 한다. 1919년 3월의 만세 거리는 1926년 6월 순종의 장례식과 조선박람회(조선신문사 주최)가 공존하는 공간으로 변했고, 1929년 9월에는 국내외 민족운동가들의 활동을 사전 봉쇄한 상태였지만 조선박람회가 전유했다. 독립만세의 거리가 박람회 구경거리로 변모해가고 있었다. 일제의 박람회 정책은 조선민중의 의식과 생활공간에서 '민족'을 후퇴시키고, 열등의식과 외부 추수의 식민지적 정체성을 창출하는 데 일정하게 기여했다.

---

136) 「風聞駄語」, 『朝鮮及滿洲』 257, 1929. 4, 86쪽.

137) 松井房次郎(경성부윤), 「併合以來に於ける京城府の發達狀況」, 『朝鮮及滿洲』 263, 1929. 10, 163쪽.

138) 水野鍊太郎, 「施政滿二十年에 際하야」, 『조선』 1930. 10, 2쪽.

139) 東邦生, 「編輯室より」, 『朝鮮及滿洲』 263, 1929. 10, 14쪽.

유흥의 공간, 새로운 직업여성의 등장

김 선 경*

1. 머리말

일제하, 당시 사람들은 자신들이 살고 있는 사회 변화를 어떻게 느꼈을까? 1920년대나 30년대의 대중 잡지를 보면 서울의 변화를 다루는 특집이 자주 등장한다. 서울에 새로운 거리가 생겨나고 새로운 건물이 들어서고 예전에 없던 풍속이 생겨나는 한편, 없어져 버린 것, 바뀌어 버린 것도 많다. 당시 사람들도 이에 감탄하기도 하고 한탄하기도 하였다.

일제하에 대한 최근 연구 동향의 하나로서 당대인마저도 때로 놀랐던 도회적이고 근대적인 일상생활의 모습이나 감성, 패션을 포착해내어 근대성이 사회에 침투되어 가는 과정을 밝혀내는 흐름이 있다. 이러한 연구들은 오늘날을 살아가는 우리들의 생활양식이나 감성을 역사적 맥락에서 되돌아보게 하는 매우 중요한 연구들이지만 아쉽게도, 현상 나열에 그치는 감이 없지 않다.

일제하 서울을 중심으로 시작된 생활양식, 의식, 행태를 지속적으로 확대하여 오늘날 대부분의 사람들이 누리는 일반적인 삶의 양식으로 만들어내는 방향성은 무엇인가? 그 같은 방향성을 의식하면서 현상을

---

* 서울대학교 규장각한국학연구원 객원연구원, 한국사학

조명할 때 일제하의 특정한 사회현상이 오늘날 우리들의 삶과 의미 연관 관계를 갖는 역사로서 구성되리라고 본다. 이 글은 그와 같은 문제의식 아래, 일제하의 새로운 도회풍경과 도회인의 생활양식을 만들어 내는 데 일조하였던 유흥 문화 공간이 형성되는 추이와 그 속에서 활동하는 직업인으로서 새로운 직업여성의 등장 과정을 살펴보려고 한다.[1)]

이 글의 주요한 질문은 다음 두 가지이다. 첫째, 일제하 요리점·음식점·술집·카페·다방·극장 등 도시인들의 일상을 구성했던, 그리고 새로운 직업여성의 생업 장소였던 도회의 유흥 문화 공간을 창출하고 지속적으로 확대한 사회적 추세는 무엇이었을까? 둘째, 도회의 유흥 문화 공간에서 활동하였던 기생과 여급, 이들은 근대사회의 가장 대표적인 여성 직업인 서비스직 종사자로서 자신의 직업적 정체성을 수립하기 위해 노력하는 과정 속에서 무엇을 고뇌하였는가?

이 두 가지 질문을 좇아감으로써, 일제하 유흥 공간, 새로운 직업여성을 등장케 했던 사회적 추세가 오늘날 우리들에게도 여전히 영향을 미치고 있는 것은 아닌지, 그리고 그들 직업여성의 고뇌가 오늘날 우리들에게도 여전히 커다란 울림으로 다가와 말을 걸고 있는 것은 아닌지를 탐구하고자 한다.

---

1) 기생·여급에 관한 최근의 연구로는 다음과 같은 글이 있다. 권도희, 「20세기 관기와 삼패」, 『여성문학연구』 16, 2006 ; 김수진, 「1930년대 여학생과 '직업부인'을 통해 본 신여성의 가시성과 주변성」, 『식민지의 일상 지배와 균열』, 2006 ; 강이수, 「일제하 근대 여성 서비스직의 유형과 실태」, 『페미니즘 연구』 제5호, 2005 ; 서지영, 「식민지시대 기생연구(1) - 기생집단의 근대적 재편 양상을 중심으로」, 『정신문화연구』 제28권 제2호, 2005 ; 서지영, 「식민지 근대 유흥 풍속과 여성 섹슈얼리티 - 기생·카페 여급을 중심으로」, 『사회와 역사』 65집, 2004.

2. 유흥 공간의 형성

이 절에서는 첫 번째 질문, 요리점·음식점·술집·카페·다방·극장 등 도시인들의 일상을 구성했던, 그리고 새로운 직업여성의 생업 장소였던 도회의 유흥 문화 공간을 창출하고 지속적으로 확대한 사회적 추세는 무엇이었을까를 추구해보고자 한다.

일단 유흥 공간을 형성하고 확대시켰던 가장 주요한 사회적 추세로서 다음 두 가지를 상정할 수 있다. 첫째, 개인 단위의 사회적 관계맺음의 확산이다. 소가족·핵가족의 확대 역시 개인화의 확산과 긴밀히 관련되었다. 둘째, 자본주의적 생산관계의 확산이다. 자본주의적 생산관계의 확산은 두 가지 측면에서 유흥 공간의 형성에 기능하였다고 생각된다. 우선은 자본－임노동의 계약관계가 자본가 또는 기업과 노동자 개인 간의 계약관계로서 성립하여 이전에는 가족 구성원의 일원이었던 사람들을 가정 밖으로 끌어내어 직접적인 계약 당사자로 만듦으로써 사회적 관계의 개인화를 촉진하는 측면이다. 또 하나는 분화되는 사회적 공간 자체를 자본투자의 대상으로 삼고 이를 적극적으로 확산하는 힘으로 작용하는 측면이다.

전근대사회, 한말까지 사람들의 주요한 가족 형태는 대가족이었다. 이 대가족의 생산, 생활, 사교의 중심은 바로 가정이었다. 설령 소가족을 구성하고 살아가는 가족이라 하더라도 혈연적, 지연적 유대 관계를 바탕으로 한 가족과 가족의 교류가 그들의 사회적 연계망의 가장 주요한 중심축이었고, 그러한 교류의 중심 장소는 가정이었다.

대가족의 경우, 집안사람들의 생활은 가부장을 중심으로 편제되었다. 가부장의 사회적 관계가 집안의 사회적 관계의 핵심이었다. 대부분의 가족 구성원은 가장을 매개로 확보된 생활 터전, 생활 자료로 생활하였기 때문에 개인 차원의 사회적 관계는 부차적인 것이었다. 가장들의 사회적 교류는 상호 가정의 방문을 통해서 이루어지는 경우가 보통이었고, 가족 구성원 특히 여성들은 가부장의 손님을 접대하는 것이 주요한 임무였다.

하지만 일제하 도회의 소가족의 생활양식은 현저하게 달랐다. 도회, 그 가운데서도 서울을 중심으로 살펴보면, 일제하 서울의 가족 구성의 특징은 소가족・핵가족이 증대되었다는 점이다. 일제하 서울의 인구는 1910년대는 행정 구역이 축소되고 과거 조선국가에 의존하여 생활했던 부류가 생활을 유지하지 못하여 지방으로 이주하는 등의 사정으로 인해 줄어들다가, 1920년대 전반기부터 크게 증대하였다.[2] 인구증가는 주로 지방과 일본으로부터의 이입에 의해서 이루어졌는데 이들 가운데는 가족으로부터 분리되어 개인으로 온 계층(청년, 학생)도 많았고, 가족 단위로 이주한 경우도 소가족・핵가족 단위로 이주해오는 것이 일반적 경향이었다.[3]

근대의 가정은 이전의 가정처럼 폭넓은 역할을 수행하는 장소가 아니다. 가장이나 가족 구성원은 가족 단위가 아니라 개인적 계약을 통해 직업을 얻게 되고, 사회적 교류도 가족 간의 교류보다는 개인 차원의 교류로 중심축이 옮아간다. 자연 가정은 가족이 휴식을 갖고 애정을 나누는 사적인 공간으로 자리 잡게 되고 다른 사회적 관계는 집 밖에서 수행하는 것이 일반적이 된다. 이는 생산 활동만이 아니라, 사회・정치・문화・소비 등 다른 분야도 집 밖에서의 활동이 일상적인 것이 된다. 이는 가장만이 아니라 가족 구성원 모두에게 마찬가지이다.

---

2) 김영근, 「일제하 일상생활의 변화와 그 성격에 관한 연구 - 경성의 도시공간을 중심으로」, 연세대학교 사회학과 박사학위논문, 1999, 59~64쪽 참고.

3) 1920~30년대 소가족론이 가정개량론, 사회 혁신론의 중요부분을 차지하였다(김혜경・정진성, 「"핵가족" 논의와 "식민지적 근대성" ; 식민지 시기 새로운 가족 개념의 도입과 변형」, 『한국사회학』 제35집 4호, 2001).

이 같은 서울을 중심으로 한 사회적 관계맺음의 개인화 경향의 확산, 이를 뒷받침하는 소가족·핵가족 증대는 일제하에 커다란 사회적 문제를 낳게 되었다. 아직 대가족의 영향에 있는 젊은이(학생)가 부모에 이끌려 시골에서 조혼을 하여 가정을 이루고 다시 도회에 와서 학업을 마친 다음에 취직을 하고 자신의 주도로 새로운 가정을 만드는 일이 많이 벌어졌다. 이른바 구여성인 아내를 버리고 신여성과 재혼하거나 축첩하는 현상이 많아진 것이다. 도시에 와서 학업을 마치고, 자기 개인의 자격으로 취업을 하고, 이 같은 경제력을 바탕으로 자신이 선택한 여성과 결혼하여 자신의 취향에 맞는 가정생활을 누리는 것이 당시 도회 젊은이들의 일반적인 라이프스타일이 된 것이다. 이광수는 젊은이들이 라이프스타일을 다음과 같이 설계하도록 권유하고 있다.

> 남자가 생하여 칠·팔세에 소학에 입학하여 중학을 과하고 대학을 졸업하면 어시 완전히 일개 당당한 '어른'이 되어 족히 자기의 의·식·주를 구득하며, 이후 사·오년만 근로하면 족히 일·이 식구를 양할 수입을 득할지니, 자에 취처할 권리가 생하였으며[4]

자신의 주도로 구성하는 가정은 스스로 배우자를 선택하는 일에서부터 기본 토대가 형성된다. 이제 새로이 가정을 구성하는 원리로서 사랑이 등장하였다. 새로운 라이프스타일에 의해 때마침 젊은이들은 인생에서 연애할 시기를 갖게 되었다. 이것이 바로 이 시대에 연애와 사랑이 사회적 화두가 되었던 주요한 이유였다. 연애를 위한 만남은 거리에서, 교회에서, 전람회에서, 다방에서 이루어졌다. 여성들도 자기 개인으로서 사회적 관계맺음을 갖기 위해 집밖으로 나왔다. 여성들 역

---

4) 이광수, 「조혼의 악습」, 『이광수 전집 1』, 502쪽(김동식, 「연애와 근대성」, 『민족문학사연구』, 2001, 323쪽에서 재인용).

시 유흥 문화 공간의 주역이 될 수 있게 된 것이다.

『별건곤』 1929년 12월호를 보면 한○봉이라는 인물이 두 가정을 가지게 된 자신의 딱한 사정을 담은 글을 싣고 있다. 그는 열여섯 살 중학교 2학년에 부모님 주선으로 시골에서 혼인을 하였다. 이른바 구가정을 이룬 것인데 이에 대해서 그는 이렇게 말하고 있다.

> 혼인할 날이 사흘 남은 어느 날이었다. 전보가 올라왔다. 그래도 버티고 있느라니까 그 이튿날 아침에는 집에서 사람이 올라왔다. 아등아등 앙탈하며 붙잡혀 내려가면서도 어린 속에 솔깃한 생각이 없는 것은 결코 아니었다. 첫날밤에는 색시가 무서워서 손도 대어보지 못하고 그 이튿날 밤도 그러하였고 삼 일만에 신부를 데리고 집으로 와서 그날 밤에 바로 서울로 와버렸다. 여름 방학에 내려갔을 때에는 꽤 대담하여졌다. 나하고 나이가 동갑이고 얼굴이 인형같이 곱게 생긴 나의 아내라는 그 색시가 나에게는 퍽 경이의 존재였었다. 새빨간 다홍치마에 노란 저고리를 입고 머리를 곱게 빗고 하얀 버선에 맵시 있는 당해를 신고, 언제든지 수줍어서 웃지도 못하고 딴 표정도 못하고 있는 그 여인이 나에게 끝없이 사랑스럽고 애처롭고 어여뻤다. 정이 들었다. 방학날이 다 되고 서울로 올라오게 된 때에는 나는 떨어지기 싫어서 같이 데리고 오고 싶었다. 그럭저럭 한 삼 년 동안 일 년에 세 번씩 서로 만나면서 재미스럽게 지냈다.

그러던 그가 새로운 여성을 만나게 되어 신가정을 꾸미게 되었다. 그 사연은 다음과 같다.

> 내가 중학을 마쳤다. 바로 전문학교에 입학하였다. 열아홉, 스물. 이 나이가 되니 어리던 나의 마음도 제법 세상을 향하여 눈을 떠보게 하였다. 제일 먼저 눈에 뜨이는 것은 젊은 이성 즉 여학생이었다. 어여쁘

> 고 얌전하고 말치가 없이 순란하기는 하지만 애초에 서로 만나기를 싱겁게 만났고 그 뒤로는 늘 싱겁게 지내왔고 부모의 감독 밑에서 자극과 긴장이 없이 지내오는 나의 아내라는 여인을 여학생들과 비교하여 볼 때에 나는 걷잡을 수 없는 호기의 욕망이 머리를 들고 올라왔다. 그러다가 우연히 어느 여학생(현재의 나의 아내)과 연애를 하게 되었다. 연애를 하였으니까 무엇보다도 결혼을 하여야 할 터인데 그것이 큰 문제였다.
>
> 어느 방학에 집에 돌아가서 조부모와 부모에게 이혼 말을 하다가 혼침을 맞았다. 처가에 가서 말을 하다가 도리어 대접만 전보다 한층 더 극진하게 받고 왔다. 아내더러 밤에 조용히 말을 하니까 울면서 '어디가 무슨 짓을 하든지, 장가는 열 번 백 번을 다시 들더라도 이혼만은 말아 달라'고 애걸복걸하였다. 전날 정다이 지내던 타성으로 나는 그와 한가지로 울며 결코 이혼을 아니하겠다고 그를 안심시켜 두었다. 그렇게 하여는 두었지만 서울로 올라와서 그(손쉽게 H)를 만날 때는 모든 것을 잊어버렸다. 맹렬하게 이혼 운동을 하였다. 그러나 영영 성공을 하지 못하였다. H와는 피차에 떨어질래야 떨어질 수 없는 사이가 되고 말았다. 그러하는 동안에 전문학교를 마치고 명색 취직을 하였다. 덮어놓고 H와 동거를 하였다.[5]

구가정이 부모의 경제력 아래, 부모의 주관 아래 이루어졌고, 아내의 주된 역할이 시부모 봉양에 맞추어졌던 반면에 신가정은 부부가 주체적으로 가정을 꾸려나가고, 연애를 통해서 결혼하여 애정을 가정의 기초로 생각하고 있다. 아마도 이 글에서는 명확히 드러나지 않았지만 가정이 부부 중심으로 꾸려지므로 여성도 문화생활·여가생활·사회생활 등을 영위할 수 있게 되었을 것이고, 아내가 직업여성이었을 가

---

5) 한○봉, 「신구가정생활의 장점과 단점 - 딱한 일 큰일 날 문제」, 『별건곤』 1929. 12(김진송, 『현대성의 형성 - 서울에 딴스홀을 허하라』, 237~240쪽에서 재인용).

능성이 높다. 신식 교육을 받은 신여성들이 많은 비난을 받으면서도 '결혼 문제'를 일으킬 수밖에 없었던 이유는 결혼에 따라 가정의 성격, 자신의 이후의 생활이 상당부분 좌우되었기 때문이었다. 이러한 도회의 개인들, 핵가족 구성원들은 가정 밖 활동을 수용하는 공간으로서 유흥 문화 공간을 요구하였다.

사회적 기능을 확대해가던 유흥 문화 공간을 확장하는 데 큰 영향을 미친 또 하나의 힘은 바로 여기에 자본을 투자하여 경제적 이익을 보려는 세력의 존재였다. 일제하의 일본식 요리점, 조선식 요리점은 조선에서는 새로운 유형의 유흥 공간이었다. 일본식 요리점은 말할 것도 없고 명월관이나 식도원 등 조선식 요리점도 막대한 자본을 투자하여 벌여놓은 사업장이었다. 카페나 다방 역시 규모의 차이가 있지만 자본을 투자하고 사람을 고용하여 이익을 내는 사업장이었다. 그리고 유곽 역시 새롭게 등장한 자본주의적 성매매 형태였다.

도회지 서울에서 생활하는 사람들이, 날로 확대되어 가던 새로운 유흥 공간을 자신들의 일상생활 공간으로 편입하여 어떻게 살아갔는지, 그 실상을 잘 보여주는 소설로 박태원의 『천변풍경』(1936년 작)과 『소설가 구보씨의 일일』(1934년 작)이 있다.

『소설가 구보씨의 일일』은 박태원 자신이 모델인 구보씨의 하루 생활을 담고 있다. 다방골에 살고 있는 구보씨는 한낮에나 일어나 집을 나서서 청계천 천변, 광교를 지나 종로 네거리의 화신상회 앞까지 걸어 나와 잠시 백화점에 들른 다음, 전차를 타고 동대문, 경성운동장, 훈련원, 약초정을 거쳐서 조선은행 앞에서 내렸다. 그리고 장곡천정(소공동)의 다방(낙랑 파라)에 들려서 커피를 마신다. 그리고 다시 다방에서 나와 경성부청 쪽으로 걸어 나와서 친구가 경영하는 골동점에 잠시 들렀다가, 거리로 나서 길거리에서 옛 친구와 잠시 인사를 나누고 남대문을 통과하여 경성역 삼등 대합실 군중 속에 끼었다. 대합실에서 우연히 아는 사람(애인 대동)을 만나 그에게 이끌려 경성역 끽다점에 갔다. 그들과 헤어져 걷다보니 어느 틈엔가 다시 조선은행 앞에 이르렀다. 고독과 피로를 느낀 그는 길가 양복점에 들어가 신문사에 다니는 친구에게 다방으로 와달라고 전화하고 다시 다방(낙랑 파라)으로 돌아갔다. 벗이 오자 같이 이야기를 나누다 밖으로 나왔다. 황혼이라 직장인인 벗은 휴식을 위해 집으로 돌아가고, 구보는 종로 네거리, 종로 경찰서 앞을 지나 또 다른 친구가 경영하는 조그만 다료(茶寮)에 들른다. 거기서 친구를 기다렸다가 그와 함께 대창옥에 가서 설렁탕을 먹었다. 벗과 다시 만나기로 하고 헤어져 황토마루 네거리에 이르렀다. 길에서 친구의 조카아이를 만나 수박을 사서 들려 보내고, 그는 다시 다방으로 향했다. 다방에 온 친구와 함께 길을 나서 조선호텔 앞을 지나 밤거리를 거닐어 종로로 돌아와 친구가 아는 여급이 있는 낙원정의 카페로 갔다. 카페에서 나와 친구와 헤어진 시각은 오전 두시였다.

구보가 하루를 보낸 곳은 거리, 전차, 백화점, 다방, 음식점, 카페였다. 거닐기도 하고, 사람들을 만나기도 하고, 글을 쓰기도 하고, 술을 마시기도 하면서 하루를 보내었다. 직업과 아내를 갖지 않은 26살, 동경 유학생 출신의 소설가이며 룸펜인 구보는 이전에 보지 못했던 새로운 유형의 인간이다. 26살까지 독신으로 있는 인간, 그를 걱정하는 어머니 이외에 그의 가족의 모습은 소설 속에서 나타나지 않는다. 그는 가정 바깥, 거리에서 대부분의 시간을 보낸다. 그가 만나는 친구들도 비슷하다. 나이가 들어서도 독신인 처지, 그와 마찬가지로 거리와 거리의 유흥 공간들이 그들의 일상적인 삶의 공간이다. 그곳에서 아는 사람을 만나고, 커피를 마시고, 음악을 듣고, 담배를 피우고, 밥을 먹고, 술을 먹고, 여급과 가볍게 희롱하고 웃고 즐기고, 세상을 관찰하고 사색에 잠기며, 때로 회상에 젖으며 글을 쓴다.

이 공간에는 자본을 대어서 공간의 외형을 만들어내는 사람(보이지는 않지만), 그곳을 드나들며 돈을 내고서 그곳을 매개로 세상 사람과 접촉하며 일상을 보내는 사람, 그리고 그곳에서 일하면서 손님에게 서비스를 제공하고 그 자신 공간의 일부를 구성하는 사람들이 존재하였다. 구보씨는 이 공간을 채우는 인물 가운데 인텔리로서 상층 계층으로 분류할 수 있을 것이다.

박태원의 『천변풍경』에는 이 공간을 구성하는 좀 더 다양한 인간 군상이 등장한다. 광교 근처의 청계천변이 소설의 주 무대이다. 천변 이발관의 심부름꾼 소년이 천변 풍경의 주요한 관찰자로 등장한다. 주연, 조연, 행인 1, 2 등, 나오는 사람을 망라해보면 다음과 같다.

기생, 카페 여급, 빨래터 아낙네들, 바느질로 생애를 잇는 아낙네와 시집갔다가 쫓겨 온 그의 딸, 행랑살이, 안잠자기, 관철동 식당 종업원 처녀, 연초공장 여공, 신주사의 첩, 시골서 도망쳐 온 젊은 아낙, 이발관 주인, 빨래터 주인, 식당 주인, 한약방·신전집·포목점·은방 주인, 대서소 주사, 부회 의원, 서울로 상경한 시골 영감, 하숙집 주인, 약사, 학생, 노름꾼, 사기꾼, 금광브로커, 미장이, 구루마꾼, 등(燈) 장사, 인력거꾼, 복덕방 집주름, 아이스크림 장수, 군밤장수, 청요리 배달원, 화신상회 백화점 점원, 당구점 구락부의 게임돌이, 한약방 심부름꾼, 다리 아래 사는 깍쟁이 패거리 등.

이발관 심부름꾼 소년의 눈에 비친 등장인물들은 기생·여급·게임돌이·식당 종업원 등 유흥 공간의 종사자는 물론이고 다른 인물들도 가족 내의 존재로서가 아니라 그냥 한 개인으로서 그의 시선에 포착되는 경우가 많다. 이들의 삶도 거리와 유흥 공간, 상점 등의 공간을 주 무대로 전개된다는 점에서는 소설가 구보씨와 다름없어 보인다. 다만 구보씨가 손님으로, 거리의 산책자로서 조선은행 광장 주변의 경성 최대의 번화가를 즐겨 찾는다면, 이들은 주로 종로, 청계천변에 일터를 갖고 생계를 유지하기 위해 바쁘게 움직이는 생활인으로서의 면모가 강하다.

등장인물들의 집이 천변 주변에 있는 경우는 이발관 소년의 눈에 이들의 가족 관계도 포착되었다. 『천변풍경』에는 셋집살이, 행랑살이, 하숙살이 하는 사람이 많이 등장한다. 서울 인구는 급격히 늘어나는데 주택 공급이 이를 따라가지 못해서 다양한 형태의 주거생활이 나타나는 것을 반영하고 있다. 가족 전체가 여관에서 생활하는 경우도 있었다. 서울에는 구보씨와 같은 룸펜도 많고 청년 학생도 많았다. 그리고 천변 사람들처럼 가족과 떨어져 시골에서 혼자 올라오는 사람도 많았다. 1930년 경 서울의 인구는 약 40만(조선인 약 28만, 일본인 10만 5천)이었으며, 그 가운데 무직자인 조선인이 14만 7천여 명, 각급 조선인 학생이 4만 4천여 명에 이르렀다.

<표 1> 경성부 총인구와 조선인·일본인의 수

	1914	1915	1920	1925	1930	1935	1940	1944
조선인	187,176	176,026	181,829	247,404	279,865	312,587	775,162	824,976
일본인	59,075	62,914	65,617	88,875	105,639	124,155	154,687	158,710
경성인구	246,251	241,085	250,028	342,625	394,240	444,098	935,464	988,537

자료 : 1914, 1915, 1920년은 조선총독부, 『조선총독부통계년보』; 1925~1944년은 『국세조사보고서』(김영근, 「일제하 일상생활의 변화와 그 성격에 관한 연구」, 연세대학교 사회학과 박사학위논문, 1999, 60쪽 재인용).

유흥 공간은 사람들의 유흥의 공간이자 생활 공간으로서 일상생활의 친숙한 한 부분이 되었다. 유흥공간인 요리점, 카페, 식당, 다방, 주점 말고도 영화관, 도서관, 서점, 백화점, 공원 등 다양한 문화 공간에서 공연, 경연대회, 전시회 등이 열려 사람들을 끌어들였다.

한편 교통의 발전은 사람들의 발걸음을 서울 바깥으로 이끌고 있었다. 기차, 자동차로 인천 월미도로 데이트를 가고, 전차를 타고 교외로 가족끼리 야유회를 가거나, 석왕사나 금강산, 명사십리 해수욕장을 찾기도 하였다. 서울 사람들이 즐겨 찾는 관광 휴양지에는 여관, 요릿집 등 유흥공간이 형성되었다.

3. 새로운 직업여성의 출현

1920~30년대, 여성의 직업은 매우 한정되어 있었다.

> 조선에도 약간의 직업 여자가 없는 것은 아니다. 학교 교원, 병원의 간호부, 공장 직공, 은행회사의 사무원, 유치원의 보모, 전화 교환수, 상점 점원 등 직업을 가진 여자가 있다. 이와 같이 직업여자가 있기는 하지마는 그들의 직업에 대한 의의를 일반사회에서 알지 못함은 물론이오, 그 직업을 가진 여자 자신까지도 그 의의를 이해치 못하고 오직 남과 같이 행복스럽지 못한 처지에 있음으로 이와 같이 직업에 몸이 매어서 고생한다는 즉 '직업 여자의 불행'을 한탄할 뿐이다.[6]

1925년 배성룡은 여성 직업으로 학교 교원, 병원의 간호부, 공장 직공, 은행·회사의 사무원, 유치원의 보모, 전화 교환수, 상점 점원을 들고 있다. 그러나 그는 대표적인 여성 직업인 기생·여급 등 접객 서비스직과 하녀 등 가사 서비스직을 언급하고 있지 않다.

일제하 전문직으로서는 교원이 가장 일반적인 여성 직업이었고 그 외에 소수의 의사·기자·성악가나 여배우 등 예술인이 있고, 중간 계층의 직종으로서는 보모·사무원·점원·전화 교환원·간호원·산파 등이 있었다. 천시되는 직종으로서는 여직공이라 불리었던 공장의 여

---

6) 『신여성』 1925. 4, 배성룡의 글.

성 노동자 그리고 기생·카페 끽다점의 여급·색주가의 창기·유곽의 갈보 등 유흥 공간의 직업인, 안잠자기·행랑살이·드난살이·일본인 가정의 하녀 등 남의 집의 가사노동을 해주는 직업, 기타 행상이나 바느질 등의 직업이 있었다. 사실상 가장 많은 수의 여성이 일하는 분야는 농업이었지만, 이 경우는 대부분 가족노동의 일부로 취급되어 직업여성으로 불리지 않았다. 서울의 경우 이들 직업 가운데서 접객업과 가사 서비스직이 가장 높은 비중을 차지하였다.[7)]

교육을 받은 여성들이 가장 선망하는 직업이었던 교원[8)]·기자·의사와 같은 소수의 직업을 제외하고는, 배성룡이 지적하고 있는 것처럼 직업여성은 "남과 같이 행복스럽지 못한 처지에 있음으로 이와 같이 직업에 몸이 매어서 고생"하는 불행한 여성으로 생각되었다. 또한 그들 직업여성은 성적인 유혹에 노출되어 있는 존재로서 인식되었다.

예전에 직업부인이라는 것은 교양 없는 부인들이었음으로 그들의 하

---

7) 1930년 여성의 직업 비율을 '산업(조선전체/경성부)'의 방식으로 표시하면, 농업(78.9/0.6), 섬유공업(6.3/10.3), 상업(3.4/9.2), 접객업(3.2/21.9), 가사사용인(2.7/38.6)이었다(강이수, 앞의 글, 95쪽 참고). 전국적으로는 접객업과 가사사용인의 비율이 낮지만 서울의 경우는 이들 직업이 여성 직업의 21.9%, 38.6%를 차지하였다. 『조선국세조사보고』의 접객업 범주에는 여관업주, 하숙업주 등을 포함하여 기생·여급 등의 접객 서비스직보다 훨씬 넓은 범주로 사용하고 있다.

8) 『신여성』 1925. 4, "나는 이 신여성 3월호로 인하여 올봄 여학교 졸업생들의 희망별을 보게 되었습니다. 매우 여러 방면으로 볼 수 있었는데, 그 중에도 제일 많은 것이 상급학교 입학이요, 다음이 교원취직과 해외 유학이었습니다. 가정에 들어가겠다는 이는 퍽 적은 모양이야요. 아주 놀래기도 하고 기쁘기도 했습니다.……그런데 상급학교 입학은 대개 어느 곳이 많으냐하고 다시 알아보니까 역시 장래 선생님 감으로 나갈 사범교육에라고요. 일본까지 가서 여자고등사범 여기서 관립사범, 도립사범에들 희망했더라고요. 참 좋은 일입니다.……요새 여학교 졸업생들이 교원생활로 많이 가려는 것은 물론 직업적 각성이라고 볼 수 있지만 그래도 아직 덜 깨웠다고요."

> 는 일도 대개는 근로노동방면이었던 것이다. 그러나 금일의 직업부인은 교양 있는 여성들이 많다. 생활난에 쫓겨서 가두에 진출한 자도 있겠지만 여성들도 경제적으로 독립해서 참된 인격적 자유를 얻으려고 하는 의식적 자각을 가지고 나오는 것이다. 그러나 10인 중에 8, 9인은 경제적 압박으로 인해서 취직하게 되는 것임으로 그 생활 이면에는 비애에 우는 자들도 많이 있을 것이다. 직업부인과 유혹은 떨어질 수 없는 문제라고 생각한다. 물론 연령 관계로서 성적 욕망의 자제를 익힐 수 없어서 유혹을 당하는 일도 있겠지만 우리가 이 사회에서 흔히 듣고 보게 되는 것은 물질의 부족으로 말미암아서 유혹당하는 일이 많고 또는 자기의 지위와 직업을 안전하게 하려고 중역 혹은 간부들의 유혹에 걸려서 결국은 자기의 신세를 망쳐버리는 가련한 여성들이 많다.[9]

다음에는 『실생활』이란 잡지에 실린 고무공장 여직공에 관한 기사를 살펴보자.

> 일은 새벽공장의 뚜— 소리에
> 고무공장 큰 애기 변또 밥 싼다.
> 하루 종일 쪼그리고 신 부칠제
> 큰 애기 젖가슴이 자조 뛴다네
> 얼굴 예쁜 색시라야 감잘준다고
>
> 감독 앞에 해죽 해죽 아양이 밑천
> 고무공장 큰애기 세루치마는
> 감독 나리 사다준 선물이라네
> 치마 속에 변또 끼고 공장 나서면
> 동천에 반짝 반짝 별이 맞추며

9) 「직업부녀와 유혹」, 『삼천리』 1931. 10.

> 이런 노래를 부랑자 청년들한테 들어가면서 날마다 공장에를 다니는 처녀가 경성과 평양을 위시하여 다른 도시에 많이 있다. 다른 사람은 노래로까지 공장 처녀를 빈정거리고 있으나 공장에를 다니고 있는 그들 처녀의 생활이란 비참한 것이다. 집안이 가난하여서 그들이 공장에 안다니면 한끼의 밥과 한 벌의 옷과 한간 방을 구할 도리가 없기 때문에 부득이 시집갈 나이가 지나도록 공장에를 다니는 것은 말할 것도 없지만 공장에 가서 받는 고통도 적지 않은 것이다.
>
> 고무신을 잘 만들고 못 만드는 기술에 따라서 돈이 많고 적은 것도 사실이지만 공장 안에서 일감을 나누어주는 남자들과 신을 검사하는 감독 남자의 비위를 잘 맞추고 못 맞추는 데 따라서 그달 '간조'에 큰 차이가 생기는 것도 부인치 못할 사실이 된다. 신감을 나누워 주는 남자의 눈 밖에 나면 신감을 잘 얻지 못하기 때문에 신을 잘 만들어낼 수 없고 또는 신을 검사하는 감독의 눈 밖에 나면 일건 만든 신도 잘못 만들었다고 퇴자를 맞는 것이다. 이에 자연히 그들 남자의 비위를 맞추느라고 아양도 떨지 않을 수 없다. 그래서 사나히들이 그들을 비웃정거리고 부르는 노래 그대로 해죽 해죽 웃기 싫은 웃음도 웃어야만 되는 것이다.[10]

이 기사는 한 개인으로 사회에 나와 직업을 갖게 된 여성에 대한 사회적 인식이 어떠하다는 것을 잘 보여준다. 이는 사회적 인식이었을 뿐만 아니라 직업여성이 헤쳐 나가야 할 당면한 현실이기도 하였다.

한말까지 조선에서는 일제하의 이른바 직업여성에 비견될 만한 여성이라고 하면, 기생, 주막집 아낙, 노비 또는 안잠자기 등 남의 집안일을 해주었던 사람들 정도가 있었을 것이다. 기생이나 노비 여성은 당시 사회에서, 가부장의 보호 아래 있는 정상적인 여성 범주 바깥에 있는 여성으로 취급되었다. 그들은 사회적으로 천시되었지만 자기 개인

10) 雪友學人, 「직업부인 언·파레-트, 고무공녀의 생활이면」, 『실생활』 1931. 9.

자격으로 사회적인 관계를 맺었던 만큼 다른 여성들이 누리지 못하는 삶의 영역이 존재하였다.

일제하 직업여성에 대한 사회적 인식과 이들이 당면한 현실은 바로 조선시대 기생이나 노비여성의 위치로부터 출발하고 있다고 해도 과언이 아닐 것이다. 가부장의 보호 바깥으로 나온 여성, 가난한 사회적 하층 여성, 성적 유혹에 노출되어 있는 여성이라는 이미지 그대로.

근현대 들어 많은 직업여성이 출현하였지만, 일제하 서비스를 제공하는 직업여성의 대표 주자였던 기생·여급이 직업인으로서 당면했던 현실들은 어찌 보면 크건 작건 직업여성 일반이 안고 있던 문제였다. 직업여성을 특집으로 다루었던 『신여성』 1925년 4월호 다음 기사는 직공과 기생에 하등 차이를 두지 않고 언급하고 있다.

> 그러니 저러니 하여도 다른 직업부인들은 행복이요, 명예일지 모르겠습니다. 우리 여자에게는 아래로 아래로 가서 직공과 기생이 있습니다. 날마다 날마다 그 독한 약품 내음새 먼지 속, 겻 속에서 눈이 돌고 귀가 막힐만치 어수선한 노동을 하고 밤마다 밤마다 남의 앞에 할 수 없이 정조를 파는 창기들이 있습니다. 그들은 무엇을 생각할 여지도 없으며 무엇을 말할 틈도 없습니다. 그날그날의 빵을 벌기 위하여 약한 몸과 없는 힘을 피로케 하고 다 자아낼 뿐이요, 남의 자본 앞에 자기 빈궁 앞에 기계적 노예가 되어 본뜻 아닌 정조를 팔뿐입니다. 그들을 나무람 하여야 옳습니까? 사회제도를 원망하여야 옳습니까? 참담할사 그들의 생활이외다.[11]

사교나 유흥을 위한 공간이 확대되는 도시에서 서비스를 제공하는 직업인으로서 기생과 여급이 등장하였다. 도시에 서비스직의 여성 직

---

11) 「참담할사 기생과 직공」, 『신여성』 1925. 4.

업인이 대폭적으로 늘어나는 현상 자체가 사회 변동을 나타내는 하나의 표지라고도 할 수 있다. 이 같은 직업군의 출현은 일시적인 것이 아니라 지속적으로 확대되어 근대사회의 가장 대표적인 여성 직업으로 자리 잡게 되었다. 서비스직 종사자 가운데서도 기생과 여급은 기예(技藝)와 일정한 성적인 서비스를 제공하는 자이다. 이들은 성매매 자체를 직업으로 하고 있지는 않지만 다양한 형태로 이루어지는 남녀 간의 대화, 접촉을 통해 자신의 섹슈얼리티를 매개로 (이른바 '에로') 서비스를 제공하는 자이다.

도시의 새로운 일상생활 공간으로 자리 잡은 유흥, 사교의 공간에서 기예와 섹슈얼리티를 팔 것을 기대 받는 서비스업에 종사하게 된 직업여성인 기생과 여급, 그들이 직업인으로서 자신의 정체성을 확립하는 과정에서 느꼈던 고뇌는, 어쩌면 쉽게 성적 대상으로 여겨졌던 다른 직업여성들의 처지와 상통하는 것이었으리라고 생각된다.

일제하 기생은 조선시대의 잔존물, 조선사회 퇴영의 상징물로 인식되어 왔지만, 실제로는 조선시대의 기생과는 다른 새로운 직업여성이었다. 조선시대의 기생은 지방관아나 중앙관아(장악원, 내의원, 혜민서, 상의원, 공조 등)에 소속되어 기적에 올라 있었던 계층이었다. 이들은 관비와 같은 신분층으로서 기역(技役)을 지고 있었다. 이들은 일반 여성들과는 신분상으로나 외적인 표지 상으로나 너무나 달랐기 때문에 오히려 자기 정체성에 대한 심각한 고민은 덜하였을 것으로 생각된다. 하지만 당대의 기생들 역시 자신들의 신분 상승이나 치부를 위해 노력하였고, 풍류나 애정 행각에서 주도권을 쥐려고 하는 등, 자신의 존재에 대해 상당한 자의식을 지니고 행동하였다.[12] 이들은 양반 사족층과 풍류(노래, 춤, 시, 서)를 통해 자유롭게 교류할 수 있는 유일한 여성 계

12) 조광국, 「기녀담·기녀 등장 소설의 기녀 자의식 구현에 관한 연구」, 서울대학교 국어국문학과 박사학위논문, 2000.

층이었다. 기생은 국가나 지방의 행사에 동원되고 관인·사신·변방 군사의 수청을 들기도 하고, 자신의 생계를 유지하기 위해 기방에서 손님을 받기도 하였지만, 당시에는 이들이 곧바로 성매매자로 인식되지는 않았다. 사대부 남성들은 이들과의 교류나 애정 행각을 풍류로 생각하였고, 기첩으로 집안에 들이기도 하였다.

'매음녀', '매소부', '매춘부'라는 범주는 성매매가 본격적으로 이루어지는 근대에 성립한 범주이다. 한말~일제하의 기생은 자신들을 '매음녀', '매소부', '매춘부'로 규정하려는 일제의 정책과 사회적 시선에 맞서 자신을 대중예술인, 기예와 접대 서비스를 제공하는 직업인으로 자리매김하기 위해 노력하였다.[13]

한말에 조선시대의 기생제도는 단계적으로 폐지되었는데, 1897년 먼저 지방관아 소속의 기생이 혁파되고, 1908년에는 장악원 소속 기생의 관리를 경시청으로 이관함으로써 전통의 기생제도가 혁파되기에 이르렀다.[14] 1908년 일제는 기생단속령, 창기단속령을 제정하여 기생과 창기를 구분하고, 이들이 허가증을 받아 세금을 내고 영업하도록 규정하였다.[15] 또 기생조합, 창기조합을 결성하도록 하여 이들을 통제하는 한편 성병 검진을 강제하였다.[16]

---

13) 권도희와 서지영은 기생집단이 근대적으로 재편되는 과정에 일제의 정책이 일방적으로 작용한 것이 아니라 기생 스스로의 적극적 대응이 존재하였다는 사실을 해명하였다(권도희, 앞의 글, 2006 ; 서지영, 앞의 글, 2005).

14) 권도희, 「20세기 기생의 음악사회사적 연구」, 『한국음악연구』 29집, 2001, 322~323쪽.

15) 기생단속령과 창기단속령은 내용이 동일한데, 다만 기생을 창기로 바꾸고, "기생으로 위업"이란 말이 "매음으로 위업"으로 바뀌었을 뿐이다(송연옥, 「대한제국기의 <기생단속령, <창기단속령> - 일제 식민화와 공창제 도입의 준비 과정」, 『한국사론』 40호, 1998, 259~260쪽).

16) 일제는 기예를 업으로 하는 기생까지도 성병 검진을 받도록 하여 매춘부로 범주화하려고 하였으며, 일제의 이러한 정책은 사회적으로도 이들이 매소부,

1909년 결성된 한성창기조합은 삼패가 주요 구성원이었다. 삼패는 19세기 민간풍류 공간에서 활약하던 존재로서 경시청에 의해 창기로 분류되었다. 이후 한성창기조합은 지방출신 기생들을 대폭 받아들이고, 원각사 공연·지방 순회연주·자선공연 등을 행하며 창기라는 이름을 벗고 서울의 대표적인 기생조합으로 발전하였다. 1910년대 서울에는 지방관아 소속에서 벗어난 지방출신 기생들이 대거 모여들었고, 기생조합도 여럿 생겨났다. 1920년대 중반 장안의 4대 권번은 한성·대동·한남·조선권번이었으며, 1930년대 중반 이후로는 한성·조선·종로 권번이 이름을 떨쳤다. 지방에도 여러 권번들이 존재하였다.[17]

카페와 바는 1920년대 후반에 일본인이 경영하는 유곽이 감소하면서 유행하기 시작하였다. "1933년에는 420(일본인 경영 353, 조선인 경영 65, 외국인 경영 2)이던 것이 해마다 증가하여 1942년에는 802(일본인 경영 304, 조선인 경영 460, 외국인 경영 38)로 약 배가 늘었다."[18]

일제하 기생·여급은 유곽의 공창과는 범주적으로 구분되는 존재로서 기예와 접대 서비스를 제공하는 직업이었다.[19] 그러나 직접 성매매를 업으로 하지 않는 기생, 여급까지도 당시 사회에서는 매춘부로 바라보았다. 물론 이들 기생이나 여급 가운데 성매매를 행하는 자가 많

매음부, 매춘부로 인식되는데 영향을 미쳤다(서지영, 앞의 글, 2005, 276~277쪽).

17) 권도희, 앞의 글, 2001, 332쪽.

18) 야마시다 영애, 「식민지 지배와 공창제도의 전개」, 『사회와 역사』 51집, 1997, 167쪽 인용.

19) 일제는 기생의 조직화와는 별도로 '성매매자'를 유곽을 만들어 통제하는 이른바 '集娼'화를 꾀했다. 유곽의 여성들은 유곽을 벗어나 생활할 수 없도록 규정하여 강한 인신적 구속을 받도록 하였다. 서울의 대표적인 유곽촌은 神町, 彌生町(일본인 여성 유곽), 신정 주변의 並木町(쌍림동), 西四軒町(장충동 2가)등에 집중되었다(야마시다 영애, 위의 글, 164~165쪽).

았던 것도 사실이다. 하지만 기생 가운데는 이미 기예를 통해서 연흥사·단성사·장안사 등에 전속되기도 하고, 레코드 취입, 라디오나 영화출연 등을 통해 기생이라기보다는 예능인·명창으로 대접받는 사람이 생겨났다. 기생은 권번을 통해서 몇 년씩 교육을 받고 기생이 되는 존재였다. 여학교 출신과 더불어 당대의 교육받은 여성그룹을 형성하고 있다고 보아도 과언이 아니다. 기생은 권번을 중심으로 직업여성 가운데 가장 조직화된 집단으로서, 사회적으로 적극적으로 자기 발언을 하기도 하였다. 다방 마담이나 여급에는 여학교 출신들이 많았다. 교육받은 여성들의 직업 기회가 매우 제한되어 있는 상황에서, 생계를 책임져야 하는 여성들, 연애나 결혼에 실패한 후 직업이 필요한 여성들이 여급이 되는 것은 자연스러운 현상이었다.[20] 당시에는 여배우의 경우에도 수입이 적어서 여급으로 나가는 경우가 많았다. 기생은 전문적인 기예와 일정한 지식을 쌓는 훈련 과정을 거친 자이고, 여급은 적어도 서구적인 취향을 몸에 익히고 손님들과의 대화가 가능할 만큼의 지식을 갖고 있는 여성이어야 가능한 직업이었다.

기생과 여급은 상당히 다른 존재로 보이지만 실제로는 계층적으로 뒤섞이고 근본적으로 그 존재 위치가 같았다. 이들은 근대 도시의 새로운 생활공간의 편제 속에서 남성이 중심 고객인 유흥과 사교 공간에서 서비스를 담당하는 새로운 유형의 직업인이었다. 다만 기생은 전통문화적 취향을 가진 남성들에 좀 더 초점을 맞춘 존재이고, 여급은 서구적 취향을 가진 남성들에게 좀 더 초점을 맞춘 존재라는 점에서 차이가 났다. 기생과 여급은 스스로를 직업여성으로서 대중문화를 선도해나가는 존재로 정립하고자 하였다. 하지만 그들을 매소부, 악, 학생

---

20) 김수진은 교육받은 조선 여성들이 직업을 얻기 어려웠던 이유로서, 전문직, 사무직, 판매직 등의 직종을 일본인 여성이 대거 차지하고 있었다는 사실을 지적한다(김수진, 앞의 글, 508~518쪽).

청년을 타락시키는 자로 보는 사회의 시선에 갈등하지 않을 수 없었다.

> "왜 카페 여급이 되었느냐"고 묻습니까? 그러면 당신네들은 "왜 잡지기자가 되었소?"라고 물으면 무어라고 대답할 터이요.……우리와 같은 여급이 직업여성이니 무어니 한다면 혹은 비웃을는지 모르겠소마는 우리도 신성한 직업여성의 한 사람으로서 자신한다면 어쩔 터이요.
>
> 사람들은 우리를 매춘부이니 매소부이니 하고 천하게 여겨 돈만 있으면 자기 마음대로 할 수 있다는 생각을 가지고 있는 모양입니다. 그러나 우리들도 사람이외다. 눈물이 있고 피가 끓는 청춘이외다……
>
> 나는 웃음을 팔고 돈 있는 사람들의 비위를 맞추는 웨이트레쓰입니다. 그러나 신성한 직업 선상의 일 여성으로서의 자존심은 잃지 않으려 합니다. 나도 사람이요, 청춘이외다. 타오르는 불길 '참사랑'의 동경을 가슴에 안고 오늘의 운명과 꾸준히 싸워나가는 곳에 새날의 광명이 반듯이 있으리라고 생각합니다.[21]

이 글을 보면 헤레나라는 여급은 자신에 씌워진 매소부라는 규정을 거부하고 자신도 당당히 신성한 직업인이라고 주장한다. 하지만 그 자신 스스로 자신이 웃음을 파는 존재, 돈 있는 사람 비위를 맞추는 존재이고, 참사랑을 통해 애정관계를 맺는 존재가 아니라고 생각하는 갈등을 안고 있었다.

1920년대 연애의 시대에 여성도 욕망을 가진 존재로 성적인 자유를 갖는다는 점이 인구에 회자되었지만, 거기에는 조건이 붙었다. 참된 사랑이 존재하여야 한다는 것이다. 사랑이 없는 성은 모두 매춘이라는 담론, 성과 '에로'를 파는 여성을 여성의 신성을 더럽히는 존재로 보는 사회적 시선은 기생이나 여급 자신이 자신을 신성성을 잃어버린 존재

---

21) 헤레나, 「여급도 직업여성으로서」, 『호남평론』 1935. 4.

로 보도록 강요하였다.

1930년대는 여성의 순결을 강조하는 풍조가 다시 일어나 성교의 유무, 처녀막의 존재가 '순결' '처녀성'이라는 이름으로 여성의 '성격'을 규정하는 독자적인 잣대가 되었다. 전근대의 정절은 애초에 한 남성만을 섬겨야 한다는 의미, 곧 관계의 담론이었는데, 이제는 성교 유무가 그 자체로 여성의 개체로서의 특질을 규정하는 '무슨 무슨 性'으로 불리게 된 것이다.

또 하나 문제가 되었던 것은 일제하의 성병의 만연이다. 성병 검진은 국가가 접객 서비스직에 종사하는 여성을 단속하고 통제하는 좋은 수단이 되었다. 매춘부는 곧 성병 감염자, 기생과 여급은 매춘부, 곧 무언가 더러운 병균을 가진 자라는 시선이 자연스럽게 성립하게 되었다.

1922년 김동인이 『신여성』에 발표한 소설 「눈을 겨우 뜰 때」는 금패라는 평양기생이 4월 초파일 대동강으로 손님들과 같이 놀이를 갔다가 한 무리의 여학생을 만나면서, 그들의 눈을 빌어 자신을 바라보게 되고 결국 자살하게 된다는 줄거리이다. 금패는 당대 연애의 히로인 여학생과 비교하여 자신을 정신성·신성이 결여된 채 물질성과 육체성에 근거하여 애정 관계를 맺는 존재로 바라보게 되고 절망한다.[22)]

일제하 유흥 공간의 대표적인 직업여성인 기생과 여급은 나름대로 직업인으로서의 자부심을 갖고자 노력했고, 일부는 대중문화인으로 전신해가는 데 성공했지만, 상당수는 자신들을 매춘부·보균자·청년 학생을 타락시키는 자로 보는 사회적 시선 아래 절망하고 좌절하지 않을 수 없었다.

22) 정혜영, 「기생과 문학 - 김동인의 '눈을 겨우 뜰 때'를 중심으로」, 『한국문학논총』 제30집, 2002 참고.

4. 맺음말

이 글은 일제하의 새로운 도회풍경과 사람들의 생활양식을 만들어내는 데 일조하였던 유흥 문화 공간이 형성되는 추이와 그 속에서 활동하는 직업인으로서 새로운 직업여성의 등장 과정을 살펴보았다.

일제하 유흥 공간이 형성, 확산되는 흐름을 만들어내는 주요한 사회적 추세로서 개인 단위의 사회적 관계맺음의 확산을 들었다. 도시로의 인구 이입이 증대되고 사람들이 가족 단위로서가 아니라 개인으로서 생업을 갖게 됨에 따라 가족의 형태도 변화하였다. 근대의 가정은 이전의 가정처럼 폭넓은 역할을 수행하는 장소가 아니다. 사회적 교류는 가족 간의 교류보다는 개인 차원의 교류로 중심축이 옮아갔다. 자연 가정은 가족이 휴식을 갖고 애정을 나누는 사적인 공간으로 위치 지워지면서 다른 사회적 관계는 집 밖에서 수행하는 것이 일반적이 되었다. 이는 가장만이 아니라 가족 구성원 모두에게 마찬가지였다. 가정 밖에 이와 같은 사회적 관계를 담을 공간이 필요해진 것이다. 이 글에서는 그 가운데서도 유흥 공간에 주목하였다. 사회적 기능을 확대해가던 유흥 문화 공간을 확장하는 데 큰 영향을 미친 또 하나의 힘은 바로 여기에 자본을 투자하여 경제적 이익을 보려는 세력의 존재였다.

유흥 공간을 형성하고 확대하였던 사회적 추세는 오늘날도 여전히 작동하여 그 공간의 외관이나 장식, 흐르는 음악, 그 공간을 이용하고 그 공간에 종사하는 사람들의 스타일은 달라졌지만, 유흥 공간은 우리들의 일상생활에서 빼놓을 수 없는 곳으로 존재하고 있다.

사회적 관계맺음이 개인을 축으로 옮아가는 현상은 여성에게도 그대로 적용되었다. 여성들도 소가족·핵가족 아래서, 유흥 문화 생활의 향유자이면서 동시에 그 공간에서 생업을 얻는 직업인으로서 등장하였다. 여성이 개인의 자격으로 가정 밖의 사회에 나와 유흥 공간의 직업인으로 출현하게 된 것이다.

이 글에서는 대표적인 유흥 공간의 직업여성으로서 기생과 여급을 살펴보았다. 가부장의 보호를 벗어나 바깥으로 나온 여성, 가난한 사회적 하층 여성, 성적 유혹에 노출되어 있는 여성이라는 이들에 대한 사회적 인식은 곧 이들이 처한 현실이었다. 그리고 이는 정도의 차이는 있지만 당시의 대부분의 하층 직업여성들이 당면한 문제이기도 하였다. 이에 대응하면서 기생·여급 등 유흥 공간의 여성 직업인들은 직업인으로서 자기 정체성을 확립하고자 고뇌하였다.

기생·여급은 자신의 섹슈얼리티를 매개로 서비스를 행하는 직업이었기 때문에, 그것이 그들 존재 전부를 매소부, 매춘부, 악, 신성성을 상실한 자 등으로 규정하는 근거가 되었다. 본인들 역시 그러한 사회적 시선을 내면화하지 않을 수 없었다. 자신들을 세련된 모던 걸, 대중문화의 선도자로서 자부하기도 하고 일부는 전신에 성공하기도 하였지만 상당수는 자신들을 매춘부, 성병 보균자, 청년 학생을 타락시키는 자로 보는 사회적 시선 아래 절망하고 좌절하지 않을 수 없었다.

일제하 이들 직업여성의 고뇌와 노력은 오늘날도 다양한 직업을 갖는 직업여성들이 자신들에 대한 사회적 시선과 존재 규정에 대응하여 자신의 직업적 정체성을 확립하면서 자신의 인간적 존엄성을 지키기 위해 행하는 고뇌에 공명한다.

일제하 기독교 신여성의 근대인식과 근대성에 대한 재고

이 윤 미*

1. 머리말 : 기독교계 신여성과 '서구적 근대'의 이미지

'기독교', '신여성', 그리고 '근대'라는 용어들은－적어도 한국의 역사 속에서는－유사한 이미지를 표상한다. 한국에서 초기 기독교는 유교적 가부장제의 제한들로부터 여성을 이끌어 낸 '근대적' 종교로 취급되어 왔다. 특히 여성교육 등을 통하여 근대적 문명화와 직접적으로 연결된 것으로 간주되어 온 개신교의 영향력은 '서구적 근대'의 이미지를 깊게 각인시키는 데 기여한 것으로 논의된다.

신여성은 그들의 존재 자체가 '근대성의 표상'이라 할 수 있을 정도로 근대성에 대한 문제의식을 효과적으로 드러내는 것으로 파악되기도 한다.[1] 19세기 말 이후 전개된 근대적 신교육의 산물인 '신여성'들은 넓게 보면 모두 일정하게 '서구적 근대'를 모태로 하여 형성되었다고 할 수 있지만, 특히 이 중 기독교계 신여성들은 보다 직접적으로 '서구화한' 혹은 '친서구적' 부류들로 간주된 경향이 있다.[2] 식민지하에

---

* 홍익대학교 부교수, 교육학

1) 김경일, 『여성의 근대, 근대의 여성』, 푸른역사, 2004, 20쪽.

2) 친일파 연구에서 활용되는 『친일파군상(상)』(1948년 9월 민족정경문화연구소

서 여성교육기관의 절대 다수가 기독교계였다는 점과 기독교계 여학교들이 종교적 이미지보다도 주로 '서양식 취향'을 중심으로 특징 지워지고 있는 점을 주목할 수 있다.[3)]

개항기 이후의 '문명' 논의 속에서 초기 기독교 특히 초기 개신교는 서구문명과 동일시되며 수용된 경향이 있지만, 한편으로는 기독교가 서구문명의 한 부분으로 그 안에서 독특한 이념적 지위를 지니고 있음을 지적할 필요가 있을 것이다. 특히, 19세기 이래 미국에서의 해외선교붐을 이끌고 해외선교에 나섰던 세력들은 주로 개신교 내부에서도 문명진보를 신학적으로 긍정하는 근대주의적(modernist) 경향과 대립되던 근본주의(fundamentalist)의 경향을 따르고 있었고,[4)] 소위 '근대적 계

편)은 대표적 기독교 여성지도자였던 김활란에 대하여 "원래 英美에는 호의를 가졌으나 일본에 호감을 가지지 아니하였고 혹은 친미 배일사상의 소지자였으나 위협에 공포를 느끼고 직업을 유지하기 위하여 과도한 친일적 태도와 맹종적 협력을 한 자"의 부류에 포함시키고 있다.

3) 한 잡지에서는 梨花學校에 대한 세간의 인상에 대해 다음과 같이 표현하고 있다.「一問一答 金活蘭씨 訪問記」,『별건곤』 1927. 10. 1, 21쪽, "이것은 내가 꾸며서 하는 말도 아니요 밧게 세평이 그러닛가 말슴입니다만 梨花學校에서 유치원으로부터 보통, 고등, 전문까지 이러케 순서를 밟어서 그 공기ㅅ속에서 자라고 그 교육을 밧고 나온 여자출신으로는 대개가 서양사람의 화려한 풍기에 물젓고 눈이 놉하서 조선가정생활에는 도모지 맛지 안이하야 자연히 결혼난에 빠진다고 하니……".

4) 개신교내에서 근본주의라는 용어는 제1차 세계대전을 전후로 한 시기에 처음 사용되었고, 근본주의 논쟁은 1920년대에 들어가서 나타나는 것으로 파악된다. 그러나 근본주의라는 용어가 사용된 것은 그 이전에 이미 근본주의 대 근대주의의 대립구도가 나타났기 때문이라는 입장이 설득력이 있다. 개신교 근대주의는 다윈이즘, 성경에 대한 고등비평(Higher Criticism), 비교종교학, 사회학, 심리학 등의 신학문사조들의 도전에 대한 개신교의 대응으로 성립된 입장으로, 개신교와 진화론을 결합시킨 유신론적 진화론과 개신교와 역사주의적 성서비평을 화합시킨 고등비평적 성서해석을 취한다. 이에 따라 선교에서도 문명화와 기독교화를 밀접하게 연관시키고 있다. 반면, 근본주의는 성서무오설(無誤說), 역사인식으로서의 세대주의(dispensationalism), 전천년설(premillenialism)

몽'보다는 순수 복음의 전파에 더 높은 가치를 두고 있었음을 주목할 필요가 있을 것이다. 따라서 개신교가 표상하던 이미지 자체는 문명개화를 열망하고 있던 국내 세력에게 서구문명과 동일시되었을 수 있지만, 실제로 그들이 지닌 문명관은 상당히 보수적이었다고 할 수 있다.

이 논문은 기독교계 신교육의 결과물이라고 할 수 있는 '신여성'의 존재형태와 근대 인식의 차원들을 밝히고자 하는 것으로, 이를 통하여 근대적 교육의 대명사로 간주되어온 기독교계 여성교육의 목표와 효과에 대해서도 재검토하고자 한다.

이 글에서는 기독교 신여성의 범위를 기독교(개신교)인으로 중등이상의 신교육 혹은 근대적 교육(주로 선교계학교나 외국유학)을 받고, 1920년대 이후 소위 '신여성'이라고 지칭되며 활발히 활동한 여성으로 제한하고자 하며, 대표성을 고려하여 근우회 등의 유력한 사회단체에 주도적으로 참여한 여성들을 중심으로 파악하고자 하였다.[5] 이 논문의 문제의식이 선교사 및 기독교계에 의해 이루어진 교육적 성과가 지닌 의미들을 再考하는데 있으므로 특정 여성들에 대한 미시적 분석의 방

등을 기본 논리로 하고 문명선교보다는 신앙선교를 강조한다. 이진구, 「미국 개신교 근본주의의 형성과 그 성격에 관한 연구 : 근대성 수용 양태를 중심으로」, 『종교학 연구』 13, 1994. 12, 107～126쪽.

5) 기독교계 신여성은 정의하기에 따라 다양하게 규정될 수 있을 것이다. 이 논문에서는 지나치게 광범위한 범주화를 피하기 위하여 당시의 언론 등에서 자주 다루어지거나 사회단체 등에 소속하여 그 인지도가 상대적으로 높았던 여성들을 중심으로 하여 논의하고자 한다. 당시의 주도적 신여성들이 신간회나 근우회 성립과정에서 주요한 역할을 하고 있었던 만큼 이들 여성들을 중심으로 살펴볼 것이다. 신간회의 경우 남성활동가들이 중심이 되어 결성되었고, 정칠성, 허정숙 등 일부 여성활동가들이 결성과정에서 활발히 참여하기는 했으나 근우회가 성립되면서 여성들의 활동은 주로 근우회를 중심으로 이루어졌다. 기독교계 여성으로 신간회의 임원이었던 여성은 김활란과 유각경(간사)이 대표적이다. 근우회에 참여한 대표적인 기독교계 여성의 명단은 본 논문의 4장 3절에 제시되고 있다.

식을 취하기보다는 기독교계 신여성의 근대인식과 근대성 문제에 관한 보다 일반적인 像을 중심으로 논의하였음을 밝혀둔다.

2. 초기 기독교 선교와 '문명화' : '복음화'와 '탈야만'

한국에서 개신교 전래의 역사는 개항기 '문명 개화'[6]의 맥락과 연결되어 주로 논의되는 경향이 있다. 기독교로의 개종 유무와 무관하게 초기 개화론자들에게 선교사들이 대표한 개신교는 서구문명과 동일시된 경향이 있으며, '동양의 도(東道)'에 대응하는 '서양의 도(西道)'로서의 의미를 가지고 수용되었다.[7]

그러나, 개신교 선교사들이 서구문명을 표상하는 이미지를 가지고 활동을 전개하였지만 그들에게 서구문명이 지니는 의미가 무엇이었는가에 대해서는 더 복잡한 논의가 요구된다. 아시아지역에 먼저 진출한

---

6) 이 논문에서 등장하는 '문명화'라는 용어는 당시인들의 사회진화론적 세계인식을 반영한 의미로 사용된다. 이는 한편으로 '야만'과 대립적으로 사용되었기 때문에 당시의 현실적 관념에서 볼 때 그러한 문명화의 정점에 있다고 간주된 '서구문명'과 동일한 의미로 사용되었다고 할 수 있다. 그러나 다른 한편으로는 그 문명화의 동력이 과학, 산업 등에 의하여 추진되는 것이라는 점에서 어떤 특정 문명 자체보다는 일정한 문명의 방향을 지칭하는 의미였다고 할 수도 있을 것이다.

7) 박형민, 「한말 개신교 종교공동체의 성장요인과 전통적 가치와의 관계」, 『한국학보』 28(1), 2002 봄, 107쪽. 개항기 개화론자들을 기독교에 대한 수용상의 차이를 근거로 분류할 때 비기독교적 급진개화파와 기독교개화파로 구분할 수 있다. 서재필, 윤치호 등으로 대표되는 후자의 경우 기독교인으로서 기독교문명을 이상시한 경우이지만, 전자의 경우는 기독교로 개종을 하지는 않지만 기독교를 서양문명과 동일시하거나 서양문명수입의 중요한 통로로 인식한 경향이 있었다(김옥균, 박영효, 서광범 등). 류대영, 「개신교에 대한 개화기 지식인들의 태도와 근대성 문제」, 『종교문화비평』 4호. 2003. 12, 33~70쪽.

유럽계 개신교 선교사들보다 후발 선교진출자였던 미국 선교사들은 순수한 복음주의나 경건운동가들이 상대적으로 많았던 것으로 알려져 있고, 19세기 '대각성운동'으로 불리는 신앙부흥운동과 미국 신학생들에 의한 학생자원운동(The student volunteer movement)이 해외선교붐으로 나타났다고 할 수 있다.[8)]

따라서 엄밀한 의미에서 초기 선교사들에게 있어 '문명화' 자체는 중요한 의제였다고 보기 어려우며, 적어도 표면적 차원에서 그들의 주된 목적은 '복음화'에 있었다고 할 수 있다.[9)] 이러한 측면은 기독교계 신여성 혹은 기독교 여성교육의 '근대성'을 논의하는 문제에 대해서도 직접적으로 적용 가능하다. 초기 선교의 논리 속에서 추구되던 '문명화'의 성격이 무엇인가 하는 문제는 초기 기독교계 여성교육이 지녔던 '근대성'의 한계를 논의하기 위해 매우 중요하다고 할 수 있다.

그렇다면 한국에서 선교사들의 활동이 순수복음 전파의 방식에 그치지 않고 교육, 의료활동 등의 계몽적 방식으로 주로 나타난 이유는 무엇이며, 그 의미는 무엇인가. 이에 대한 기존의 논의들은 선교상의 필요성,[10)] 선교 목표상의 절충주의,[11)] 수용자들의 요구 반영,[12)] 선교사

---

8) 서정민, 「근대 아시아에서의 선교사 문제 - 한국과 일본 개신교 선교사들의 활동에 대한 검토를 중심으로」, 『한국 기독교와 역사』 5, 1996. 9, 208~240쪽 ; 김경빈, 「19세기 미국 개신교 해외선교에 있어서의 선교사 모집과 그 배경」, 『서울기독대학교 교수논문집』 7, 2000. 6, 106~124쪽.

9) 이러한 복음화에 대한 강조가 그들의 활동이 순수하게 종교적이었음을 의미하는 것은 아니며, 그 종교성의 의도적 결과 혹은 때때로 부차적 결과로 본국 제국주의를 옹호하거나 특정한 문명관을 유포한 것이 사실이다. 이들의 정책이 종교적 혹은 복음주의적이었다는 진술은 그들의 비정치성을 드러내기 위한 이데올로기로 기능할 수 있다는 점에서 비판적으로 사용되어야 한다. 이윤진, 「탈호교론적 관점으로 본 내한 선교사 및 선교정책」, 『한국교육사학』 27(1), 2005.

10) 초기 선교사들을 비교할 때 미공사관의 공의로 한국에 입국한 Allen의 경우 민영익을 치료한 후 보수파의 신임을 얻으며 활동을 전개함으로써 정치적 충

들의 서구문명중심주의와 그에 기반한 오리엔탈리즘[13] 등을 강조하는 수준에서 이루어져 왔다고 할 수 있다.

실제적 동기는 위 논의들을 일정 수준에서 모두 반영한 복합적인 것이겠으나, 이 중 선교사들의 '서구문명 중심주의'와 '수용자들의 요구'라는 입장을 주목해서 살펴볼 필요가 있을 것이라고 본다. 국내에 들

돌을 피하며 간접 선교정책을 펴고자 한 반면, 후에 입국한 Underwood는 갑신개혁파와의 친분으로 기독교복음을 직접 전하고 학교와 교회를 설립하는 일에 더 비중을 두었던 것으로 비교되기도 한다. 서정민에 의하면 이는 선교사들의 성향보다는 한국 정부의 정치환경에 좌우된 측면으로 보아야 한다고 지적된다. 서정민, 「손발이 안 맞는 선교사들 : 초기 개신교 선교사들 사이의 불화」, 『기독교사상』 442, 1995. 10, 248쪽. 조현범은 한국 선교사들의 절대다수를 차지한 선교사들의 출신학교의 신학적 경향 등에 비추어 볼 때 명백히 모순적인 그들의 활동 성격(교육, 의료 등의 활동)은 "조선정부가 종교의 자유를 인정하지 않고 개신교 선교활동을 금지하고 있었기 때문"이라고 하는 것이 일반적 견해라고 본다. 조현범, 「개신교의 문명화 담론에 관한 연구」, 『종교문화비평』 1, 2002. 4, 129~156쪽.

11) 한국의 개신교 선교정책과 신학은 모호했다고 평가되기도 한다. 즉, 극단적인 전천년주의자도 없었고, 사회구원의 복음만을 전한 그룹도 없었다고 지적된다. 김경빈, 앞의 글, 123쪽. 이들은 '기독교가 곧 근대화'라는 시각을 가지고 있어 복음주의적 개인주의 영성을 유지하면서도 문명의 이식에 대한 적극적 자세를 견지할 수 있었던 것으로 파악되기도 한다. 이상훈, 「구한말 미개신교 선교사들의 대한 인식 : 1884년부터 1919년까지를 중심으로」, 『정신문화연구』 27(2), 2004 여름호, 138쪽.

12) 이러한 논의는 소위 '개신교 자력수용론'으로 광범위하게 받아들여지고 있다.

13) 일종의 '시대적 한계'로 논의되기도 하나, 개신교 선교사들의 인종적 편견과 문화적 우월감에 의하여 순수한 열정과 관심으로 시작한 일을 타문화와 상황에 대한 몰이해로 자신들의 '애국적 사업'과 혼동하는 경향이 잦았으며 복음과 서양문화를 동일시하는 오류를 보였다고 지적되기도 한다. 특히, 미국 개신교 선교사들이 사용한 'Christian civilization'이라는 용어는 Christian을 evangelical Protestantism과 동일시하는 것으로 카톨릭, 동방정교는 물론 프랑스, 이태리 등의 기독교문명은 문명의 범주에서 배제하는 논리를 지니기도 하였다. 김경빈, 앞의 글, 110쪽.

어와서 활동한 선교사들의 근본적 선교목적이 복음전파에 있었고 그들은 사실상 서구의 과학 기술 문명이 지니는 역기능에 대해 비판적인 '근본주의적' 경향을 지니고 있었다는 것이 지적되어 왔다.[14] 그러나 서구문명에 대한 비판적 관점을 가지고 있다는 것이 그들이 지닌 서구문화 중심주의(ethnocentrism)까지 부정하게 하는 것은 아니었다는 점은 중요하다. 그들은 그들의 삶의 기초로서의 서구문화 즉 自文化로서의 서구문화와 타문화로서의 비서구문화에 대하여 명확히 구분하고 있었으며, 비서구적 문화에 대하여 철저하게 문명/야만의 구분을 가지고 자문화우월주의적 의식을 드러내고 있었다고 할 수 있다. 또한 그것에 터하여 비서구적 문화를 자신들의 관점에서 규정하고자 하는 오리엔탈리즘적 방식을 취하고 있었던 것도 사실이다. 특히, 그들은 청결, 위생 등의 문화요소들을 강조함으로써 자신들의 문화를 더 가치있게 평가했을 뿐 아니라 서구적 삶의 여러 방식들을 더 정통한 것으로 보고자 하였다. 예컨대, 전통 혼례가 유교적 문화에 기인하는 것이라는 점으로 인하여 이교도적인 것이라고 보고, 서구적 혼례를 기독교적인 혼례라고 하여 더 우월하게 평가하는 편견을 드러내기도 하는데 이러한 방식은 그들의 자문화 우월주의가 그들의 종교관과 혼재되고 있는 것을 보여주는 사례라고 하겠다.[15]

---

14) 예컨대 "첫번째 의무는 이 세상을 개종시키는 것이고 둘째는 이 세상을 교육시키는 것이다. 교육은 종종 개종보다 선행될 필요가 있다. 이 개종은 항상 교육을 실행할 필요가 있다"(Daniel Davies, *The life and thought of Henry Gerhard Appenzeller : Missionary to Korea*, The Edwin Mellen Press, 1988/ 김경빈, 앞의 글 재인용, 115쪽)고 하면서 교육을 강조한 감리교의 Appenzeller도 1898년 조선 감리회 연회에서 선교우위의 관점을 명백히 하고 있고, 제중원 의료선교사였던 장로교 Vinton도 제중원을 종교기관으로 바꾸려는 시도를 하면서 스스로 의료사업을 중단하고 조선에서 의료선교사에 비해 성직선교사의 수가 적은 점을 비판하였다(조현범, 앞의 글, 133쪽).

15) 전통혼례에 대해 선교사가 'heathen'이라는 표현을 사용하고 있어 non-western

이러한 기본적인 문화의 차이는 선교사들의 자문화 중심주의적 관점에서 볼 때 한국에서 소위 '계몽적 활동'을 강조한 것은 적극적인 의미의 '문명화' 시도라기보다는 '야만'의 탈피를 위한 것이었다고 할 수 있다.[16)]

그렇다면 선교사 활동의 매개가 된 교육, 의료 등의 계몽활동은 한국인들에게는 어떠한 의미가 있었는가. 한국인에게 교육, 의료 등의 활동은 선교사들의 관점과는 상당히 차원이 다른 중요한 의미를 지닌다. 선교사들에게는 문명/야만의 이분 구도 속에서 기본적 야만 상태를 벗어나도록 하는 수준에서의 활동이었을 수 있지만,[17)] 한국인들에게 기독교 학교 등에서 제공되는 교육은 새로운 세계관의 형성에 중요한 기초를 제공해주는 매우 중요한 의미가 있었다. 특히 19세기 이후 서학(천주교), 동학 등을 통하여 전통사회의 이념체제로부터 대안적인 사고를 하고자 하던 신진 지식인층과 민중층에게 새로운 세계관을 형성하는데 기초가 되었다.[18)]

과 heathen을 혼동하는 모습을 보여준다. "First Experiences(by a new missionary)", 『Korea Mission Field』, vol.7 no.7, 1911. 7, 190~191쪽.

16) Griffis의 관찰에 의하면 조선은 불결하고 비위생적이며 빈곤하며, 비문명적 관습들을 가지고 있었다. 신체형과 사형제도를 두고 있는 사법제도는 야만성의 전형이었고 노비제도나 여성차별, 미신적 종교들, 국가관념이나 개인존중도 없고, 집단, 종족, 친지 등의 관념을 벗어나지 못한 일반적 윤리관념 등도 모두 야만의 지표였다. W. E. Griffis, *Corea the hermit nation*, New York : Charles Scribner's Sons, 1907, 280~281쪽(조현범, 앞의 글, 136~141쪽 재인용).

17) 물론, '탈야만'의 관점은 초기 선교사들의 진술들에서 두드러지며, 식민지 시기에 일관적으로 지속된 선교의 동력이었다고 보기 어려울 것이다. 여기서 탈야만의 관점을 부각하는 것은 초기 선교사들의 활동이 교육과 계몽을 강조한 것으로 부각되고 기독교 자체가 '근대 문명'과 동일시되어 논의되기도 하지만 당시 선교사들의 기본적 관심은 일차적으로 '복음화'에 있었음을 강조하기 위한 것이다.

18) 소위 '유교망국론'으로 "자랑할 것 없는 과거와의 결별"을 원하던 지식인들에

특히, 전통사회 체제 내에서 제도적 교육의 바깥에 있었던 한국의 여성들에게 개신교 보급과정에서 제공된 형식, 비형식 교육은 더 큰 의미를 지니고 있었다고 할 수 있다.[19] 개신교는 그들에게 공적 공간으로의 편입을 허용하였고, 그들에게 세례명의 형태로 이름을 제공해 주었으며, 문자를 익히게 해주었고, 신에게로 신분과 성별에 관계없이 인격적으로 평등하게 나아갈 수 있는 길을 열어 주었다. 즉, 전통적 가부장적 인륜구조 안에서 사회적으로 제한되어 있었던 여성들이 신과의 직접적 소통을 통하여 개인적 실존의 의미를 찾았을 뿐 아니라, 자신의 사회적 역할을 새롭게 규정하는 계기를 맞이하게 되는 것이었다. 이 과정에서 나타나는 중요한 특징의 하나는 내면성을 강조하는 종교성을 갖게 되는 것인데, 이를 통하여 여성들은 전통적 인륜관계를 벗어날 수 있었다. 19세기 전반 천주교 박해과정에서 가족들의 배교를 알리며 신앙을 부정하라는 요구에 불복하여 결국 참수형을 당한 여성들의 다음과 같은 고백들은 주목할 만하다.

> "제 남편과 아들이 배교한 것이 저와 무슨 상관이 있습니까? 저는 신앙을 보존하고 신앙을 위해 죽기로 작정했습니다"(이소사).
> "우리 부모께서 배교를 하셨든지 안 하셨든지 우리의 알 일이 아닙니다. 우리는 우리가 항상 섬겨온 천주를 배반할 수 없습니다"(이아가다).[20]

게 자양분이 되기도 하였다. 장석만, 「'근대문명'이라는 이름의 개신교」, 『역사비평』 46, 1999. 2, 255~268쪽.

19) 선교사들은 한국 여성들을 개방적이고 수용성이 높다고 표현하고 있다. "The work to be done in Korea", 『Korea Mission Field』, vol.7 no.8, 1911. 8, 220쪽.

20) 아드리엥 로네, 『한국 순교자 103위전』, 카톨릭출판사, 1998, 61, 201쪽(조현범, 앞의 글, 151쪽 재인용).

또한 개신교의 초기 확산과정에서 중요하게 언급해야 할 것은 전도부인들의 역할이다. 초기에 내한한 여선교사들에게 가장 높았던 문화적 벽은 '내외법'이었기 때문에 성경책을 들고 각 가정에 자유롭게 출입하는 전도부인제도를 활용하였다.[21] 이들 전도부인은 일반여성들을 각종 집회, 사경회, 부흥회, 성경반 등을 통하여 사적 영역으로부터 공적 영역으로 이끌어내는데 기여했다고 할 수 있으며, 1920년대에 소위 고등교육을 받은 신여성이 지도적 지위를 지니기 전까지 기독교 여성계에서 매우 중심적 역할을 했다고 할 수 있다.[22]

기독교의 초기 보급과정에서 여성들은 사경회, 부흥회, 성경반 등을 개최하여 성경공부 외에도 위생학, 한글학습, 혼례, 금주, 단연, 풍속개량, 가정교육, 조혼의 폐, 자급방침 등에 대한 교육을 받았다.[23] 이러한 교육을 받고 개종하는 과정에서 일반여성들은 가족으로부터 상당한 핍박을 받기도 했던 것으로 알려지고 있다. 부인이나 딸에 대한 폭행사례들은 다양하게 보고되었고, 이 과정에서 가족이 함께 개종하는 등 변화한 사례들도 있다.[24]

---

21) 전도부인이라는 명칭은 이후 여전도사라는 이름으로 바뀐다. 이들은 성경학원 등에서 교육받고(이후에는 자격기준으로 학력을 명시) 사경회를 인도하며 여선교사들에게 감독을 받는 여성들이었다. 한국기독교역사연구소 여성사연구회, 『한국교회 전도부인 자료집』(자료총서 제25집), 한국기독교역사연구소, 1999. 초기 전도부인들은 권서와 전도 역할을 모두 담당하였으나 1916년에서 1919년 사이 이 두 역할이 구분되면서 전도에만 충실하게 되었던 것으로 알려져 있다. 양미강, 「참여와 배제의 관점에서 본 전도부인에 관한 연구」, 『한국기독교와 역사』 제6호, 한국기독교역사연구소, 1997, 141쪽.

22) 윤정란, 『한국기독교 여성운동의 역사』, 국학자료원, 2003, 41~51쪽.

23) 한국기독교역사연구소 여성사연구회, 위의 책.

24) 김활란의 경우도 자서전에서 헬렌이라는 세례명을 가진 한 전도부인의 영향으로 어머니가 개종하게 됨에 따라 가족 모두가 세례를 받게 된 경험을 자서전에서 진술하고 있다. 김활란, 『그 빛 속의 작은 생명 : 우월 김활란 자서전』, 이화여자대학교 출판부, 1979, 31쪽.

여성에 대한 교육은 윤치호가 "기독교 선교가 한국에서 다른 아무런 성과가 없었다 하더라도 여성교육을 도입한 것만으로도 우리의 영원한 감사를 받아 마땅하다"고 주장했을 정도로 개신교의 공헌으로 인정되어 왔다.[25] 여성교육은 1893년 제1회 선교공의회에서 부인과 소녀들을 개종시키는 데 특별한 노력을 기울일 것을 선교정책으로 결정함에 따라 보다 적극적으로 추진되었다. 남학교를 세우면 반드시 여학교를 함께 세우는 남녀병립주의를 채택하여 남선교사가 학교를 세우면 여선교사가 학교를 함께 세우는 방식으로 하여 학교의 수가 늘어갔고, 1919년 3・1운동 전까지 기독교계 여학교에서의 학생회합활동은 이후 여성단체 결성의 중요한 배경이 되는 것으로 논의되어 왔다.[26] 1910년대까지 이루어진 이러한 활동들에 기반하여 1920년대에는 기독교 여성사회운동단체의 결성 등으로 여성들의 회합이 사회적 차원으로 확대되고, 국내외에서 고등교육을 받은 여성들의 사회활동이 본격화하면서 소위 기독교 신여성이 가시화된다고 할 수 있다.

3. 기독교 신여성의 존재형태 : 종교적, 서구친화적, 가부장적 공간

1920년대 이후 기독교계 여성조직에서 활발한 활동을 한 여성들은 1880~90년대 사이에 출생하여 선교사가 설립한 학교들에서 교육을 받고 그 이후 일본이나 미국 등지에서 유학을 한 여성들이 다수이다.

---

25) Harry A. Rhodes ed., History of the Korea Mission, Presbyterian Church, USA, vol.1, 1884-1934, Seoul Chosen Mission, Presbyterian Church, USA, 258~259쪽(차종순, 「개신교 선교와 한국여성의 사회적 지위 향상」, 『신학이해』 14, 1996. 10, 201쪽 재인용).

26) 윤정란, 앞의 책, 54~56쪽.

기독교계 신여성들은 나혜석, 김명순, 김일엽 등으로 대표되는 '급진적 자유주의' 신여성들이나 사회주의계열의 신여성들과 결합되기 어려운 조건에 있었다고 할 수 있다.[27] 우선, 급진적 자유주의 신여성들의 자유분방함과 달리 그들은 가부장적 기독교 윤리를 수용함으로써 유교적 가부장제의 "여성의 섹슈얼리티 단속"[28]과 크게 갈등하지 않았으며, 기독교계 민족주의자들이 대부분 지주계층이나 상공업자층 등 중간층 이상의 사회경제적 배경을 가지고 있어 무신론적이면서 무산대중의 이익을 대변하는 사회주의적 반봉건 계급투쟁과도 이념적으로 충돌하기 쉬웠다. 기독교계 신여성들이 가지고 있었던 '근대 인식'의 저변에는 여러 요소들이 복잡한 역학관계 속에서 자리하고 있었다고 할 수 있을 것이다. 기독교계 신여성들의 근대인식의 기반이 되는 공간적 체험의 차원들은 다음의 몇 가지로 논의가 가능할 것이다.

첫째, 기독교 여성들을 다른 신여성과 구분하는 가장 중요한 준거는 일차적으로 그들의 종교이다. 그들은 교회를 다니고, 교회와 직간접적으로 관련한 활동을 하며, 기독교 명칭이 붙은 기관이나 단체에 적을 두고 활동을 한다. 즉, 교회와 관련한 활동이 그들의 생활에서 매우 중요한 비중을 차지하고 있다는 점을 주목할 필요가 있는 것이다. 성서를 읽고 찬송가를 부르며 예배를 드리는 의례 속에서 전통적인 의례들(유교적 제사 등)은 거부되며 그들은 신앙의 형식을 통하여 비전통적이고 새로운 규범체제를 지속적으로 체화하게 되는 것이다. 특히, 전통적 신분 위계나 가족내의 위계와 무관하게 신분, 남녀를 초월하여 한 공

27) 임옥희, 「신여성의 범주화를 위한 시론」, 『한국의 식민지근대와 여성공간』, 도서출판 여이연, 2004의 분류방식인 급진적 자유주의 신여성, 마르크스주의 신여성, 기독교 계몽주의 신여성 등의 분류가 당시 신여성의 집단적 범주화를 위해 의미있다고 판단하여 따름.

28) 임옥희, 위의 글, 101쪽.

간에서 예배를 봄으로써 세속적 인륜으로부터 벗어나 신과의 '개인적' 만남을 추구할 수 있었다.

1912년에 이화학당 교장이었던 프레이(Frey)가 당시 이화학당에서 있었던 학생부흥회에 대해 쓴 기록을 보면, 2주일간 정규수업을 하지 않고 복음집회가 개최되어 학생들은 잠도 자지 않고 울고 기절하면서 기도를 하고 자신의 신앙 고백을 하는 광경이 나온다.[29] 김활란은 자서전에서 자신의 삶의 방향을 정하게 된 계기를 다음과 같은 체험 속에서 찾고 있다. 다음의 체험은 이화학당 졸업 무렵 진로를 고민하던 1913년경 연일 이어지던 철야기도 과정에서 이루어진 것으로 표현된다.[30]

> 어느날 한밤중이었다.
>
> 땀에 흠뻑 젖은 이마를 드는 순간, 나는 희미한 광선을 의식했다. 십자가에 못박히신 예수의 얼굴이 보였다. 그 예수의 모습에서 원광이 번져 내 가슴으로 흘러드는 것 같았다. 사방은 어두웠다. 사면은 무겁게 침묵하고 있었다. 그런데 갑자기, 아득히 먼 곳에서 아우성을 치는 소리가 들려왔다. 그 처절한 부르짖음은 아득히 먼 것도 같았고 바로 귀밑에서 들리는 것 같기도 했다. 울부짖고 호소해 오는 처절한 울음소리. 그 소리를 헤치고 문득 자애로운 목소리가 들려왔다.
>
> "저 소리가 들리느냐?"
>
> "네 들립니다"
>
> "저것은 한국여성의 아우성이다. 어째서 네가 저 소리를 듣고도 가만히 앉아 있을 수 있느냐? 건져야 한다. 그것만이 너의 일이다."
>
> 그 목소리는 분명했다. (중략) 나는 다시 꿇어 엎드린 채 오래 오래

---

29) Lulu E. Frey, "Revival meetings in the girls' school of the M.E. Church", 『Korea Mission Field』, vol.8. no.1, 1912. 1, 9~10쪽.

30) 김활란, 앞의 책, 53~57쪽.

> 흐느껴 울었다. 감사의 눈물이었다. 나에게 뚜렷한 목표를 주신 예수님께 드리는 기쁨의 눈물이었다. 이러한 경험 후에 고집과 교만과 일본에 대한 증오까지도 죄임을 비로소 깨달았다. 강열한 증오가 애국이 아니라는 것을 알았다. 나는 나의 죄까지도 의식하게 된 것이다. 나는 하나님의 능력과 빛과 생명의 풍성한 은혜를 기쁜 마음으로 믿었다.[31]

주관적 경험을 하나님의 뜻으로 객관화하는 독특한 인식론과 더불어 종교적 체험을 통하여 인생의 목표를 설정하는 기독교 여성들의 인식의 단면을 살펴 볼 수 있다. 이러한 신앙체험이 지니는 의미는 그것이 기본적으로 내면적인 과정이기 때문에 '개인적'으로 이루어지는 체험이라는 점에서 주목될 수 있다. 기독교인은 세속적 가족관계 그 자체보다 신과의 접촉을 중시하며 이는 부모나 형제의 신앙과 무관하게 개인적 신앙을 취하는 기반이 된다. 또한, 교회와 그 의례를 통하여 그들은 '기독교인'이라는 공동의 집단 정체성을 갖게 되며 혈연에 기초한 형제, 자매 관계가 아닌 '종교적 형제, 자매의 관계'로 들어가게 되는 것이다.

이러한 개인적 신앙과 전통적 인륜을 탈피한 새로운 인간관계로의 전환은 전통적 사회질서로부터 여성 개인을 독립적으로 간주하게 한다는 점에서 근대적(혹은 탈전통적) 개인주의와도 통하는 점이 있다.[32] 이러한 '탈전통'의 측면은 기독교 여성들이 전통적 가족규범체제로부터 벗어나 가족, 사회생활에서 개인적 자유를 누리도록 하는데 기여함과 동시에, 기독교적 의례가 지니는 복음주의적이고 탈정치적인 논리를 표준시하도록 함으로써 상대적으로 그들의 정치의식을 희석화하는

31) 김활란, 위의 책, 58~59쪽.

32) 한국에서 기독교의 확산에 기여한 요인의 하나가 가족적, 친족적 개종이라는 점에서 이러한 개인적 개종은 한국적 특수성과는 다소 다르다고 볼 수도 있으나 기독교적 개종의 한 특성이라고 보아야 할 것이다.

데 영향을 주기도 한다. 특히, 기독교의 탈전통적 요소들은 한국 여성들에게 있어 매우 중요한 '근대'의 지표가 될 수 있지만, 한국에 수용된 개신교의 종교적 보수성은 그들에게 제한적 의미의 근대 체험이 이루어지도록 했다고 할 수 있다.

둘째는 그들이 노출되어 있던 공간이 서구친화적 공간이라는 것이다. 기독교계의 활동은 선교사들과 그들의 문화를 통하여 매개되고 있었다. 그들은 신앙과 동시에 영어와 서구의 관습을 내면화 할 수 있었다.

기독교계 신여성들에게 있어 그들의 정체성과 의식을 형성하는데 기본이 된 공간이 교회와 학교라는 점은 그러한 공간들에서 주도적 역할을 한 선교사들과 그들의 문화에 대한 높은 친화성을 갖도록 한다. 이러한 이유로 기독교계 여학교와 신여성들은 '서구적인' 것으로 평가되는 경향이 있다. 일본이나 중국계에 비하여 선교사들의 영향으로 미국유학을 한 여성들의 경우, 기독교계 여성이 상당수를 차지하였다. 한 잡지에서 미국유학생에 대해 평가한 다음 내용은 흥미롭다. 주로 기독교계 여성들에 대해 언급하면서 개인평을 하는데, 이 중 윤치호의 딸 윤활란에 대한 평은 다소 과장된 듯 하면서도 그 당시의 일반적 문화와의 이질성을 잘 드러내주고 있다.

A 여자로도 米國 출신은 상당히 잇는 모양이 아님닛가?

K 무얼요. 中國출신보다는 만캣지만 수효도 그러케 만치는 못하고 하는 일도 별로 엄나봐요. 그도 빤하지요 뭐? 槿花學校長 金美理士씨, 梨花女專의 金愛息, 金活蘭, 李乙羅 三氏, 女子神學校의 洪에스터씨, 그리고 尹致昊씨의 따님 活蘭씨 그럿치요 아마, 혹 지방에 가 더러 잇는지도 모르겟습니다마는.

(중략)

A 아! 그런데 참 尹活蘭씨는 어대가 무얼하고 잇슴닛가. 처음와서 朝鮮말을 몰나 겨우 인사말을 한다듸 배워가지고 씨여 먹는다는 것이 어른보고 "잘 가거라" 햇다고 아조 우습거리가 자자하더니 조선말을 착실히 배우느라고 집에 드러 안저만 잇나요?

K 웬걸이요. 東京 어느 英字新聞社에 드러가서 돈 버리한다던데요.[33]

서구친화적 성격과 연결하여 살펴볼 수 있는 또 다른 조건은 그들이 활동한 공간의 계급성이다. 기독교계 신여성의 경우 고등교육을 받은 여성들로 대부분 당시 사회의 기준에서 볼 때는 특권층적 지위를 누리고 있었다.

『신여성』지의 한 글은 이화여고를 다른 학교들과 함께 소개하면서 다음과 같이 표현하고 있는데, 이는 기독교계 학교의 양풍과 계급성에 대한 세간의 인식을 함께 드러내주는 것이다.

일즉이 로맨스의 製作所 流行의 源泉地로 유명하든 우리 梨花學堂이다. 지금도 英語와 音樂이 학교의 長技라고 自他가 認定(?)하야 줄뿐 아니라 (중략) 洋風의 敎化와 基督의 風敎가……感化가 되야 至極히 아름다운 空想을 가슴에 속삭이고 잇스니 보라!……들리는 것은 압집과 옆집 또 건너집의 피아노 소리! 각금각금 지나가는 양키-들의 自家用自動車이외에 업는 것이다. (중략) 그러나 돈업는 아가씨여든 공연히 들어와서 한숨과 不平과 悲哀만을 수다르게 더 밧지말라는 忠告를 던지고 십다.[34]

셋째는 여성으로서 그들이 하는 체험하는 기독교적 가부장제의 의

---

33) 「미국, 중국, 일본에 다녀온 여류인물평판기, 해외에서는 무엇을 배윗스며 도라와서는 무엇을 하는가?」, 『별건곤』 제4호, 1927. 2. 1, 24쪽.

34) RM, 「梨花女高」, 『신여성』 1933. 6, 130~131쪽.

미이다. 선교사들이 가지고 있었던 여성관은 인본주의적 자유·평등이념에 근거한 계몽적 현모양처주의였다. 조선의 여성들이 전통적 가부장제 하에서 남성들의 축첩 행위나 인격적 무시를 인내해야 하는 것에 대해 비판적이었지만, 선교사들은 여성들의 삶의 개선이 훌륭한 어머니와 아내가 될 수 있는 교육을 통하여 이루어질 수 있다는 관점을 취하고 있었다. 당시 선교사들이 지니고 있었던 여성교육에 대한 인식은 다음과 같은 진술 속에 잘 드러나고 있다.

> 오랜 동안의 억압 속에서 여성의 무지가 조성되고 여성이 관습에 의해서 더 이상 둔해진다면 하나님이 여성에게 주신 신성한 의무인 어린이 양육에 적당해질 수가 없는 것이다. 집에 들어 앉아 있으면서 손으로 하는 기술만을 연마함으로써 세상일엔 어두워지고 비전도 좁아지는 여성의 교육은 더 이상 억압될 수 없으며 아들들을 정의와 정직의 원칙 아래 그 국가나 사회에 이바지 할 수 있도록 가르치는 일과 딸들을 그들 남편의 진정한 반려로서 교육시키는 넓은 지식을 여성들은 가져야 한다.[35]

미국에서 남북전쟁부터 1920년대까지의 기간은 참정권운동 등이 본격적으로 준비되는 여성운동의 전성기라고 표현되기도 한다. 미국의 여성선교회의 활동은 이러한 운동의 영향을 받은 것으로 평가되기도 한다.[36] 그러나, 19세기 기독교적 계몽주의 여성운동가들은 여성의 사회적 계몽활동을 주장하면서도 그것을 모성주의의 연장선상에서 이해하고 있었다는 점을 확인할 필요가 있을 것이다.[37]

---

35) 정충량, 『이화80년사』, 이대출판사, 1967, 93쪽 재인용.

36) 김영덕 외, 『한국여성사(개화기~1945)』, 이대출판부, 2001, 508쪽.

37) Shari L. Thurer, *The Myths of Motherhood : How Culture Reinvents the Good Mother*, New York : Penguin Books, 1994, 182~224쪽.

기독교계 신여성들의 존재 형태는 그들이 체험하는 이러한 공간적 조건 속에서 규정된다고 할 수 있으며, 이러한 조건들은 그들에게 급진적 자유주의 신여성들이나 사회주의 신여성들과 유사하면서도 다른 경험의 차원들을 드러내는 기초가 된다고 할 수 있을 것이다.

4. 기독교 신여성의 근대 인식 : '기독교적' 근대의 차원들

1) 기독교 신여성이라는 범주의 문제

개항이후 기독교의 보급 속도와 범위는 매우 빠르고 넓었다. 선교사들도 선교의 성공에 대해 놀랍다는 진술을 자주 하였다.[38] 기독교인의 수와 범위에 대해 언급하는 이유는 그들이 다양했다는 점을 말하기 위해서이다. 그들의 개종 동기, 그들의 문명관 등에는 일정한 공통점과 동시에 개인적 편차 또한 존재했다고 할 수 있을 것이다.

기독교계 신여성으로 분류할 수 있는 여성들에 대해서도 기독교를 종교로 가지고 있고 그 영향 아래서 중등이상의 학력을 지니고 사회적으로 활발하게 활동하였다는 점 이상으로 그들의 '의식'의 공통점을 규정하는 일은 상당히 복잡하다고 할 수 있다.

당시에 지식인사회를 주요 가십(gossip) 거리로 다루는 잡지들에서 지식인 여성들을 분류하는 방식은 여러 형태로 나타난다. 직업, 출신학교(혹은 유학한 국가), 결혼유무 등으로 나타나고 있으며, 종교적 분류(천도교, 기독교, 불교 등)가 이루어지는 경우도 있으나 다분히 개인들을 부각하는 방식으로 다루어지고 있음을 살펴 볼 수 있다.

---

38) 『Korea Mission Field』, vol.7 no.4, 1911. 4, 104쪽.

예를 들어 이화고보의 경우 기독교계 학교라기보다는 서양취향을 중심으로 주목되고 있는 것도, 이러한 분류방식 속에서 주목할 수 있는 하나의 특징이다. 즉, 기독교계 신여성들의 경우 '기독교적 성격'에 의해 분류되기보다는 그들의 직업이나 출신학교 등에 따라 더 차별화되었다고 볼 수 있는 측면도 있다. 예컨대 황신덕은 일본유학 출신으로 일본에서 조선여자기독청년회를 조직하고,[39] 조선여자흥학회[40]에 참여하였으며, 근우회 집행위원회 교양부 상무로 활동했던 신문기자 출신으로 기독교계 여성으로 분류되기도 하지만, 사회주의계 여성으로 분류되기도 한다.[41] 황신덕은 1935년 동경여자유학생 모임인 東友會에서 연설을 하였는데, 당시 '야소교'에 대한 그의 입장은 비판적이다.

> 朝鮮 新女性들에게 忠告하노니 第一自己本位로 經濟붓터 獨立하여야 한다. 朝鮮에 工場이 不足하지만은 작꾸작꾸 구하면 된다. 사나히 엇는 就職을 일삼지 말고 經濟獨立의 精神으로 就職하자. 意識업시 行動하는 사나히에게 弄絡物이 되지 마자. 耶蘇敎에서는 禁酒斷煙을 하지만은 우리 女子들은 自己意識을 세우는 것이 더 급한 것이다.[42]

39)『동아일보』1921. 5. 12.

40) 1915년 4월 동경유학생이던 나혜석, 김정애, 유영준, 김마리아, 현덕신, 황애덕, 정칠성, 박승호, 이현경, 김선, 박순천, 임효정, 이숙종, 한소제 등이 결성한 친목단체로 경성, 평양, 부산, 마산, 대구 등을 돌면서 순회강연을 하면서 신학문 보급에 주력한 것으로 평가된다. 1927년 근우회 동경지부 결성으로 자연소멸되었고, 기관지『여성계』를 발간하였다. 정요섭,『한국여성운동사』, 일조각, 1974, 134쪽.

41) 시대일보, 중외일보 등에서 기자로 활동하면서 '月岩洞人'이라는 호로 무산계급적 입장에서 조선여류논단 최초의 예리한 붓날로 부인평론을 썼다고 평가되기도 한다.「현대여류사상가들(3). 붉은 연애의 주인공들」,『삼천리』제17호, 1931. 7. 1.

42)「女流演說客과 雜感 - 熱辯又熱辯의 黃信德씨」,『삼천리』제7권 제1호, 1935.

또한, 기독교인으로 기독교 관련단체 활동을 하지만 일반 기독교 여성과 다소 다른 삶의 방식을 보여주는 사례에는 박인덕의 경우가 있다. 박인덕은 이화학당 출신으로 재학시절에 "얼굴 곱고 음악 잘 하고 연설 잘 하기로" 이름이 높았고, 6년간 미국유학 기간동안에도 영어연설에 능통하였던 것으로 알려져 있었다. 그러나 귀국 후 남편과 불화에 의하여 별거, 이혼을 하게 되고 자녀 양육을 포기하는 대가로 4천원을 경제력 없는 남편 김운호에게 지불한 것으로 알려지면서 언론에 회자된다.[43] 특히 『신여성』지는 「朴仁德 公開狀 : 離婚騷動에 關하야 그의 態度를 駁함」이라는 제목으로 남편의 경제적 무능력과 여성의 '허영' 때문에 생긴 부부문제의 원인을 분석하며 두 딸이 있으므로 이혼은 무책임하고 불가하다고 평하고 있다.[44] 박인덕의 경우 기독교계 여성으로 그 학력과 능력 등으로 인하여 귀국후 기독교 관련단체 활동에 종사하였으나 기독교계 신여성의 전형적인 삶의 방식을 취하고 있다고 보기는 어려운 사례이다.[45]

이렇듯 개인적 관심과 활동기반에 따라 그들이 지니고 있는 사회적 의식은 다르며, 따라서 종교라는 테두리 안에서 그들의 유사성을 과잉

---

1. 1, 115~116쪽. 그러나, 이러한 논조는 몇 년후 "우리 부인들은 가정에서 착한 어머니와 어진 안해가 되는 동시에 우리의 손으로 좌우되고 있는 가정 경제로써 보국을 하는 것이 제국의 신민으로서의 할 의무요"라는 식으로 변질된다. 「戰時 演說」, 『삼천리』 1938. 8. 1, 191쪽.

43) 『신여성』 1931. 12, 48~49쪽.

44) 『신여성』 1931. 12, 30~35쪽.

45) 박인덕은 진남포 태생으로 1933년 당시 38세이며 직업부인협회 소속으로 나와 있다. 이화학당 졸업 후 배화여학교와 신학교 등에서 음악교사를 하다가 유학하였다. 「女性運動의 前衛들」, 『신가정』 1933. 4, 62~63쪽. 나혜석, 박인덕, 박화성 세 여성에 대해 「못본이 想像記」라고 하여 이준, 윤백남, 이무영이라는 남성들이 그들을 직접 보지는 못했으나 상상해보는 기사를 싣기도 하였다. 『신가정』 1933. 3, 138~139쪽.

일반화해서는 안 된다는 점을 분명히 밝혀 둘 필요가 있다.

그럼에도 불구하고 기독교 신여성들이 나름대로 '기독교'라는 이름을 걸고 관련 사회단체 등에서 활동을 하고 영향력을 미쳤던 만큼 과잉 일반화를 경계하는 선에서 '기독교적' 활동가들의 의식 저변에 있는 기본적 차원들을 중심으로 근대인식의 단면들에 접근하고자 한다.

2) '탈전통'으로서의 근대 : 기독교와 '남녀평등'

우선, 한국에서 기독교는 남녀평등 실현에 있어 중요한 공헌자로 간주된다. 기독교 신여성에게 근대가 지니는 의미를 논의하기 위해 초기 기독교에서 '남녀평등'이 지니는 탈전통적 성격에 대해 살펴볼 필요가 있다.

한국 여성들에게 기독교가 여성으로서의 자의식 각성의 계기가 되는 것은 사실이다. 그 이유는 기독교 자체가 '남녀평등'을 옹호하는 이념을 포함하고 있기 때문이라기보다는 여성들에게 기존의 유교적 전통 사회질서로부터 벗어나기 위한 기초를 기독교가 제공해주었기 때문이다.

기독교 여성의 근대성은 '적극적 근대의 지향'이라는 차원보다는 소극적인 '전통의 부정'에서 일차적으로 찾을 수 있다고 할 수 있다. 김활란은 기독교로 인하여 자신을 포함한 여성들이 자기 이름을 가지고 학문을 익히고 사람다운 삶을 살 수 있게 된 점을 강조하였다.

> 活蘭이라는 이름은, 세례명을 얻은 몇 년 뒤 이화학당 시절에 아버님과 당시 한문선생님이 의논을 하여 헬렌의 발음에 따라 거기에 뜻을 붙인 것이다. 그 무렵 여자들은 이름이 없었다. 누구의 딸, 누구의 아내, 그리고 누구의 어머니로만 불리워지던 여자들의 이름없던 운명에

> 비긴다면 己得, 헬렌, 활란으로 불리워지던 나는 인간 제일의 권리를 어렵지 않게 찾은 셈인지도 모른다. (중략) 어머니는 일편단심, 나를 기독교 속에서 키우고 기독교를 내 정신의 전부로 만들고 싶어 하셨다. 나는 종교라는 정신생활을 통하여 서양의 문명을 흡수하게 된 선택된 인간이었다고 생각한다. (중략) 진보란 좀더 새로운 진보를 위하여 언제나 갈망 속에서 살게 마련되어져 있는 것이다. **신앙을 통한 새로운 생활은 좀 더 다른 면에서 좀더 뜻있는 무엇을 찾아 움직이고 있었다. 그것은 배움이었다. 정신의 길을 닦아주는 지식에의 갈구였다. 이러한 욕구가 또 하나의 변혁을 우리집에 가져 온 것이다. 딸들을 학교로 보내는 일이었다.**[46] (강조는 필자가 함)

위 글에서 볼 때, 종교의 의미는 신앙적 차원을 넘어서 인간으로서의 기본권리, 서양문명의 흡수, 진보를 위한 갈망, 배움과 교육 등으로 이어지고 있음을 알 수 있다. 기독교가 여성에게 준 이러한 '혜택'은 당시 한국사회의 전통적 조건에서 부각된 현상이지 기독교 자체의 논리 속에서 필연적으로 귀결된 것은 아니었다고 할 수 있다. 그러나 여성들은 기독교를 매개로 하여 비로소 자기 자신을 발견하게 된 사례들이 많이 있으며,[47] 이러한 이유로 기독교계 여성들의 활동의 중심에는 문맹퇴치와 같은 기본적 계몽활동이 중요한 비중을 차지한다.

이러한 초기 기독교 계몽 활동들은 종교적 의미 자체보다도 여성들에게 있어서 종교외적 '自覺'의 의미가 컸다고 할 수 있다. 김활란은 한 잡지의 글에서 초기 선교사들의 활동에 대해 다음과 같이 쓰고 있다.

---

46) 김활란, 앞의 책, 33~34쪽.

47) 마동훈, 「개신교와 근대적 삶 - 전라북도의 경험을 중심으로」, 『신앙과 학문』 6(2), 2001년 겨울, 159~185쪽.

> 오늘에 이 이화전문을 낳은 이화학당은 벌서 지금으로부터 사십륙년 전에 세워젓든 것입니다. 사십륙년전이면 여자는 남자와도 도달러 나이 팔구세만 되어도 중문밖을 나서지 못하든 그 완고한 시대엿습니다. 그네들을 상대로 신식학교의 경영이란 거이 절망상태엿을 것은 누구나 상상할 수 잇습니다. 하물며 언어까지 상통하지 못하는 외국인으로서이리까……그네들은 조선에서 무슨보수를 바라는 계획은 애초부터 아니엇습니다. **오직 조선녀성들에게도 눈을 띄워주자. 조선사람 가정에도 조선사람 사회에도 광명이 오게 하자.** 하고 조선을 위해 몸과 마음과 물질을 받힌것 뿐입니다.[48] (강조는 필자가 함)

여성의 자각을 이끌어 낸 이러한 이미지는 개신교 교육활동을 진보적인 것으로 인식하도록 하는데 기여하였다. 그러나, 이를 다른 말로 바꾸면, 여성에 대한 대중교육이 확대되고 보편화 되면서 '탈전통적' 의미가 희석되어 감에 따라 종교성에 부수하여 나타나던 효과인 '진보성' 또한 쇠퇴해갔다고 볼 수 있을 것이다.[49]

3) 기독교적 근대와 '기독교적/ 계몽적 주부'

오히려, 초기에 부각된 탈전통성이 지닌 '진보성'은 기독교적 근대 안에 본격적으로 통합되면서 사회적 '보수성'에 의하여 대체되어갔다는 점을 지적할 필요가 있을 것이다. 이러한 기독교적 근대를 다룸에 있어 기독교적 근대와 때때로 동일시되는 '서구적 근대'와의 관계에 대

---

48) 김활란, 「梨花經營의 社會化」, 『신가정』 1933. 2, 79~81쪽.

49) 이러한 양상은 기독교 내부에서의 여성의 위상에서도 유사하게 관찰된다. 즉, 초기에는 기독교가 전통적 가부장제 하에서 남녀평등을 접하는 계기가 되었으나 점차 제도적 종교로 자리잡으면서 여성들이 주변부로 밀려나는 현상이 나타나게 되었다는 지적이 있다. 강영옥, 「한국기독교와 여성문화」, 『민족과 문화』 9, 2000. 12, 208쪽.

해 명료화할 필요가 있을 것이다. 기독교 여성 혹은 여성교육을 종종 '서구적'인 것과 동일시하기도 하지만, 그 '서구성'이 주로 선교사들에 의하여 매개되고 상징되고 있다는 점에서 실상은 매우 제한적 의미에서의 서구지향성이었음을 지적할 필요가 있다.

특히, 근우회에서 활발한 활동을 전개한 기독계 신여성들의 주된 활동을 살펴보면 그들 활동의 성격을 보다 잘 알 수 있다. 1927년 5월 29일에 결정된 근우회 신임집행위원회의 각 부서를 보면 다음과 같다.

서무부 : 박경식(상무), 조원숙(상무), 차사백
재무부 : 김선(상무), 우봉운, 최은희, 방신영
선전조직부 : 박신우(상무), 유각경, 정칠성, 정종명
교양부 : 황신덕(상무), 김동준, 김영순, 박원희
조사부 : 김활란(상무), 홍애시덕, 이현경
정치연구부 : 유영준(상무), 이덕요, 현덕신[50)]

이 중 그 종교 및 교육 관련 활동이 두드러진 기독교계 여성은 차사백, 김선, 방신영, 김영순, 현덕신, 홍애시덕, 유각경, 김활란 등이다.

이들의 활동은 기독교계열뿐 아니라 일반 신문, 잡지 등 각종 언론매체를 통하여 알려져 있고 이들 스스로가 기고를 통하여 자신들의 활동양상을 가시화 하고 있었다. 주로 언론에 드러난 사실을 토대로 그들의 활동 범위를 개관하면 다음과 같다.[51)]

車士百은 일본유학(大阪ランバス女學院)을 한 후 국내에서는 중앙보육학교 부교장을 역임하였고, 1938년 이후 일제의 가정보국운동에 참여하였다.[52)] 金善도 일본유학(神戶神學校) 출신[53)]으로 조선여자교

50)『동아일보』 1927. 5. 31.
51) 김활란의 이력은 비교적 잘 알려져 있어 여기서 언급하지 않았다.
52)「長安 紳士家庭 名簿」,『삼천리』 1940. 3. 1.

육협회(1920. 3 설립)[54] 등에 참여하여 생활개선과 야학 및 강습소 활동에 기반한 여성계몽활동에 종사하였고, 해방 직후에는 양로원, 맹아원 등의 문화, 종교, 농촌, 위생 등의 계몽활동을 명분으로 설립된 조선여자국민당(1945. 9, 위원장 임영신) 부위원장 및 건국부녀동맹(1945. 8. 17, 위원장 유영준)[55] 집행위원을 역임했다. 方信榮은 일본유학(榮養硏究所) 출신으로 정신여학교 교사를 지냈고, 당시에 요리전문가로 알려져 있었다.[56] 金英順의 경우 정신여학교 교사로[57] 1922년 5월 대한애국부인단 사건으로 황애시덕, 이정숙, 장선희 등과 함께 구속 수감된 바 있었고,[58] 1923년 8월에는 조선여자기독교청년연합회를 창설[59]하여 김활란, 김필례, 유각경 등과 함께 활동했다. 玄德信은 동경여자의학전문을 마친 후[60] 동경여자유학생친목회, 조선여자흥학회에 참여하였고,

---

53) 『별건곤』 1927. 2. 1, 21쪽.

54) 국사편찬위원회 편, 『한민족독립운동사』 9, 국사편찬위원회, 1991, 141~175쪽.

55) 『매일신보』 1945. 9. 15.

56) 「評判조흔 女先生님들, 京城 各 女學校」, 『별건곤』 1926. 12. 1, 64~65쪽.

57) 김영순, 「겹옷 실행, 다듬이 폐지」(상위제목 : 「인습타파 신생활창조의 제일보, 내가 새로 실행하는 일」), 『별건곤』 1927. 2. 1, 6~7쪽 ; 「아홉 女學校 빠사회 九景」, 『별건곤』 제4호, 1927. 2. 1, 53쪽.

58) 『동아일보』 1922. 5. 9.

59) 이 단체는 국제적 여성단체로 국내에서는 수양회, 하령회, 금주금연운동, 생활개선운동, 공창폐지운동, 여성지위향상운동, 지방여학생을 위한 기숙사 설치, 물산장려운동, 농촌계몽운동, 이재민구호 등의 사업을 하였다. 박용옥, 『한국여성항일운동사』, 지식산업사, 1996, 249~286쪽.

60) 현덕신 외에도 동경여자의학전문을 나온 여성은 허영숙, 이덕요, 유영준 등이 있다(『별건곤』 1927. 2. 1, 21쪽). 한 잡지의 기사에서는 1927년 현재 조선 내의 여의사를 18명으로 보고 있다. 또한, 현덕신, 이덕요, 허영숙에 대해 의학으로보다는 남편들의 직업(소설가 이광수, 기자 최원순 등)과 신문 잡지에 글을 많이 발표하기 때문에 알려져 있다고 평판을 쓰기도 하였다. "해내 해외에 헛허저 잇는 조선여의사 평판기. 해마다 늘어가는 그 수효 잇다금은 해외에서도 활동"(『별건곤』 1927. 3. 1, 73쪽).

의사활동을 하면서 기고활동을 하였다.[61] 홍애시덕은 이화학당 대학부(제8회) 졸업생으로 미국 시카고대학을 마쳤고, 조선여자기독연합회 간부[62]로 활동하였으며, 국내 유일한 여성 목사[63]로 알려져 있었다. 유각경은 중국유학 출신으로 조선여자기독청년회 회장,[64] 『신가정』 주필[65] 등을 역임하고 안국동유치원, 태화여학교 등에서 교육활동을 하였다.[66]

근우회 활동 당시 20~30대의 젊은 고학력 여성들이었던 이들의 주된 활동은 주로 종교・교육활동이며, 기독교적 계몽과 관련된 활동들을 하고 있음을 알 수 있다. 이들에게 있어 근대적 혹은 '문명적' 삶은 당시 의식주의 생활개선운동 등과 연관되어 있었다. 즉, 여권이나 성적 해방 등보다는 가정내에서 여성들이 의식주를 개량하고 자녀교육에서 개선해야 할 것들을 계몽하고 교육하는데 중요한 비중을 두고 있었다.

이들은 기독교 관련 강습회의 연사로 신문지상에서 그 활동이 자주 홍보되었고, 각종 잡지 등에 기고함으로써 사회적 명망을 지니고 있었다. 이들의 주요 관심영역을 살펴보기 위하여 그들이 기고한 글들의 제목을 『신여성』지를 중심으로 살펴보면 다음과 같다.

---

61) 현덕신은 한 글에서 결혼 전에는 독신을 동경했으나 사회를 알게 되고 결혼을 하지 않을 수 없음을 알게 되고 현재는 "가난한 신문기자(최원순)"와 함께 살지만 결혼후 더 사랑이 깊어지고 신뢰하는 마음이 생긴다고 하고 있다. 「결혼하기 전과 결혼한 후, 독신주의로부터 결혼에」, 『별건곤』 1927. 2. 1, 87쪽.

62) 「前衛女性團體의 陣容(3), 朝鮮女子基督聯合會」, 『삼천리』 제4권 제1호, 1932. 1. 1, 99쪽.

63) 「次代의 指導者 總觀」, 『삼천리』 제4권 제3호, 1932. 3. 1, 29쪽.

64) 『동아일보』 1923. 8. 30.

65) 『동아일보』 1921. 6. 28.

66) 『별건곤』 1927. 2. 1, 24쪽.

방신영, 「問題의 깃동정」, 『신여성』 1923. 11.
방신영, 「하기 쉬운 料理法」, 『신여성』 1924. 6.
김영순, 「내복과 압치마」, 『신여성』 1924. 11.
유각경, 「흉년과 사치와」, 『신여성』 1924. 12.
차사백, 「女子에게 緊要한 문제」, 『신여성』 1925. 5.
김선, 「(男便에게 대하야 사모하는 점)다정다감코 - 이원식씨부인」, 『신여성』 1926. 6.
유각경, 「(女性으로서 본 男子의 長處와 短處) 두가지 長處 세가지 短處」, 『신여성』 1926. 7.
김활란, 「似而非의 戀愛行動[제2부인에 대해]」, 『신여성』 1933. 2.
김활란, 「내 어머님, 女傑의 氣象을 가지섯소」, 『신여성』 1933. 12.
방신영, 「(Home section) 正月食卓」, 『신여성』 1934. 1.

당시 『신여성』지에 기고된 글들이 편차가 크지만 여성계의 각종 문제에 대한 다양한 견해들이 포괄되어 있는 것과 비교할 때, 위 여성들이 기고한 글의 수도 적은 편이지만 내용도 가정 영역과 관련한 것들을 주로 다루고 있음을 알 수 있다. 이들 여성들보다 한 세대 앞선 여성으로, 기독교 여성교육에서 선구자적 인물로 평가되는 하란사는 이화학당의 교사이며 최초의 미국 학사 출신으로 당대의 거인인 윤치호와 '여성교육 논쟁'을 벌인 바 있다. 이때 하란사는 근대적 여성교육의 목표가 '계몽적 주부'를 기르는데 있다고 분명하게 제시하고 있다. 기독교인으로서 하란사에게 이러한 계몽적 주부의 상은 동시에 '기독교적'이다. 즉, 필요에 따라 시어머니의 명령에 불복종할 수 있지만 그것은 전통적 규범체제 자체에 대한 거부라기보다는 비신자로서의 시어머니의 문화양식을 그대로 이어 받을 필요가 없기 때문이기도 한 것이다.[67)]

67) 윤치호가 1911년 7월호(『Korea Mission Field』, vol.7. no.7, 185~188쪽)에 쓴 "A

식민지시기 여성교육의 명시적 목표가 현모양처의 양성에 있기도 하였지만, 기독교 여성교육 또한 이와 다르지 않았다고 할 수 있다. 이러한 기조는 식민지시기 동안 근본적으로 변화하고 있지 않음을 알 수 있으며,[68] 오히려 1920년대 이후 기독교계에서 '절제운동'을 확대하고 농촌계몽운동을 추진하는 과정에서 이러한 경향은 보다 강화되었다고 할 수 있다.

4) 기독교계의 절제운동과 일제의 가정보국운동

근우회는 직업여성들의 모임인 망월구락부에서 1927년 1월 기독교계 여성들과 사회주의계 여성들이 뜻을 맞추어 성립되었으나 1928년 중반이후 중앙집행부가 사회주의진영에 의하여 장악되면서 기독교계 여성들은 근우회를 이탈하게 된다.[69] 특히 1928년 예루살렘 국제선교회에 YWCA 총무자격으로 신흥우, 양주삼, 정인과, 노블(Noble), 모펫

---

plea for industrial training"의 여성교육 부분에 대하여 하란사가 "A protest"라는 제목으로 12월호(vol.7 no.12, 1911. 12, 352~353쪽)에 반박문을 게재하였다.

68) 이는 선교사들의 교육목표이기도 하였다. 이화여전 교장인 아펜젤러(Appenzeller)는 이화여전을 졸업한 121명의 졸업생에 대해 언급하면서 그들의 진로 범위에 대해 다음과 같이 말한다. "대개 처음에는 교사가 되지만 얼마간 전업에 힘쓰다가는 출가해서 가정의 훌륭한 주부가 되지요. 그 다음에는 의사 혹은 간호부-또 유학하는 사람 공부하고 도라와서 학교일 보는 사람 농촌교육하는 사람 교회일 보는 사람 외국인의 어학선생 노릇 등을 하게 된담니다. 이렇케 한 개소에서 배출된 인물들이 이마큼 사회에 유익한 사업을 하거든 조선안에 고등교육기관이 만허서 여성들을 교육식힌다면 막대한 성과가 잇스리라고 단언합니다."(「조선여자고등교육문제」, 『삼천리』 제4권 제3호, 1932. 3. 1, 47쪽).

69) 1931년 한 잡지에서는 종교계(예수교)가 발끊고 나가고 부유한 여성은 흐지부지 나오지 않고 사회주의여성만이 잔류하였지만 하는 일도 없고 모이는 여성이 없으며 이름조차 일반인의 기억에서 사라졌다고 근우회를 평가하고 있다. 김선비, 「압흐로 근우회는 엇더케되나」, 『신가정』 1931. 10, 16~17쪽.

(Moffet) 등과 함께 참석하고 온 김활란은 농촌계몽운동을 본격화한 다.[70] 농촌국으로서 성공한 덴마크의 사례에 감화를 받아 전인구의 80%이상에 해당하는 농촌인구에 대해 단순한 문맹퇴치의 수준을 넘어서는 농촌계몽운동을 전개하고자 하였다. 문맹퇴치를 위한 여성야학 및 여성지도자 양성을 위한 강습소 등을 설치하고 '개척의식'을 심어주는 것을 목표로 활동하였다.[71] 농촌계몽운동 과정에서 농촌여성의 역할은 육아와 가사노동의 근대화를 이루는 것으로 규정되었다. 특히 질병과 전염병, 높은 유아사망률 등에 대응하기 위해 농촌여성에게 위생과 건강에 대한 상식을 가르쳐 농촌가정을 책임질 수 있게 하는 것을 기대하였고, 나아가 농촌가정의 근대화가 한국인의 실력 양성의 기초가 될 것이라고 보았다.[72] 김활란은 1930년 『긔독신보』에서 조선민족운동에서 농촌운동의 중요성과 여성 교양의 필요성에 대하여 다음 같

70) 이 대회에 조선예수교 연합공의회의 이름으로 가입하고 6명의 대표를 파견하였다. 이 회의는 당시 사회주의권의 부상과 국내 반기독교운동에 따라 위기에 처해 있던 기독교계의 진로에 중요한 영향을 준 것으로 평가된다. 이 회의에서는 인종문제, 산업문제, 농촌문제 등에 대하여 종래의 방관자적 태도를 벗어나 사회문제 해결을 위해 교회와 기관들이 연대활동을 전개할 것을 결의하였다. 이 대회에서는 51개국 대표가 모였고, 주요 의제로는 기독교와 타 종교 문명, 현대심리학과 교육원리, 근대 농촌문제와 공업문명, 선교사와 본교회와의 관계, 기독교의 학교・병원 경영 등 사회사업 문제 등을 다루었다. 정인과(조선주일학교 총무), 「만국종교대회에 갔다가, 유태 예루살렘에서 개최」, 『삼천리』 1929. 11. 13.

71) 교육의 내용으로는 일상생활의 가정상식, 요리, 재봉, 세탁, 육아, 가정위생, 가정부기, 역사, 지리, 동요, 동화, 유희, 가정부업 등을 다루었다. 윤정란, 앞의 책, 162쪽.

72) 김활란은 컬럼비아대학에서 농촌교육에 대한 박사학위논문을 썼다. 이 논문에서는 한국 농촌의 현실태를 분석하고 새로운 대책을 제시하고 있는데, 외국의 사례로 덴마크와 러시아를 언급하면서 이들 나라처럼 한국도 문화를 부흥해야 한다고 보고 있다. Helen Kiteuk Kim, *Rural Education for the Regeneration of Korea*, New York : Dunlap printing co., 1931, 116~118쪽.

이 쓰고 있다.

> 朝鮮民族運動에 八割以上되는 農民을 除外하고는 根本的問題解決이 못된다는 主唱下에 오날 各方面에서 農村事業에 置重하는것임니다. 갓흔 原則아래 우리 朝鮮女子運動도 至今出世하는 少數로는 根本的 解決을 차즐수업서 敎養運動이 第一步라고 합니다.[73]

한편, 1923년에 발족하여 활동을 개시한 조선여자기독교절제회[74]를 위시한 절제운동 또한 기독교 여성들에 의하여 전개된 중요한 사회활동이었는데,[75] 특히 1930년대에 들어 농촌계몽운동이 쇠퇴하면서 절제운동은 1932년경부터 대세를 이루게 된 것으로 평가된다. 농촌계몽운동의 쇠퇴는 일제가 1932년부터 전국 규모로 시작한 농촌진흥운동과 연관된다. 이 농촌진흥운동은 주로 '생활개선' 즉 관혼상제의 간소화, 단발장려, 금주금연, 도박금지, 미신타파 등에 초점을 맞추어 진행되었으며 한국인들에 의한 농촌지도활동을 방해하였다.[76]

---

73) 김활란, 「朝鮮女子運動의 今後」, 『긔독신보』 1930. 1. 1.

74) 이미 여자선교사들에 의해 1911년에 절제운동을 위한 지회가 한국에 설립되었으나, 한국여성들을 중심으로 한 조직은 1923년 조선여자기독교절제회의 설립으로 나타났다. 이 회는 금주와 금연 등을 목적으로 설립되어 지방순회강연 등을 하였고, 손메례(손마리아), 유각경, 최활란 등이 주도적으로 참여하였다(『동아일보』 1923. 10. 15 ; 『동아일보』 1923. 11. 1). 한 기독교신문 사설은 여자가 남자보다 인내심이 많고 금지시킬 특권과 의무가 있다고 하며 남자의 음주 등으로 인해 피해를 입는 것이 주로 여성이므로 그것을 금지하도록 하므로써 풍화를 신성하게 할 공이 여성에게 있다고 보기도 한다(『긔독신보』 1924. 11. 12).

75) 1920년대 절제회운동에 주도적으로 관여한 손메례는 술이 사망률을 증가하게 하는 이유라고 하면서 肉과 靈을 살리고 죽어가는 조선을 살리는 운동이 금주운동이라고 보고 있다. 손메례, 「조선의 금주운동」, 『긔독신보』 1930. 4. 30.

76) 중등학교 각급교장등에게 관에서 주도하는 농촌진흥운동 이외에는 어떤 계몽운동에도 참여하는 것을 금하도록 조치하기도 하였다(『동아일보』 1934. 7. 4).

농촌운동 쇠퇴 이후 기독교 내부에서는 1928년 이후 다시 전개된 사회주의자들에 의한 제2차 반기독교운동과 1930년대 초반 신비주의적 소종파운동의 발흥에 대한 대응의 차원에서 1932년 조선예수교 연합공의회가 '사회신조'를 채택함으로써 절제운동이 활성화되었다. 사회신조는 반유물주의를 채택하고 오직 기독교만이 사회를 구원할 수 있다는 점을 표명하면서 사회문제 해결을 위해 적극 동참하자고 주장하였고, 절제운동에 대한 대폭적 지지로 이어졌다. 특히 1930년대 초 도시화와 공업화 등에 따라 소위 도시 퇴폐문화가 확대되면서 절제운동의 활성화 요인이 되었다고 보기도 한다.[77]

절제운동의 내용에는 크게 금주금연운동, 공창폐지운동, 합리적 소비절약운동(시간의 절제, 의복의 절제, 음식의 절제 등), 아편추방운동 등이 있다. 미국 여성기독교절제운동연합(Women's Christian Temperance Union, WCTU)의 지원을 받아 1923년에 설립된 이래 전국과 만주에 걸쳐 115개의 지회와 2,600명의 회원을 보유하고 있었다고 하며 주요 활동은 지회설립, 절제강연, 공창폐지(廓淸會라는 부서에서 전담), 소년소녀지도, 영아부, 물산장려, 잡지발간, 정기시위행렬(정초, 단오, 추석) 등을 하였다.[78] 이러한 절제운동은 1937년 일제가 중일전쟁을 일으키기 전까지 기독교여성들이 전개한 대표적 사회운동이기도 하다.

기독교에서의 절제운동(temperance movement)은 19세기 중후반에 미국에서 활발히 전개된 것으로, 여성들을 조직화한 운동으로 초기 여성운동 과정에서 중요하게 언급되기도 한다. 여성들이 절제운동에 관여하는 것이 용이했던 것은 그것이 그 당시 여성들에게 기대되던 가정

77) 이용도, 황국주, 유명화, 한준명 등에 의한 운동으로 현상에 대한 관심보다 내면의 세계에 강조를 두어 경건에 이르는 강력한 훈련을 주된 관심으로 하였다(윤정란, 앞의 책, 174~177쪽).

78) 「조선여자절제회」, 『신가정』 1933. 4, 49~50쪽.

내 성역할과 일치했기 때문이라고 할 수 있다. 즉, 절제운동의 목표는 "가정을 지키고, 가족을 보호하고, 이러한 도덕적이고 가정적인 가치들을 강화"하는 것으로 여성들이 자신들의 영역 내에서 힘을 가질 수 있게 하는 요인이 되었고, 특히 초기 운동 과정에서 금주운동 등은 당시 남성권력에 대한 간접적인 도전이기도 하였다는 평가가 있다.[79] 미국에서의 절제운동은 1880년대 이후 가정보호라는 여성의 전통적 역할을 수행하기 위해 필요하다는 차원에서 여성참정권운동에 기본적으로 동의하였지만 여성권리 신장을 위한 정치적 해방운동이나 성적 해방운동에 대해서는 무관심하거나 부정적이었다. 또한 미국에서의 여성기독교절제운동연합(WCTU)은 당시의 여성참정권운동과 조직적 연계가 없었던 것으로 평가된다.[80]

절제운동이 지니는 이러한 성격은 기독교 진영 내에서 여성의 지위 향상 등을 이해하는 방식이 '종교적'으로 이해되어야 함을 시사한다. 즉, 19세기 기독교적 여성관은 산업화에 따른 가치의 황폐화에 대응하여 여성과 가정의 도덕적 우월성을 부각한 '가정성의 찬미'(the cult of domesticity) 논리[81] 속에서 이해되어야 하며, 이는 당시 부상하고 있던 여성참정권운동의 논리와는 상당히 다른 기초를 가지고 있음을 분명히 해야 하는 것이다.

1937년 중일전쟁 이후 본격화된 일제의 家庭報國運動에 의해 기독

---

79) Steven M. Beuchler, *Women's movements in the United States*, New Brunswick : Rutgers University Press, 1990, 15~16쪽.

80) Beuchler, 위의 책, 52~53쪽.

81) 이 가정성 찬미 논리는 19세기 영미를 중심으로 영향력을 크게 발휘하였던 논리로 미국의 초등교육(common school) 보급과정에서 여성의 종교성, 도덕성과 교육자로서의 역할을 부각하여 교직의 여성화를 이끌어낸 배경이 되기도 하였다. 이윤미, 「19세기 미국에서의 교직 여성화의 논리와 교직관의 변화」, 『한국교육사학』 21, 1999, 141~152쪽.

교 여성들에 의해 활발히 전개되던 절제운동은 일제의 관제운동에 일부 포섭되었다. 1938년 9월 일제는 '가정보국운동으로서의 국민생활의 기본양식'을 제정하였다. 이에 따른 의례는 매월 1일 가정에서 황거요배, 축제일의 국기게양, 총독부 의례준칙 준수, 혼상례의 간소화, 누습타파, 시간엄수, 근로정신 함양, 식사간소화(국 한 그릇, 찬 하나), 주부 직접 시장보기 등이었으며, 이를 선전하기 위하여 순회강연반을 결성하여 홍보하였다. 1938년부터 13도를 순회한 강연반 명단은 송금선(경기도), 고황경, 송승원(전남북), 김활란(경남), 서은숙(경북), 김현실(강원), 조은홍(황해), 손정규(평남북), 이숙종, 차사백(함남북) 등이다.[82]

전쟁발발에 따른 비상시국에서 여성지도자들은 가정경제를 계획적으로 운영하고 절제해야 한다는 논조의 주장들을 하고 있다. 1938년 유각경은 조선여자청년회 총무 자격으로, 한 잡지에 「시국과 여성의 각성」이라는 제목으로 다음과 같이 쓰고 있다.

> 남성도 一介 인격이오 여성도 一介의 인격이니 그 두 인격은 그 본분이 각각 다름을 말하고저 합니다. 이 두 인격의 본분이 다름에 비로소 두 인격의 고귀한 점이 있으며 각자가 충분히 그 본분을 직힘으로써 서로 도음이 되고 이 도음이 합할 때에 비로소 국가사회는 유지되고 국가 발전의 기초는 이루어지는 것임니다. (중략) 그러니까 전쟁하는 것은 남자에게 맛기고 총후 여성의 할 바로 말하면 첫재로 제일 중요한 것은 가정을 잘 직히여 家産을 보관하고 제2세 국민을 고상한 정신과 건강한 육체의 소유자로 길너놋는 것이 여성의 각오할 바 중에 가장 중요한 일인줄 압니다. (중략) 둘째로 근검절약적 정신에 대해서 말하고저 함니다.……佛蘭西 여자들이 치마를 짧게 하여 국난 구조의 한 도움이라도 주겠다는 여긔에 여자 독특하고 정밀한 정신이 숨어있

82) 10월 7일부터 1주일간 부인강사 10명을 동원한 순회강연회를 통하여 國民精神作興週間을 전국에 일제히 실시하였다. 『조선일보』 1938. 10. 30.

> 다고 나는 생각합니다.……그래서 금일 총후에 半島 여성도 사치한 의복을 질박한 것으로 곳치며 色衣를 장려하며 금전과 시간을 동시 절약하야 저 佛蘭西 여성과 같은 업적을 남긴다는 赤誠으로 행하여야겠습니다. 조선 俗語에 집이 가난하면 어진 어머니를 생각하고 국가가 어지러우면 어진 재상을 생각한다고 한 것을 보면 고금을 물론하고 곤란을 당하면 총동원이 없이는 成事가 어려운 것을 깨닫겠습니다.[83)]

절제운동과 가정보국운동의 논리가 정치적으로 지니는 함의는 다르며, 비상 상황에서 일제의 강제에 의하여 포섭된 측면이 있지만 그 실천논리상의 유사성 때문에 양자간의 접맥이 쉬웠다고도 할 수 있을 것이다. 즉, 기독교의 절제운동에서 강조한 생활개선 논리는 물자절약, 저축 등을 강조한 일제의 가정보국 논리와 내용적인 접점으로 인하여 결과적으로 식민지권력 담론 안에 포섭되기 용이한 조건을 갖추고 있었다고 볼 수 있다.

5) 문명의 방향으로서의 근대와 '서구적 근대'

당시 선교사들에 의해 직접적으로 전파되고 확산된 기독교는 '서구친화적' 이미지를 지니고 있었음에 틀림이 없다. 따라서 당시 기독교 신여성들에게 문명의 지표는 서구문화였다고 해도 과언이 아닐 것이다. 그러나, 이들이 서구의 문화 일반 혹은 서구문명 일반을 절대시하였다고 단정할 수는 없다. 이들이 수용하고 있었던 근대는 다분히 제한적 의미에서 서구적이었으며, 그 본질은 서구적이라기보다는 기독교적이라고 해야 할 것이다.

오히려, 그들이 수용하는 근대의 성격은 외관상의 동/서문명관으로

---

83) 『삼천리』 제10권 제8호, 1938. 8. 1, 195~196쪽.

부터 파악되기보다는 '인식론적'으로 접근되어야 할 것이라고 본다. 이들에게 있어 '근대'는 어떤 특정한 문명 그 자체라기보다는 일정한 문명의 방향이었다. 아래의 글은 1921년 김활란이 『긔독신보』에 게재한 것이다.

> 텬디만물이 챵조되고 세계력ᄉᆞ가 잇슨후에 나라면 나라 민족이면 민족마다……세계에 항샹웃둠이 되고 십허홈은 과거와 현재를 밀우워 의심치 아니할 ᄉᆞ실이라. 그러나 그 욕망을 다갓치 달ᄒᆞ지 못ᄒᆞ고 우승렬패의 차별이 잇스며 일셩일쇠의 간단이 잇슴은 그 원인이 허다ᄒᆞᆫ 즁 한가지로 드러 말ᄒᆞ면 다름이 아니라 그 민족의 다수가 생명의 의의를 리해ᄒᆞ며 자긔의 분능을 원만히 발휘ᄒᆞ지 못함에 잇다고홈니다.[84)]

민족의 다수가 생명의 의의를 이해하며 자기의 능력을 원만히 발휘한 결과로 현재 우승열패의 차별이 있으므로 우리도 그것을 추구해야 할 것이라는 논리는 19세기 말 이래 지식인들 사이에서 지배적으로 나타난 사회진화론적 논리이다. 종교적으로 볼 때 진화론이 창조론과 대립하는 입장임에도 불구하고 기독교 신문들이 '생존경쟁', '우승열패'라는 용어를 사용하는 점은 주목된다.[85)] 그러한 용어들은 종교와 대립하는 용어로 인식되지 않고 문명에 대한 정당한 설명 논리로 이해되고 있음을 알 수 있다.

즉, 근대는 생존경쟁에서 우위를 확보한 자들의 문화이며, 우리에게

---

84) 김활란, 「家庭에 對ᄒᆞᆫ 要求(一)」, 『긔독신보』 1921. 12. 14.

85) 『긔독신보』의 한 사설은 사회개조운동의 두 문제로 빵의 문제와 성의 문제를 들면서 전자는 "生存競爭과 自然淘汰의 문제", 후자는 "성의 雌雄淘汰적 문제"라는 식으로 소위 사회진화론적 용어들을 사용한다(『긔독신보』 1922. 10. 31).

있어서의 근대는 생존경쟁에서 도태되지 않기 위한 능력을 기르는 것을 의미하는 것이었다. 이들의 인식에는 문명의 방향으로서 서구적 근대가 중요한 기준으로 자리잡고 있기는 하지만, 그것은 일본식 근대 혹은 식민지 권력의 기초가 되는 근대와 근본적으로 모순되지는 않는다. 태평양전쟁 이후 일부 기독교계 지도 인사들이 취한 명백히 친일적인 태도는 친미와 친일 사이에서의 모순적 이동으로 파악될 수도 있지만, 이러한 친화성의 기반에는 문명의 방향으로서의 인식론적 근대가 자리 잡고 있는 것이다.

5. 맺음말

기독교는 남녀평등을 소개하고 여성교육을 확산한 공헌자이자 서구적 근대문명의 매개자로 인식되면서도 한편으로는 보수적 사회관 등으로 인하여 식민지하에서 모순적 위상을 가지고 있었던 것이 사실이다. 이러한 기독교 신여성들의 근대인식의 차원들을 그들이 체험한 공간의 성격과 그들의 구체적 활동, 그리고 이상적으로 생각한 근대의 모습을 통해서 파악하고자 하였다.

기독교 신여성은 그들의 서구친화적 이미지로 인하여 서구적 근대와 관련하여 논의되기도 하지만, 실제로 이들의 근대관은 제한적 의미의 서구문화인 기독교적 범위 안에서 규정되고 있음을 확인할 수 있다. 기독교가 전통사회와의 관계에서 지니고 있던 대체적 이념으로서의 성격 때문에 여성에게 있어서는 종교적 효과에 부수적으로 '남녀평등' 관념을 제공하는 나름대로의 '진보성'을 가진 측면도 있었다. 그러나, 이러한 '진보적' 효과는 기독교의 초기 보급을 통해 나타났던 변화들이—대중교육의 보급 등을 통하여—일반화 하면서 기독교 논리 자체가 지닌 사회적 보수성으로 대체되어갔다고 할 수 있다.

여성의 가정성(domesticity)을 도덕적으로 강조하는 기독교적 이념에 의하여 '계몽적 주부'로서의 위상이 중시되었고, 기독교 신여성의 활동은 생활개선운동, 절제운동 등의 형태로 나타났다. 이러한 가정성에 기초한 실천 논리는 그 정치적 함의는 다르지만 1930년대 후반 이후 일제의 가정보국운동 등 식민지권력에 의하여 규정된 여성상에 접맥되기 쉬운 성격을 지니고 있었다. 따라서, 여성교육과 관련하여 자주 가정되는 '기독교=서구=진보적'이라는 암묵적 등식 안에는 비약이 있음을 알 수 있으며, 여성교육의 목표나 효과와 관련해 볼 때 이 등식은 성립하기 어려움을 알 수 있다.

외견상 '친미'에서 '친일'로의 모순적 이동으로 보일 수 있는 일부 지도자급 여성들의 식민지 후반기의 행적은 그들이 추구한 근대성의 성격을 드러내준다. 그들의 행적을 모순적 이동으로만 보기 어려운 것은 그들의 근대관이 '서구적 근대' 그 자체였다기보다는 '문명의 방향'으로서의 사회진화론적 근대인식 안에서 '기독교적으로 제한된' 의미의 서구적 근대였기 때문이며, 특히 여성관과 관련해서는 일제의 근대화 프로젝트 안에서 규정된 여성성과 기본적으로 접맥하기 쉬웠다는 점을 지적할 수 있을 것이다.[86]

---

86) 특히, '서구친화성'이 지닌 정치적 의미는 일제하에서보다는 해방후 '서구적 근대'가 '권력화'함으로써 더 명확히 부각된다고 할 수 있을 것이다. 미군정기 잡지에 소위 '여대생들의 미국문화 선호 경향'을 비판하는 한 글에서 모여대생들이 '양키차'인 '찌프차'를 타고 남학생들과 설전을 하며 욕을 하는 사태를 보고 여대생들의 '문란함'을 비판하고 있는데, 양키문화, 풍기문란과 서구화한 여성의 이미지를 직접적으로 연결하고 있는 비판의 방식은 미군정기간의 친미, 반미 담론들 안에 여성담론이 배치되고 있는 다분히 복잡한 방식을 보여준다. '서구지향성'의 효과가 해방 이후 재설정된 권력관계 안에서 사회적 담론으로 나타나는 방식이 흥미롭게 표상된 것이라고 볼 수 있을 것이다. 林肯載, 「학원과 여학생의 풍기문제」, 『大朝』 제15호, 1947. 8.

식민지 시대 소설에 나타난 사회주의자의 형상 연구
－김남천 소설을 중심으로

공 임 순*

1. 들어가며 : 죄수의 형상과 구분짓기의 위계화

1943년 11월 10일 (水)

(중략) 창으로는 반달이 보이는 것이 첫날밤의 풍치요 새 인상이었다. 일찍 북창에서는 볼 수 없던 일이다. 오래간만에 찾은 달이건만 실각한 자처럼 무감하게 앉아 있으니 애수도 없고 수상도 없다. 별도 보이건만 허망한 공간으로 유형의 토선에 실려 나는 가고 있다. 어찌하랴. 이 답답한 정상을! 어디로 가야 하나? 문득 변기에 올라서니 남산정상이 보였다. 대제국을 수호하시는 신이 안주하시는 곳! 여기 그 성지가 있었구나. 아침저녁으로 많은 사람들이 참배하여 조국이 같음을 실현하고자 협력하는데, 나는 잘못 가다가 빨리 뒷걸음질 못해서 동지들을 잃고 여기 잡혀 왔다. 나는 나에게서 벗어나지 못했다. 또 역사에서 피하지도 못했다. 사람들은 성공했는데, 나는 실패했다. 어떻게 해야 참회될 것인가. 나는 다만 절망된 상황 밑에 있을 뿐이다. 나를 어서 변경시켜라. 엄한 벌과 더 좁은 방에서 나를 개조하라. 오! 전능한 자여!

---

* 성신여자대학교 인문과학연구소 연구원, 국문학

위의 인용문은 1943년과 44년 서대문 감옥에 갇힌 김광섭의 「옥창일기(獄窓日記)」 중 한 부분이다. 『나의 옥중기』라는 제목으로 1976년에 출간된 김광섭의 1943년과 44년 일기는 다면적인 독해를 필요로 한다.[1] 1943년과 1976년간의 시간적 격차는 시간에 따른 변용과 재구성을 시사하기 때문이다. 더구나 그의 일기는 일기라는 독특한 사회적 형식을 갖고 있다. 게오르그 짐멜은 근대의 인간관계를 규정하는 상호 형태들 가운데, 일기와 유사한 편지의 표현 형식을 다음과 같이 설명했다. “편지는 원칙적으로 단지 우리의 순간적인 표상의 순수하고 객관적인 내용만을 제공하고, 말할 수 없거나 말할 의지가 없는 것에 대해서는 침묵을 지킨다. 하지만 편지는 전적으로 주관적이고 순간적이며 또한 오로지 개인적인 그 무엇이라는 특징도 지니고 있다.”[2] 짐멜이 편지의 사회적 형식을 통해 말하고자 한 것은 편지의 이중성, 즉 주관적인 것의 객관화였다. 편지의 이런 이중적 속성은 김광섭의 일기를 분석하는 데도 유용한 참조점이 되리라고 본다.

일기는 문자 자체라는 점에서 ‘공공적’이지만, 동시에 인간의 가장 내밀한 기록이라는 점에서 ‘사적인’ 성격을 강하게 띠고 있다. 이 말은 곧 일기는 타인(넓게는 발언과 출판을 매개하는 사회)을 상대로 ‘해도 될 말’과 ‘하지 말아야 할 말’의 엄격한 내적 검열을 작동시키고 있으면서 동시에 한 개인의 숨김없는 고백과 토로라는 주관적 개별성으로 인해 그 내적 진실성을 의심받지 않는다는 뜻이다. 1943년과 1944년의 한 지점에 김광섭의 일기를 온전히 귀속시킬 수 없는 이유라면, 그의 발언이 이러한 외적 규제와 단속으로부터 이미 정제된 형태로 독자에게 제시된다는 사적 진실과 공적 언급의 복합적 커뮤니케이션의 효과

1) 김광섭, 『나의 옥중기 - 일기, 수기, 자전적 에세이』, 창작과 비평, 1976, 51~52쪽.

2) 게오르그 짐멜, 『짐멜의 모더니티 읽기』, 새물결, 2005, 197쪽.

때문이다. 이 점을 십분 감안하더라도, 굳이 그의 일기로 첫 머리를 삼은 것은 1940년을 전후한 식민지 조선과 식민지 조선 지식인들의 심정한 자락을 들여다보기 위해서이다.

첫 머리에 인용한 김광섭의 일기는 모순적인 분열과 갈등의 시선을 고스란히 드러낸다. 남산 정상은 조선신궁이 자리한 곳이다. 남산 정상의 조선신궁은 조국이 갈음을 보여주는 상징적인 구현물이라고 할 수 있다. 조선신궁이 굽어보는 철창 안에서 그는 조국(제국 일본)과 자신 사이에 놓인 간극을 뼈저리게 인식한다. 국가가 요구하는 이상적 형상과 자신 사이에 놓인 엄연한 차이와 재빠르게 뒷걸음질치지 못해서 역사의 죄인으로 소환된 자신에 대한 서글픈 비애가 진하게 묻어난다. 그는 철창에 갇힌 죄수이다. 죄수라는 물적 표지는 그의 육체성에 들러붙은 일종의 낙인과도 같다. 구외로 나가 작업하는 그의 시선은 "몸뻬로 국방 체제를 갖춘" 여성들과 "굳건한 국방인"이 된 남성들이 자신을 죄수로 쳐다본다는 모종의 자의식과 긴밀하게 연관되어 있다. 죄수라는 움직일 수 없는 육체적 표지가 그를 타자의 시선에 노출된 구경거리로 전락시킨다. 이 전락은 고립과 격리를 동반한다. 동물과 인간을 왕복하는 그의 분열증적 심리는 그가 타자의 구경거리로 전락했다는 냉혹한 현실과 결코 무관하지 않다. 세상의 흐름에서 탈락/배제되었다는 무력함과 구경거리로 전락한 자신의 원초적 육체성에 대한 민감한 자의식은 "동물화"에 대한 그의 공포와 불안 심리로 극명하게 표출된다. 그의 말대로 동물화는 인간을 비굴하게 만들고, "비굴하다는 것은 실로 약자에게 가장 편리한 기술이기"(150쪽) 때문이다.

'개'나 '벌레'와 같은 기형적 존재로 변해가고 있는 자신에 대한 연민이 김광섭의 일기를 관통하고 있는 것은 사실이지만, 그러나 동물로 추락할지도 모를 자신과 다른 죄수들을 구분하는 기제로 그는 '점잖음'을 든다. "몸을 보면 생김생김이 고르지 못해서 그러한 비정상형을 범죄형이라고 할까, 범행한 사람들을 보면 균형이라는 것이 어려운 것이라는 것을 알게 된다. 대개는 눈이 적거나 우묵하게 꺼져 들어갔거나 눈썹이 많다.……이렇게 보면 범죄형이란 불균형, 부조화이다."(154쪽)에서 그는 범죄형을 불균형·부조화와 등치시키고 있다. 죄수인 그의 기형성과 그가 다른 죄수들을 관찰한 결과로 내놓은 범죄형은 정상성에 못 미치는 결핍과 부재를 동반하고 있다는 점에서 거의 아무런 차별성이 없다. 죄수라는 동질성을 세분화할 다른 잣대가 필요하다. 이것이 '점잖음'이다. "그게 무어야……점잖지 못하게……나는 아무 대답도 못했다. 그러나 <점잖지 못하게>라는 바람에 약간의 안도감은 가졌다."(71쪽)

점잖음은 그가 감옥 내에서 보다 나은 자리를 확보하고 특권화된 시선을 보장하는 핵심적인 방어 기제이기 때문에, 점잖음에 대한 그의 애착은 때로 유별난 감이 없지 않다. 김광섭의 「옥창일기」는 사회주의와 민족주의 같은 이념이 더 이상 유효하지 않은 전체주의의 시대적 억압 속에서 식민지 조선의 지식인들이 공히 나누었던 모순적인 심리의 한 자락을 보여준다. 과도한 기괴함과 결부된 침묵하는 죄수의 형상은 제국과의 관계에서 언제나 넘치거나 모자란 식민지(혹은 식민지 민중)의 존재 자체이며, 이 사이에서 식민지 조선의 지식인들은 이 빈곤과 과도함의 열등한 자질을 상쇄하고 보상할 물적·심리적 기제를 구축해야 했다. 김광섭의 경우라면 일상 세계와 격리된 고도의 통제기구인 감옥에서 죄수의 '죄수성'을 끊임없이 확인받는 매순간을 그나마 '점잖음'이라는 인간적 자질로 동물로 추락할지도 모르는 자신을 방어한다는 약자의 윤리를 방패막이 삼아 외적 세계와 최소한의 심리적 거리를 유지한다. 따라서 그의 내면, 아니 그의 내면적 리얼리티는 그가 감방의 죄수이자 국가의 죄인이라는 심리적 위축과 손상을 '점잖음'으로 가까스로 만회하는 데서 창출되는 것이며, 이 때문에 그의 심리적 리얼리티는 그의 죄의식과 공명하여 국가의 폭력과 약자의 젠더화된 표상과 죄수라는 침묵/결여의 시각적 전시가 맞물린 독특한 전향[3)]의 풍경을 형성하게 된다. 이 글은 일상의 부단한 반성과 생산적 실천이 국가의 전체 요구로 일원화되었던 대량전향의 시기에 김남천의 소설을 중심으로 전향 이후 사회주의자의 형상을 드러난 것과 드러나지 않은 것 간의 긴장과 배리에 입각해서 한번 접근해보려고 한다. 드러난 것은 항상 드러나지 않는 발화자의 시선/욕망과의 상관성 하에서만 존재하기 때문이다. 세밀한 묘사가 감추고 봉쇄하고 있는 폭력과 자기 위안의 메커니즘을 추적하는 것이 이 글의 목적이다. 여기에는 묘사와 폭력 그리고 젠더화의 기제가 동시적으로 착종되어 있다. 다음 장에서 이어질 내용은 이것이다.

2. 현실의 무자비한 고발과 '리얼(real)하다'는 것의 의미

김남천의 비평과 관련해서는 많은 연구가 축적되었다. 기존의 연구 성과가 제시하듯이, 김남천은 급변하는 시대 정세 속에서 창작과 비평의 활로를 개척하기 위해 다방면으로 노력한 인물이다.[4)] 그의 창작방

---

3) 중일전쟁 이후로 전쟁의 가속화와 장기화는 전향을 일상적인 움직임으로 만들었다. 국가에 대한 적극적인 보국은 여하한 무위와 방관도 허용하지 않는 일상의 부단한 반성과 실천의 수행으로 나타났고, 총력전 체제는 이러한 전향의 영구적인 쇄신과 개조를 토대로 가동되고 재구축된다. 여기서 말하는 '전향'은 총력전 체제에서 요구된 전국민의 전향화라는 폭넓은 의미를 담고 있다.

4) 김윤식, 『한국근대문예비평사연구』, 일지사, 1976 ; 강영주, 『한국 역사소설의 재인식』, 창작과 비평사, 1991 ; 임한모, 『문학적 이념과 비평적 지성』, 태학사, 1993 ; 최유찬, 「1930년대 한국 리얼리즘론 연구」, 연세대 박사학위논문, 1987 ; 채호석, 「김남천 창작방법론 연구」, 서울대 석사학위논문, 1987 ; 이상

법론과 비평적 개입을 어떻게 평가할 것인지는 제국과 식민성에 대한 새로운 문제제기가 도출되면서, 리얼리즘의 변모와 갱신에 주로 초점을 맞추었던 문학사 위주의 연구 경향들을 넘어서고 있다. 이것은 물론 기존의 문학사 연구들이 제국과 식민성의 문제를 사유하지 않았다는 뜻이 아니다. 오히려 문학사를 형성하는 주조음으로 깔려 있었다고 해야 타당할 것이다.

그럼에도 현재 제기되는 제국과 식민성의 문제는 식민지 조선과 제국 일본 간의 이자적 관계를 벗어나 세계를 시야에 넣는 '제국 주체'의 열망과 좌절을 적극적으로 탐구하고 있다.[5] 식민지 조선의 지식인들은 1937년 중일전쟁 이후 급속하게 재편되는 세계판도 속에서 세계와 동양 그리고 식민지 조선의 다자적 관계를 재인식하고 재구축해야 할 어려운 과제에 직면하게 된다. 여기에는 변화된 시대상에 조응하는 새로운 주체의 재건과 모색이라는 시대사적 요청도 포함된다. 국가(제국 일본)가 강제적인 처벌과 단죄를 통해 가시화하는 바람직한 국민의 형상과 이와 대조되는 배제하거나 척결해야 할 부정적인 국민의 표상은 민족, 사회 그리고 개인의 경계/보존과 관련해서 이전과는 다른 질적 전환을 예비하고 있었던 것이다. 국민이란 현재의 실재성이라는 여과 장

갑, 「1930년대 후반 창작방법론 연구」, 고려대 박사학위논문, 1994 등 많은 기존 논의들이 존재한다.

5) 이 부분에 대해서는 김윤식의 『임화연구』를 들 수 있다. 그는 「맥」의 다원사관이 동양학의 건설과 관계되었다고 본다. 그러나 이 지적은 여기서 그친다. 「맥」에서 보이는 다원사관을 근대초극론과 연결시켜 적극적으로 탐구한 연구로는 김철, 「근대의 초극, 낭비, 그리고 베네치아」, 『국민이라는 노예』, 삼인, 2005 ; 정종현, 「폭력의 예감과 동양론의 매혹」, 『한국문학평론』, 2003 ; 이철호, 「동양, 제국, 식민주체의 신생 - 1930년대 후반 김남천과 김사량 소설을 중심으로」, 『한국문학연구』, 2003. 12 ; 공임순, 「자기의 서벌턴화와 코스모폴리탄이라는 이념형」, 『상허학보』, 2005. 3 ; 차승기, 「임화와 김남천, 또는 세태와 풍속의 거리」, 『한국문학연구』 25집, 2005 등이다.

치에 의해 선별되어 부활·발견·창조되는 전통이나 신화, 기억에서 만들어지며, 이런 여과장치의 얼개도 선험적으로 주어진 것이 아니라 여러 계급이나 집단, 인종이나 젠더, 나아가 지정학적 헤게모니 투쟁에 의해 바뀌어가는 가변적 메커니즘임을 강상중은 날카롭게 지적한다. 그는 국민을 창출하는 현실적 헤게모니의 형성에 결정적인 역할을 하는 집단, 그것은 바로 지식인이라고 본다. 그의 주장에 따르면, (국민)교육자로서 지식인은 헤게모니 투쟁을 둘러싼 당대의 정치·사회적 맥락에서 핵심적인 역할을 담당한다.[6] 따라서 지식인, 특히 본 논문이 중심으로 삼는 문학인들의 동향은 이런 대내외적 상황을 둘러싼 매우 복합적인 면모를 정초하게 된다.

중일전쟁기가 이전까지의 '동요모색'의 시기와 완전히 구분되는 '대량전향'의 시대라고 할 때,[7] 전향과 전향자는 비단 실제 작가나 사상가들에게만 국한되지 않는다. 구 카프 계열의 작가들은 전향한 지식인들을 주인공으로 해서 여러 편의 소설들을 발표하기 시작한다. 김남천은 전향 지식인을 소설화한 한설야와 이기영의 작품을 논평하면서, 다음과 같이 언급하고 있다.

> 일체를 잔인하게 무자비하게 고발하는 정신, 모든 것을 끝까지 추급하고 그곳에서 영위되는 가지각색의 생활을 뿌리째 파서 펼쳐 보이려는 정열－이것에 의하여 정체되고 퇴영한 프로문학은 한 개의 유파로서가 아니라 시민문학의 뒤를 낳는 역사적인 존재로서 자신을 추진시킬 수 있을 것이다. 이 길을 예술적으로 실천하는 곳에서 문학의 사회적 기능도 다할 수 있을 것이다.[8]

---

6) 강상중, 『내셔널리즘』, 이산, 2004, 45～46쪽.

7) 홍종욱, 「중일 전쟁기(1937-1941) 조선 사회주의자들의 전향과 그 논리」, 『한국사론』 44호, 2000.

8) 김남천, 「고발의 정신과 작가」, 『조선일보』 1937. 6. 5(『김남천 전집 1』, 박이

김남천은 한설야와 이기영이 리얼리즘 문학을 사소설로 환원시키는 경향이 있음을 비판적으로 평가한다. 김남천은 리얼리즘 문학이 사소설로 경사되는 것을 막기 위해 신 창작 방법론을 제안하고 있는데, 그가 의미하는 신 창작 방법론은 "일체의 것을 잔인하게 무자비하게 고발하는 정신"이다. "모든 것을 끝까지 추급해서 그곳에서 영위되는 가지각색의 생활을 뿌리째 파서 보이려는 정열"만이 "이 땅의 사실주의 작가들이 시대에 뒤떨어지지 않고 그와 동시에 혹은 앞서서 걸어가기 위한 기준"을 마련할 수 있다. 김남천의 자기 고발은 "지식계급도 사회주의자도 민족주의자도 시민도 관리도 소작인도 그리고 그들이 싸고도는 모든 생활과 갈등과 도덕과 세상관이 날카롭게 추궁되어 준엄하게 고발되어야 할 것"으로 이어진다. 일체의 것을 잔인하게 고발하는 정신은 주체를 재건하고자 하는 욕망의 전도된 판본이다. 김남천은 현재 소시민 지식인의 자기 분열을 제1로 하고, 모든 생활적 신산과 오욕과 굴욕과 중압 속에서도 굴치 않고 자기의 깨끗한 건강을 지키면서 자기 발전을 도모하는 불요의 정신을 제2의 길로 해서 두 개의 길을 더듬고 있다고 말한다. 제2의 불요불굴의 건강한 정신에 대한 매혹은 제1의 지양으로부터 튀어오는 것 같다는 의견도 덧붙인다.

그의 말에 따르자면, 제2의 길은 제1의 부정성을 지양함으로써 구축되는 새로운 길이다. 그러나 그가 의미하는 새로운 길은 아직 형성되지 않은 미완의 것이기도 하다. 그가 의미하는 제2의 길은 자신의 20대 전후의 시대와 그 때에 쓴 「공장신문」, 「공우회」 등의 작품을 회상하여 보고 이 시대의 정열이 지금 제2의 것으로 흘러나온 것을 냉혹하게 주시하는 데서 얻어질 것이라고 한다. 과거의 자신과 현재의 자신을 대비・변별하면서, 현재의 자신을 지양・통합하는 단서를 과거의 자신

정, 231쪽 재수록).

에서 찾을 수 있지 않겠느냐는 김남천의 판단은 아직 세상에 물들지 않은 순진한 소년과 전향 지식인을 소설에 나란히 배치한 주된 이유일 것이다. 「남매」와 「소년행」 등의 작품들은 제1의 길과 제2의 길을 나누어 부정적인 제1의 길과 대비되는 제2의 길을 추출코자 한 김남천의 생각을 잘 반영하고 있는 작품들이다.

그러나 채호석도 언급한 것처럼, 그의 소설들은 부정적인 것을 '환기하는' 차원에 머무르고 만다. 현실에 대한 부정은 작가에 의해 의도적인 방식으로 개입되는 것이 아니라 그저 현실의 부정성을 '환기하고' 있을 뿐이다.[9] 일체의 것을 고발함으로써 긍정성의 맹아를 확보하고자 하는 김남천의 소망과는 반대로 현실의 부정성을 '환기하는' 데 그친 김남천의 전향소설들은 묘사의 강화로 귀결된다. 현실의 부정성을 '환기하기' 위해서는 묘사가 필수불가결하고, 따라서 묘사가 강화될 수밖에 없는 것은 어쩌면 너무나 당연한 것인지도 모른다. 그러나 본 논문은 이런 자명한 결론을 얻기 위해서 묘사에 주목하고자 하는 것은 아니다.

김남천이 일체의 것을 고발한다는 부정의 정신으로 현실을 리얼하게 재현하고자 했던, 그가 이후 발자크류의 관찰 문학론으로 정식화한 묘사의 리얼함은 '리얼함' 내지 '리얼리티'에 대한 근본 문제를 제기한다. 리얼하게 재현함으로써 진짜 현실이 존재하고 있음을 끊임없이 상기하는 것은 실은 그 현실을 바라보고 창조하는 발화자의 시선/욕망을 은연중에 삭제하거나 망각하게 하는 서사 효과를 창출하기 때문이다. 리얼하게 묘사되어 서사의 표면에 드러난 것과 그 리얼한 묘사에 감추어지고 있는 것 간의 긴장과 갈등은 '리얼함' 내지 '리얼리티'의 효과와 관련하여 김남천의 고발 문학론과 그의 '전향소설'을 동시적인 연속성

9) 채호석, 「김남천 문학 연구」, 서울대 박사학위논문, 1999, 91쪽.

하에서 파악할 단초를 마련해준다. 전향 이전과 이후를 분절하는 기존의 연구 경향을 탈피해, 식민지 시대 '전향'을 비평과 창작 양 분야에서 종합적으로 고찰하기 위해서라도, '리얼함'과 '리얼리티'에 대한 근본적 재성찰은 반드시 필요하다. 김남천의 '전향소설'을 '리얼함'과 발화자의 시선/욕망으로 재접근하는 이유가 여기에 있다. 이는 식민지 시대 지식인들의 '전향'에 관한 또 다른 이면을 추적하는 작업이자 비판적 리얼리즘을 뒷받침하는 '리얼함'의 구성 원리에 대한 재조명과 비판까지 포함한다. 다음 장은 이런 '리얼함' 내지 '리얼리티'를 젠더적 구성 원리로 접근해 볼 예정이다. 이 과정을 통해 '리얼함' 내지 '리얼리티'가 젠더 기제와 얼마나 밀접한 연관성을 맺고 있는지가 보다 분명하게 드러나리라고 본다.

3. '전향' 사회주의자의 형상과 전향의 논리

1930년대 중반부터 김남천 소설들은 건설 기술자와 실업가, 전향한 사회주의자와 문학가를 중심인물로 삼아 서사를 주조해 나간다. 그의 대표 연작인 「경영」과 「맥」에서부터 『사랑의 수족관』과 미완으로 끝난 「낭비」가 모두 그러하다. 이외에도 1939년과 40년을 전후로 해서 발표된 단편소설 「길 우에서」, 「바다로 간다」와 「녹성당」, 중편소설 「속요」 등에서도 이들 등장인물들이 다양하게 변주되어 나타난다.

김남천의 『사랑의 수족관』[10]은 토목기술자(공학자) 이광호, 이신국 사장의 딸 이경희, 실업가 송현도 그리고 이경희의 계모와 여급 양자의 동생 현순이 주요 등장인물이다. 이들은 오해와 반목을 거듭하는 애정 서사의 구도를 충실하게 따른다. 이 다섯 명의 인물이 합주하는

10) 김남천, 『사랑의 수족관』, 대동출판사, 1940을 주 텍스트로 삼는다.

애정 서사와 내적 대화성의 흔적을 담지하고 있는 인물이 바로 '전향' 사회주의자임을 짐작케 하는 광호의 형 광준이다. 기술자(공학자)인 광호에 의해 광준은 '생명의 낭비자'로 규정되고 있다. "생에 대한 애착이 없어진 것이 아니라 그 애착을 키워갈 만한 신념이 없어진"[11] 그는 '생명의 낭비자'로 에너지를 소모하고 탕진한다. 그는 카페 여급인 양자와 '질서 없고 비위생적인' 동거 생활을 함으로써 소모와 탕진의 전형적인 모습을 보여준다. 생산과 건설을 대변하는 광호와 상반되는 지점에 서 있는 그는 그러나 서사의 중심인물이 아니다. 광호가 형 광준을 병문안하는 장면에서, 잠깐 등장할 뿐이다. 몇 마디 오가는 대화가 전부이며, 그나마 광준의 말은 광호에게 제대로 전달되지 않는다. "형수와 양자와 어머니와 형과 동생－어쩐지 이러한 분위기가 광호에게는 질식할 것 같으면서도 서먹서먹"[12]하다는 광호의 고립감은 광호와 광준 간의 거리를 확인시켜 주고도 남음이 있다.

이어지는 다음 장면은 병원에서 질식할 것 같은 고립감을 경험한 광호가 병원을 나서는 순간 그가 보는 주체에서 보이는 주체로 변모하는 시선의 역전과 이에 따르는 상세한 묘사이다. 앞의 장면과 뒤의 장면을 엇갈려 배치하는 서사구성 원리로, 광호가 보는 주체에서 보이는 주체가 될 수 있는 이유는 시선이 광호에서 현순에게로 일시적으로 옮겨갔기 때문이다. 현순은 광호를 보자마자, 이 청년이 "그들의 동기간인 광호임에 틀림없다"고 혼자 판단한다. 광호임에 틀림없다고 단정한 현순의 눈에 광호는 "광준의 형제가 갖는 얼굴의 특징이 가장 아름답게 나타나면서도 그것이 균형이 잡힌 몸집과 옷매무새와 어울리게 조화를 이루어서 현순이의 눈에는 거의 완성에 가까운 청년의 모양"으로 비쳐진다. 광호는 광준에게 결여된 특정한 특징을 소유하고 있다. 그는

11) 위의 책, 70쪽.
12) 위의 책, 71쪽.

불건강하고 지나치게 과민한 정신세계를 지닌 광준과는 다른 특정한 특징을 갖고 있다고 가시적으로 '보여지'는 것이다. 현순이가 첫째인 광준과 셋째인 광신을 저울질하며 광호에게 이끌리는 것은 '보여짐'의 문제에서 핵심적이다. 첫째인 광준이 머리는 비대하나 불건강하고 비위생적인 반면 광순은 몸도 건강하고 두뇌도 형을 닮아 명석한 것 같으나 아직도 몸이나 생각이 틀이 잡혀있지 않아 평론할 여지가 없다고 현순이는 광호를 보는 '순간' 그렇게 판명한다. 현순이 광호를 '보는' 순간 각인되는 이런 보여짐의 순간적인 위계화는 광호의 특정한 자질을 실체화하는 것이기도 하다.[13] 그의 완벽한 조화와 절제의 미가 현순을 한순간에 사로잡아 그녀는 집으로 돌아오는 내내 광호를 떠올리며 '수상한' 감정에 휘말려든다.

광준을 바라보는 광호와 광호를 바라보는 현순의 시선이 엇갈리며 교차하는 이 장면에서, 광준은 두 번의 굴절을 거쳐 의미화된다. 광호의 시선과 광호를 바라보는 현순의 시선을 거쳐 광준이라는 인물이 간접적으로 제시되는 것이다. 연이은 시선의 교차를 통해 간접적으로 제시되는 광준과 현순의 눈을 직접적인 프리즘으로 해서 거의 완벽한 청년으로 묘사되는 광호의 시각적 현시는 몇 가지 점에서 탐구할 만한 가치가 있다. 우선 광호가 광준이 누워 있는 병원에서 느낀 고립감이 현순에 의해 정당한 것으로 인정받는다는 점이다. 이것은 타자의 승인과 관련된 인정투쟁이다. 현순의 눈에 완벽한 조화와 균형을 갖춘 것으로 지각되는 광호는 생활세계에 속한 현순에 의해 곧바로 긍정적인 이상형으로 전화된다. 광호가 긍정적인 이상형으로 현순에게 받아들여지는 다음 장면은 광준의 '죽음'이다. 광호를 떠올리며 광호에 대한 '수상한' 감정을 키워가던 현순에게 광준의 죽음이 통고된다. 광준의 죽음

13) 이 부분은 필자가 김남천의 소설을 다룬 이전 논문에서 이미 지적한 것이기도 하다. 보다 상세한 논의는 앞의 논문을 참조하라.

과 광호의 승인은 건실한 직업부인인 현순을 둘러싸고 동시에 진행되는 것이다. 타자의 인정과 자기 구성의 메커니즘은 이처럼 대조적인 장면 구성과 묘사의 생생한 리얼함을 통해 확보되고 있다.

근대적 개인은 공통성이라는 토대 위에 분리의 감각을 예리하게 발전시킨 모순적인 개념임을 조안 스콧은 역설한 바 있다.[14] 더 본질적인 인간의 공통성을 추출하려는 시도는 또한 필수적인 특징들을 소유하지 않은 것으로 여겨지는 사람들을 배제하는 검열 장치로 기능한다. 공통성과 차이의 상호 역설은 배제와 분리의 선이 첨예하게 구획되는 역사적 시기에 보다 명료하게 표출된다는 것이 조안 스콧의 지적이다. 그렇다면 광호가 생활세계의 타자에게 인정받는 것과 광준이 서사에서 완전히 추방되는 것은 소통 불가능한 별개의 세계에 이들이 존재함을 재확인시켜주는 것에 다름 아니다. 현순이 "이런 난리통에 저렇게도 냉정할 수가 있을까"라는 의문을 품는 것은 광준을 떠나보내는 광호의 담담한 태도에 연유한다. 광호는 광준의 죽음이 마치 이미 거기 있었던 양, 광준의 죽음을 구경거리로 응시하는 관찰자의 시선을 끝까지 잃지 않는다. 광준이 죽어 화장되는 마지막 이별의 순간에 광준의 곁을 지키고 있는 것은 광호와 현순뿐이다. 현순이가 도착했을 때, 모든 뒤처리는 광호의 손에 의해 마무리된다. 마지막까지 광준의 뒤처리를 광호가 도맡아서 한다는 것, 광준이 사회에서 격리되고 고립된 채 쓸쓸한 최후를 맞았다는 것을 증명이나 하듯이 광준의 마지막을 지켜본 사람은 과거 그의 동료도, 그의 가족 전부도 아닌 그의 동생 광호 하나이다.

과거 광준의 친구들인 '전향자들'은 광준과는 다른 세상에서 산다. 그들이 "각각 직업들을 갖고 그리고 생활을 갖고 그리고 그만큼 자기

---

14) 조안 스콧, 공임순 · 이화진 · 최영석 역, 『페미니즘 위대한 역설』, 앨피, 2006, 40~41쪽 참조.

의 가치를 새로이 발견한" 반면 광준은 "끗까지 신념을 다시 찾지 못하고 돌아가신" 이제는 돌이킬 수 없이 멀어져 그 둘을 이어줄 수 있는 끈이란 어디에도 없다. 광호는 생활세계에 충실한 광준의 친구들과 그들의 속악함과도 어느 정도 거리를 둔다. 죽을 때까지 신념을 다시 찾지 못하고 무기력하게 죽어간 광준과 생활세계의 투항자들인 과거 광준의 친구들과도 다른, 마치 제3의 자리에 광호가 위치한 듯하다. 그러나 다음 장면은 광호가 경희를 떠올리며 경희의 집을 찾아가 송현도와 경희의 관계를 의심하는 장면이 자세하게 그려진다. 광호가 생활세계의 즉물성에 함몰된 광준의 친구들과 거리를 두고자 했음에도, 광호의 행동은 이들과 별반 다를 바 없는 모습을 보여준다. 광호의 이런 불안정한 주체 위치는 만주라는 신생의 공간을 통해 가까스로 타개된다.[15] 광호가 토지 브로커들과 불법적인 관계에 연루되어 있다는 혐의를 듣고 이신국이 배려한 만주로 전출하여 만주 철도사업에 참여하는 것을 계기로 그는 경희의 의심과 불신을 딛고 사랑을 이루게 된다. 광호의 윤리성은 현대 청년의 향락과 퇴폐적인 이미지에 의해 항상적인 위협에 처한다. 광호의 문란한 성생활을 의심하며, "타락한 현대 청년

15) 만주의 표상에 대해서는 보다 면밀한 고찰과 접근이 필요하다. 만주는 식민지화와 사회(사회의 개인)의 자기 증식을 동일시하는 오리엔탈리즘의 연장선상에 서 있다. 이른바 사회(사회의 개인)의 자기 파생과 증식은 문명한 나라의 본질적 속성이자 특질이라고 하는 오리엔탈리즘의 지리적 확장에의 욕망과 융합되어 모든 식민지 개척사와 점령사를 관통한다. 다만 식민지 지식인이 이러한 오리엔탈리즘을 내면화하는 과정은 복합적이고 중층적이어서 섣부른 해석은 금물이지만, '만주'가 갖는 현실 타파와 장애 극복은 사회의 자기 증식=개인의 자기 확장(내지 쇄신)이 일치되는 오리엔탈리즘의 특정한 면모를 띠고 있다고 하겠다. 특히 이 소설에서 일제에 의해 전쟁이 가속화되는 시기에 그가 만주의 개척자로 떠난다는 설정 자체가 전쟁의 외연 확장과 개인의 자기 증식이 맞물리는 식민지 조선 지식인의 위상 변환을 보여주는 한 사례이다.

의 윤리 생활을 끝까지 폭로하겠다"는 경희의 결심은 광호가 처한 주체 위치가 그리 견고하지 않음을 역으로 방증해준다.

타락한 현대 청년의 윤리 생활은 전시 총력전체제가 구질서의 청년상으로 호출한 것이기도 하다. 구질서의 네거티브한 속성들을 유표화함으로써 신질서의 정체성을 확립하려는 전시 파시즘의 동력은 이른바 현대 청년들을 퇴폐와 낭비의 하릴없는 무능력자로 호출하게 된다.[16] 낭비와 소모의 도상학이라고 해도 좋을 구질서의 청년 형상은 열등한 인종의 유표화된 외적 자질로 변환되고 이에 따라 구질서와 신질서간의 첨예한 차이화가 만들어진다. 1941년 9월 21일에 미나미 총독이 천명한 「國民皆勞運動」은 기존의 '노동천시를 타파'하고 '근로보국을 실천하자'는 식민 당국의 정책 방향을 단적으로 보여준다.[17] 전쟁이 가속화되자 토목, 광산 노동자에 대한 수요가 더욱 증대했고, 이런 시대적 요구에 걸맞게 신질서의 전형이 주조되었던 것이다. 신질서의 전형은 기존의 청년담론을 전유하되 기존의 것과는 다른 변별점을 강화함으로써 신질서에 적합한 새로운 청년상을 창출한다.[18] 적극적으로 '장려'된 새 시대의 청년상은 현대 청년의 부정적 이미지를 그 음화로 깔고 있을 수밖에 없다. 광호는 자기에게 드리운 현대 청년의 부정적 이미지를 청산하지 않는 이상, 형 광준과 세속적 생활인인 광준의 친구들과 어떤 차별성도 담지할 수 없다. 만주의 철도사업과 석유 채굴

---

16) 조지 모스, 서강여성문학회 역, 『내셔널리즘과 섹슈얼리티』, 소명출판, 2004를 참조했다. 또한 여기에 대해서는 공임순, 『민족과 섹슈얼리티』, 푸른역사, 2005 ; 김예림, 「소진과 고갈의 미학」, 『1930년 후반 몰락/재생의 서사와 미의식 연구』, 소명출판, 2004에서도 자세히 다루고 있다.

17) 樋口雄一, 「戰時下 朝鮮における女性動員」, 『植民地と戰爭責任』, 吉川弘文館, 2005, 61쪽.

18) 권명아, 「전시동원 체제의 젠더 정치」, 『일제 파시즘 지배 정책과 민중생활』, 혜안, 2004, 298쪽.

에 관한 상세한 묘사를 담은 장문의 편지가 경희에게 배달되고, 경희는 광호의 편지에서 묻어나는 직업과 과학에 대한 그의 성실성과 진지함만은 높이 평가한다. 현대 청년의 퇴폐성에 분노한 경희의 마음을 누그러뜨릴 정도로 매혹적인 그의 열정적인 전문 직업윤리는 생활세계의 무조건적인 투항이나 복종과는 다르다. 생활세계에 주도적으로 참여하여 세계를 창조하고 건설한다는 개체의 자율적 선택이 광호와 나머지 사람들(전향자들)을 구분짓기 때문이다.

그의 능동적 자발성이 최종적으로 수렴되는 지점은 경희와의 결혼이다. 결혼은 가족과 사회의 관계망이라는 측면에서 중요한 의미를 함축하고 있다. 경희는 신식 교육을 받은 부잣집 딸이다. 그녀의 순진함과 젊은이다운 순수한 열정은 가정이라는 안정된 테두리로 흡수되고, 그녀는 자선이라는 말하자면 노동 아닌 노동으로 이타주의를 실천하게 된다. 경희가 실천하는 이타주의는 '자애로운 가족주의'로 명명할 만하다.[19] 경희와 광호의 결합은 사회적 차이를 무화하는 이상화된(모범적인) 가족의 모습을 예고하고 있기 때문이다. 모범적인 가족과 이 모범적인 가족이 외부로 베푸는 선행은 정치·사회적 헤게모니를 가족의 개별적 선택권으로 치환하는 서사의 성적 플롯화를 여실히 드러낸다. 이는 물적 조건 내지 정치 상황과 무관한 가족의 이상을 재확증하며, 자제력과 판단력을 지닌 개별 주체들의 삶의 취향과 태도로 여타의 사회·정치적 적대성을 무화, 전위시키는 것이다.

토목기사인 광호는 전문 기술자이지만 그가 사장의 딸 경희와 결혼하는 데는 몇 가지 장애가 존재한다. 이 장애 중 가장 핵심적인 것은 둘 간의 계급적 격차이다. 둘 간의 계급적 격차는 개인의 윤리 감각, 즉 마음의 훈육과 행동의 동기 여부로 대체·변형된다. 광호는 경희의

---

19) Nancy Armstrong, *Desire and Domestic Fiction*, Univ. Oxford Press, 1989, 91~92쪽.

자선 사업을 그녀의 경제적 토대가 아닌 그녀의 선의에서 우러난 자발적 행위로 규정한다. 경희 역시 광호의 전문 직업윤리를 성실성과 창조성으로 해독해내고 있다. 따라서 이들은 경제적 차이에도 불구하고 세계에 대한 선의와 행위에 대한 뚜렷한 내적 동기를 지닌 신청년들의 결합체가 되는 것이다. 외적 차이와 적대성을 극복한 이들의 내면적 결합은 이상적인 만큼, 현실의 여러 장애들로 인해 삐걱거린다. 이 둘 사이를 방해하는 자들은 도시의 타락하고 퇴폐한 속물들로서, 경희의 계모인 은주 그리고 은주와 성적 향락을 즐기면서도 경희와의 결혼을 통해 '성공과 출세'를 모두 거머쥐고자 하는 송현도 등이다. 이들은 현대 속물의 대표적인 표상체이며, 경제적 이해와 육욕을 쫓아 야비한 행위도 서슴지 않는 인물들이다. 광호와 경희의 이상적 결연을 가로막는 일종의 혼사장애인 이들 속물들은 광호와 경희가 타자의 인정을 획득하는 것이 그리 녹록치 않음을 말해준다. 이 때문에 광호와 경희를 이어주고 지지해 줄 타자가 요구되는데, 이 역할을 담당하는 제3자가 곧 '건실한' 직업부인인 현순이다.

4. 직업부인과 타락한 도시 여성의 타자화된 시선과 물신화된 육체

직업부인에 대해서는 서사 안팎을 넘나드는 세밀한 고찰을 필요로 한다. 직업부인은 가정 내에 있으면서도 가정 바깥을 넘나드는 유동성과 가변성을 지니고 있다. 남성 노동력의 차출은 여성 노동력에 대한 요구와 맞물리며 직업부인의 위상에 변화를 초래한다. 남성 노동력의 일시적인 공백은 남성 노동력을 대체해 줄 여성 노동력을 통해 보충되는데, 기혼 여성일 경우 산업전선에 즉시 투입할 수 없는 내재적 한계가 뚜렷하다. 이에 따라 1940년 당시 미혼 여성의 노동력이 재평가되기에 이른다. 조선총독부는 1944년에 기혼 여성보다는 교육받지 못한 16세 이상의 미혼 여성들을 상대로 '조선여자청년연성소'를 설치하고, 황국 여성에 적합한 자질 교육을 실시한다는 명목으로 미혼 여성들을 서둘러 모집한다.[20] 이들을 전시 노무노동력과 군 위안부로 차출・활용하기 위해서였다. 가와 가오루의 지적처럼 제국 여성에게는 모성에 대한 의무가, 반면 식민지 여성에게는 노무 노동력뿐만 아니라 군 위안부로서 남성의 성, 특히 군대 병사들의 성을 위무한다는 제국과 식민지간의 차별화가 여성이라고 하는 성별 동질화를 가로질러 첨예한 분절선을 형성하게 된다.[21] 따라서 미혼 여성, 특히 직업부인의 위상은 황국 여성의 범주 안에서 이전과는 다른 새로운 의미를 부여받게 되는 것이다.

현순은 한번 결혼에 실패했지만 주위 사람들은 그녀를 처녀로 알고 있으며 양장점의 점원으로 착실한 생활을 하고 있다는 점이 현순의 성격을 틀 짓는다. 직업부인 현순의 긍정성은 경희와 광호의 사랑을 맺어주는 가교 역할로 그녀가 기능할 여지를 열어놓는다. 현순은 광호를 사랑하지만, 광호의 사랑을 얻는 데는 실패한다. 그녀는 미혼 직업여성으로 남아, 언니인 양자와 둘이서 쓸쓸하게 만주를 향해 떠난다. 만주는 광호가 머물렀던 곳이자 신생활을 개척해야 하는 곳이다. 무엇보다 미혼 여성인 현순과 광준의 죽음 이후 혼자가 된 양자는 자신의 노동력을 자산으로 하여 만주라는 신생의 공간으로 떠난다. 이것은 건실한 직업부인인 현순과 가족적 이타주의의 연장인 경희가 확연하게 분기

20) 히구치 유이치(樋口雄一), 「戰時下朝鮮における女性動員」, 『植民地と戰爭責任』, 吉川弘文館, 2005.

21) 가와 가오루, 김미란 역, 「총력전 아래의 조선 여성」, 『실천문학』, 2002년 가을호.

되는 지점이다. 현순의 육체성은 공공의 임무에, 반면 경희는 국가의 세포인 가정을 중심으로 봉사활동에 종사한다. 여성의 이러한 젠더화된 노동 분업은 현순과 경희가 처해 있는 위치와 직분을 할당하고 지정해주는 것에 다름 아니다.

그러나 현순과 양자가 쓸쓸하게 만주를 향해 떠나는 것으로 처리된 텍스트의 결말 부분은 현순의 직분이 자신의 애욕을 억누름으로써 얻어지는 (가냘픈) 보상임을 알려준다. 그녀는 완벽한 신청년인 광호를 욕망했지만, 그녀가 비집고 들어갈 자리는 어디에도 없다. 그녀는 광호가 규정한 '친구'로 머물기를 강요받는다. 그녀의 욕망과 그녀의 직분 사이의 괴리가 직업부인 현순을 자리매김한다. 사랑과 자선이라는 가정 내 미덕과 달리 현순의 역할은 광호가 생활세계로 귀환해서 주도권을 행사할 수 있도록 그를 돕는 역할, 즉 생활세계의 타락하지 않은 타자이자 사적 애욕을 억누르고 공적 직분을 다하는 공적 육체로 주조된다. 소설의 초반부에 그녀의 시선이 광호의 몸 구석구석을 훑으며, 그를 판단하고 평가하는 상위의 위치에 놓여지는 것도 그녀가 갖는 이러한 매개적 역할 때문이다. 여기에 일시적인 초점화자로 기능하는 그녀의 섬세한 시선과 광호에 대한 '리얼'한 묘사의 내적 비밀이 숨어 있다.

그녀의 육체는 공적 영역에 투입될 노동력으로 그녀의 정체성을 경계짓는 자산이지만, 그녀의 자산인 육체성은 공적 영역에 노출된 채 성적 서비스의 대상으로 전락하기 쉬운, 참으로 허약한 것이기도 하다.[22] 송현도와 공모하여 광호를 위험에 빠뜨렸던 신주사에게 현순이 농락당하는 장면은 그녀의 자산인 육체가 매우 취약함을 말해주는 증거이다. 현순의 시각적 우위와 (비)대칭적으로 여성의 육체가 '리얼'하

22) 식민지 여성들의 전쟁동원에서 노무노동자와 위안부의 역할이 언제든 중첩될 수 있었듯이 노무노동자와 위안부의 경계선은 공적 영역에 진출한 여성의 불안정한 위상을 그대로 반영한다.

게 전시되는 장면은 그래서 자못 의미심장하다. 김남천의 「낭비」와, 「낭비」의 후일담 성격이 짙은 「맥」, 「경영」의 연작물을 중심으로 이를 구체적으로 살펴보자.

광준이 사라짐으로써 광호가 서사의 중심에 서는 『사랑의 수족관』과는 대조적으로 김남천의 「낭비」는 비행기 조정사 구웅걸(관덕의 약혼자)이 사라지고 대신 문학가(광범위한 의미에서 전향 지식인이라고 할 수 있는) 관형과 관형을 둘러싼 연애 사건이 중심 플롯을 이룬다. 김남천의 「낭비」는 데카당한 분위기로 가득 차 있다. 다른 연작물 「맥」에서 구웅걸은 비행기 사고로 죽은 것으로 처리된다. 「낭비」에서 관형은 자신이 무기력하고 나태한 삶을 살아가고 있다는 것을 '안다.' 그의 이 앎이란 거리를 둔 관찰자의 시선에서 만들어진다. 그의 관찰자적 시선은 그를 고발하는 초자아의 시선이기도 하지만, 그의 앎=권력을 지탱하는 동력이기도 하다. 그의 특권화된 시선은 그가 이 앎=권력을 다른 대상에서 조달함으로써 가능하다. 바로 향락에 몸을 던지는 도시의 타락한 신여성들이다. 문난주에 대한 감각적이고 관능적인 시선의 향유는 마치 그녀의 몸 전체가 사회적 욕망의 배출구인 양 묘사되고 있다.

> 매뉴큐어를 한 긴 손가락으로 담배를 부비어 꽂고 그 팔로 머리를 고인다. 코도 아름답고 윤곽도 어울렸으나 입술과 눈가상에 깃드린 보랏빛의 그늘로 하여 그가 과거에 제의 정력을 적지 않게 향락했다는 것을 느끼게 한다. 어덴가 피로한 빛이 결코 육체에가 아니라 그의 표정에 나타나 있는 것이다. 누은 채 잡지를 보고 있다. 활자를 따르고 있는 그의 눈은 그러나 문짜(文字)에 대하여 그다지 매력을 느끼는 것 같지도 않다. 표정 한 구퉁이에 어덴가 비인 곳이 있는 것 같다. 그것이 무엇인지를 언뜻 알아마칠 수가 없을는지 모른다. 그러나 치밀한

> 관찰을 하는 사람은 그의 표정에서 결여된 것이 윤리적 신경임을 알아마칠 수 있을 것이다. 대전 이후의 새로운 타잎으로 등장한 아름다움, 일찍이는 마리-네 딧드리히 구리고 최근에는 따니엘. 따류-로써 일층 세련된 백치미를 발휘하고 있는 그러한 아름다움이 문난주에게는 있었다.[23]

문난주의 신체를 훑듯이 지나가는 관찰자(=서술자)의 시선(이관형의 시선과 거의 구별되지 않는)은 관능적이지만 동시에 차갑다. 손가락에서부터 머리, 코, 입술과 눈가에 깃들인 보랏빛까지 문난주의 신체 곳곳을 치환해가며, 도시의 타락하고 퇴폐적인 욕망을 서술자는 그녀의 신체에서 강박적으로 읽어낸다. 이 읽는 시선이 곧 앎의 시선이라는 점에서 문난주는 앎=시선을 위해 구경거리로 전시되어야 하는 대상이다. 그녀의 신체에 관한 이 상세한 묘사는 이관형이 탐구하는 헨리 제임스의 '부재의식'과 암암리에 상통한다. 이관형은 그가 연구하는 헨리 제임스를 넘어뜨리지 않고는 새로운 세계가 열리지 않는다고 믿는다. 아메리카의 헨리 제임스는 그가 기대고 서 있는 발판이나 또한 이것을 넘어서야만 새로운 세계로 진입할 수 있다는 것이 이관형의 판단이다. 이관형은 자신을 헨리 제임스와 동일시하고 있는데, 그가 부조한 헨리 제임스는 "인생으로부터 멀리 떠나서 그들의 일분자가 되지 아니하고 이것을 관찰하였다. 그는 주로 구라파에서 만나는 아메리카인을 통하여 아메리카를 알았다. 또한 그는 타곳에서 온 만유객으로서 구라파의 사회를 알았다. 그러므로 그는 진정한 의미에서는 아무 것에 대해서도 공감을 가지지 못"했다. 이관형이 헨리 제임스와 자신을 동일시하는 이유는 이 구절에 모두 압축되어 있다. 바로 관찰자적 시선을 갖는 것, 타곳에서 온 만유객처럼 구라파 사회를 바라보는 것, 때문에 아무 것

---

23) 김남천, 「낭비」, 『인문평론』 1940. 2~1941. 2, 225쪽.

에 대해서도 공감을 갖지 못한 헨리 제임스는 곧 이관형의 시선이다. 이관형은 헨리 제임스를 빌어 자신을 이야기한다. 이관형이 헨리 제임스에 집착하는 것은 헨리 제임스 그 자체가 아니라 헨리 제임스를 빌어 이야기하는 이관형 자신이다. 그는 아무 것에도 공감을 가지지 않는 헨리 제임스의 시선으로 자신의 일부를 타자화시킨다. 이 타자화된 일부가 바로 문난주의 육체로 가시화된다.

이관형은 헨리 제임스의 연구에 몰두하는 것으로 시대와의 불화를 모면하고자 하지만, 그의 유일한 성과물(헨리 제임스의 논문)은 교내의 파벌과 학벌 다툼에 의해 폐기처분되고 만다. 그렇다면 다른 사람과 구별되는 위치를 점할 수 있게 해주었던 최소한의 지지대마저 상실하고 말았다는 얘기가 된다. 위생적인 데도 더 이상 머물 수 없다고 그가 고백하는 장면은 그가 처한 현실의 심리적 반영이다. 그의 절망감은 문난주라는 대리물을 통해 표출되는데, 그는 문난주로 상징되는 타락한 공간에 갇혀버린 자신을 자조적으로 바라보며 이 유폐된 공간을 떠돌아다닌다. 그의 논문이 좌절된 그날 이관형은 문난주네 이층에서 자고 있는 자신을 발견하게 된다. 술에 취해서 자신도 모르게 끌려간 문난주네 이층에서 그는 무기력한 며칠을 보내다가 문난주가 마련해 준 아파트로 막 이사온 참이다.[24] 이 과정에서 그의 의지가 작용한 흔적은 어디에도 없다. 그의 유일한 희망이자 보루였던 논문이 실패한 후 그의 행적은 모두 문난주가 주도한 것일 뿐 자신의 의지와는 무관한 것이다. 문난주에게 이끌려 들어간 타락과 퇴폐의 생활상이 그를 옭아맨다. 그는 철창에 갇힌 죄수와 흡사하다. 이런 타락한 자들과 동질적인 공간에 존재한다는 불만과 공격성은 타인들뿐만 아니라 자기 내부로 전이되어 그것이 더욱 자신을 자기 연민과 혐오로 몰아가는 형국이

24) 김남천, 「맥」, 『한국해금문학전집』, 삼성출판사, 1988, 320~325쪽.

다.

「맥」에서 이관형이 문난주의 원조에도 불구하고 문난주를 거부하는 이중성은 이로부터 말미암는다. “작년부터 약 일 년 가까이 내 주위에는 참말 아무 짝에도 쓸모가 없는 사람들이 욱적거리고 있었습니다. 가령 문난주 같은 여자가 그 중의 한 사람입니다. 이 사람은 약 일 년 전에 우연히 알게 된 사람인데 처음부터 나는 이 여자를 데카당스의 상징처럼 느껴 왔습니다. 그 사람들이 들으면 노할는지 모르고 또 그 자신 그렇지 않은 사람인지도 모르나 나는 그를 볼 때마다 퇴폐적이고 불건강한 자의 대표자처럼 자꾸 느껴지게”[25] 된다고 그는 최무경에게 토로하고 있다. 정복욕에 사로잡힌 윤갑수와 문난주의 지기인 최옥엽과 최옥엽의 남편 백인영 등 아무 짝에도 쓸모없는 퇴폐적이고 불건강한 집단의 대표자가 문난주인 것이다. 문난주는 이관형의 열패감을 대리하고 투사하는 대상이라는 점에서, 문난주의 육체적 전시는 문난주 자체가 아니라 그녀를 ‘퇴폐적이고 불건강한 자의 대표자’로 호출하고자 하는 그의 욕망이 투사된 자기애적 이미지라고 할 수 있다.

이관형은 자신의 불투명한 미래와 현재의 위기감을 이들 타락자들에게 되돌린다. 그 역시 쓸모가 없기는 마찬가지라는 절박함과 위기감이 그를 짓누르는 상황에서, 그는 그가 사랑하는 연이와 타락한 신여성인 문난주를 지속적으로 비교・대조한다. 연이를 사랑하지만, 그는 연이와 결혼하지 못한다. 자기가 사랑하던 연이가 “교양도 있어 보이고 인품도 좋은 것 같은” 실업가와 약혼했다는 소식은 그의 자존심에 치명타를 입힌다. “연이는 장차 그의 가정생활에서 얼마던지 행복을 발견할 수 있을 것이다. 그의 안해가 된다거나 제수가 된다거나 하는 것보다 연의 행복이란 그런 곳에 있었을 런지도 알 수 없다. 아니 정녕

25) 김남천, 위의 책, 334쪽.

그럴 것이다. 그러나 아 여자의 결정이란 이대로 좋을 것일까 이관형이는 뼈아프게 제의 상처를 부더 안으며 여관으로 돌아왔다."[26] 이 장면에서 이관형이 연이를 놓친 것은 그의 수동성과 연이의 순종적인 태도 탓이다. 그러나 그보다 더 핵심적인 것은 그가 교양도 있고 인품도 좋아 보이는 사업가에게 밀려났다는 엄정한 현실이다. 현실에서 이미 경쟁력을 상실한 현대 청년의 향락과 퇴폐의 부정성은 연이의 상대자인 교양도 있고 인품도 좋아 보이는 사업가와 뚜렷하게 대조된다. 따라서 이관형은 '연애의 대상'인 정결한 연이를 선택하지 않은 것이 아니라 선택하지 못한 것이며, 그에게는 타락한 문난주만이 허락된다.

이들 타락한 집단들과 이관형의 자기 동일시는 구질서의 표상으로 내몰려 정체성을 상실할 위기에 처한 그의 총체적 불안과 위기의식을 고스란히 반영하고 있다. 주변부로 그를 내모는 억압적인 사회에서 그의 불투명한 지위와 위상은 이들 타락자들의 표상을 전유하여 일종의 약자의 윤리를 구축한다. 그는 어쩔 수 없이 이 상황에 끌려들어왔지만, 여전히 그는 이들 속물과 다른 변별적 자질을 갖는다. 아니 가졌으면 하고 욕망한다. 그는 이들 속물처럼 시각적 전시의 대상이 되어버린 자신에 대한 두려움과 공포를 이들과의 차별화로 해소해 버리고자 하기 때문이다. 그것이 그의 양심이든 뭐든 타락한 자들의 육체적 전시는 최소한의 심리적 거리를 그에게 허락하며, 이를 최종적으로 승인할 이는 생활세계의 건실한 직업부인들이다. 동양학의 세계사적 의의를 주장하며 전향을 공식적으로 선언하는 「맥」과 「경영」의 또 다른 인물 오시형을 살펴보면 이 점이 보다 선명하게 드러난다. 오시형은 그의 약혼녀인 최무경을 버리는 것으로 그의 전향을 마무리짓는다. 최무경은 과거의 자신과 연관된 징후 내지 상처이다. 최무경과의 관계 단

---

26) 김남천, 「낭비」, 『인문평론』 1940. 8, 187쪽.

절은 그가 과거의 자신과 완전히 결별함을 뜻한다. 최무경은 과거의 자신을 환기하는 상처 내지 징후이기 때문에 그는 최무경을 지움으로써 과거의 자신을 억압/망각하고자 한다. 최무경은 그가 탈피하고자 하는 과거의 원초적 상처에 해당되기 때문이다.

최무경이라는 과거를 단절함으로써 그는 현재의 생활세계에 복속할 준비를 마친다. 그는 아버지의 뜻에 따라 도지사의 딸과 결혼한다. 아버지의 질서를 수락하는 것은 그의 심경의 변화, 이른바 "일체의 대립물을 받아들일 준비"가 되었던 데 있다. 수감 후 오시형의 복잡한 내면은 동양학의 세계사적 의의와 일체의 대립물을 받아들이는 다원사관으로 정리된다. 이것은 『사랑의 수족관』의 광호가 신질서의 모범적인 초상이 되기 위해서 이미 구경거리로 전락한 형 광준을 서사에서 추방해야 하는 것과 일맥상통하는 부분이다. 생활세계로 오시형이 복귀하는 것은 동양학과 다원사관에 입각한 그의 변화된 사상에서 유래하며, 이것이 그를 생활세계의 다른 속물들과 변별짓게 하는 표지이다. 오시형의 전향은 『사랑의 수족관』의 광호처럼 최무경이라는 건전한 데에 속하는 생활세계의 타자를 매개로 하여 진행되며, 그는 최무경의 거부와 인정을 경유하여 결국 도지사의 영양과 결혼하여 새 가정을 꾸리는 것으로 생활세계에 안전하게 연착륙한다.

오시형의 전향과 결혼, 『사랑의 수족관』의 현순과 흡사한 직업부인 최무경의 홀로서기(임금을 받고 노동을 하는 직업부인의 속성 때문에 그녀는 좋은 가문의 영양들처럼 신질서에 적합한 가족적 이타주의를 실현할 수 없다), 그리고 문난주와 같은 여성을 하부에 배치함으로써 한편으로 이들과의 동질성을, 다른 한편으로 자율적 개성을 침해하는 이들과의 정서적·육체적 유대에 대한 두려움과 적대감을 표출하며 끝까지 관찰자적 시선을 유지하는 이관형의 주변부성이 복합적으로 착종된 김남천의 소설은 복수의 시선으로 인해 단일한 의미망으로 포섭되지 않는 것이 사실이다. 그러나 복수의 시선이 곧 의미의 다중성을 생성한다고 보기는 힘들다. 그의 소설은 젠더의 위계화된 이분법을 벗어나지 않기 때문이다. 젠더의 위계화된 이분법은 분절된 공간의 위계화이자, 그 분절된 공간은 다시 시간의 가치론적 위계로 수렴된다. 위생적인 데에 속하는 자와 그렇지 않은 자의 공간적 도상은 또한 현재와 미래를 선취하는 자와 과거에 안주하는 자와의 예리한 구분선을 작동시킨다. 자신의 주변부성을 '고발'하는 이관형은 문난주의 물신화된 육체를 가시화하고 응시하는 방식으로, 타락과 퇴폐의 불건강성을 시대와 사회의 문제가 아니라 개인의 품성과 도덕적 자질의 문제로 환원시킨다. 그가 문난주를 떠나는 「맥」의 마지막 장면은 오시형의 전철을 되밟을 가능성을 열어놓고 있다. 이 과정에서 건실한 직업부인은 생활세계로 합류하는 전향 지식인과 새로운 시대의 신청년을 정당화하는 자기구성문법의 타자 내지 대상(설사 그녀들이 일시적으로 혹은 전체 작품에서 초점화자로 기능하며 시선을 독점하는 듯이 보이지만, 이는 보는 것과 보이는 것의 상호 관계망 속에서 논의되어야 한다)으로 존재할 뿐이며, 이에 따라 생활세계는 개인의 자발적 선택권이라는 이름으로 위임된 채 견고하게 유지된다.

묘사의 '리얼함'과 젠더적 기제가 합치된 김남천의 전향소설들은 전향의 체제 내적 이데올로기를 폭로하는 동시에 은폐/봉합하는 이중의 곡예를 보여준다. 현실의 부정성을 최대한 환기하는 그의 새로운 창작방법론이 묘사의 리얼함을 추동하지만, 이 묘사의 리얼함이란 생활세계의 복귀를 전도된 방식으로 추인하는 발화자의 욕망을 암암리에 투사하고 있다(자전적 이야기의 성격이 짙은 「등불」의 아래 예문을 보라).[27] 있는 그대로의 현실을 재현한다는 리얼리즘적 수사에 가려 발화

27) 그의 소설 「등불」은 '전향'과 관련된 그의 신변에 대해 여러 가지를 알려준다. 그러나 "고정한 수입이 생겨서 생활의 계획을 세울 수 있는 것이 살림하는

자의 욕망은 은폐/봉합되고, 사건(대동아전쟁으로 대표되는 제국주의 전쟁과 아시아주의)의 폭력성은 일시적으로 메워진다. 김광섭이 죄수라는 동질성 속에서 '국민복'과 '몸뻬'로 국방체제를 갖춘 생활세계의 타자에 의해 구경거리로 전락한 자신을 점잖음이라는 정신적 초월과 분별력(통제력)을 무기로 다른 죄수와 자신을 변별짓고 있는 것처럼, 타자화된 여성의 시선(직업부인)과 물신화된 여성의 육체(도시의 타락한 신여성)가 전향 지식인들이 제국주의적 국민 총동원체제의 내재적 한계와 사건의 폭력성을 밑바닥까지 들여다보는 극한의 자기 성찰을 가로막았던 것은 아니었을까 하는 것이 이 글의 마지막 질문이다. 해방 후와 전후 국가재건을 둘러싼 국민 총동원체제의 물리적 행사였던

안사람들에겐 즐거움인 것 같습니다. 지난 오륙년 동안 빈약한 붓 한 자루로 가족의 입에 풀칠을 한다고 모진 애를 썼으나 거기까지 가족을 이끌고 오기에도 나의 노력은 결코 평범치 않었습니다. (중략) 이제 내가 문학을 떠나 직업에 나섯을 때 가족에게 오랫동안 요구해 오든 희생의 높은 목표는 그림자를 감추었습니다. 나는 문학한다는 것을 떼어버린 그저 그것뿐인 한 가정의 남편이오 아버지입니다. 나는 그러한 관계의 변화를 명확히 깨달았습니다." 와 "성인(成人)의 원숙하고 침착한 아름다움은 이런 종류의 것이 아닐까하고 생각해볼 때가 있습니다. 장사하는 회사에 단니는 이상 그 회사에서 영위되는 장사에 대해서 한사람 몫의 지식과 수완을 가저야 하는 것은 당연한 일입니다. 주판도 잘 놓아야 하고 장부조직도 알어야 하고 자기 부서이든 아니든 언제 어느 때에 맡겨도 대차대조표나 결산보고서쯤 어렵지 않게 꾸며 발힐 실무적 수완을 가져야 되리라고 봅니다."에서 그가 하나를 버리는 것이 곧 하나를 구제하는 것이라는 인식을 갖고 있음은 분명하다. 그리고 노동과 직업의 세계를 성인의 원숙하고 침착한 아름다움으로 숭배하는 것은 노동과 문학의 일정한 가치가를 깔고 있을 뿐만 아니라 미적인 것이 문학의 무가치함과 별개로 노동과 상호 결부되어 노동과 기술에 대한 무한 예찬으로 전화되는 양상을 드러낸다. 직업과 노동의 세계가 찬미되면 될수록, 문학은 이에 비례하여 무가치한 것으로 추락하는 반면 미적인 것의 이념은 노동 내지 직업으로 일상화되는 특정 시기의 면모가 보인다. 김남천, 「등불」, 『인문평론』 1942. 3(『한국근대단편소설대계』, 김남천 편, 태학사, 1988, 463~464, 476쪽 재수록).

한국전쟁까지 이어진 여러 지식인의 행보는 여전히 '전향'을 현재형의 문제로 남겨놓는다. 이는 해방 후 김남천의 행보를 통해서 보다 섬세하게 규명되어야 할 문제로 연구자의 개입과 해석을 기다리고 있다.

전시기 오락정책과 '문화'로서의 우생학

김 예 림*

1. 머리말

1937년, "대일본 레코-드 회사 문예부장 이서구", "끽다점 <비-너스> 매담 복혜숙", "조선 권번기생 오은희", "동양극장 여우 최선화"를 비롯한 서울의 '모던 문화 종사자'들은 「서울에 딴스홀을 허(許)하라」라는 공개 서한장을 써서 『삼천리』에 싣는다. 이들은 "일본제국의 온갖 판도내와 아세아의 문명도시"를 예로 들면서 "더구나 4년 후에는 국제 올림픽 대회가 동경에 열"리므로 이제 조선에도 건전 오락장으로서의 댄스홀이 반드시 생겨나야 함을 호소하고 있다. 이 공개 서한장은 후대 연구자들에 의해 식민지 조선에 형성된 자본주의적 삶의 조건과 그 안에서 꿈틀거리는 근대적 욕망과 감각의 현장을 보여주는 전형적인 문화 풍속도의 텍스트로 자리매김된다.1)

그러나 이 공개 서한장은 좀 다른 각도에서 재독해될 필요가 있을 듯하다. 「서울에 딴스홀을 허하라」에 제시되어 있는 요구를 구체적으로 살펴보면 몇 가지 중요한 문제가 상정되어 있거나 직접 언급되고 있음을 알 수 있는데, 첫째 신체의 층위에서 표현되는 "타락/건전"의

* 성공회대학교 동아시아연구소 연구교수, 국문학

1) 근대 풍속 연구 혹은 실증적 자료 복원의 시발점이 되었던 책 『서울에 딴스홀을 허하라』(김진송, 현실문화연구, 1997)을 생각해보자.

문제, 둘째 "건전한 오락"이라는 이념의 문제, 셋째 "평화기/전시기"의 오락의 위상이 그것이다. 이들은 개인 신체를 둘러싸고 작동하는 담론 체계와 그것의 제도화 양상이라는 보다 상위의 논점으로 다시 한번 수렴될 수 있을 것이다. "서울에 딴스홀을 허하라"라는 요구의 핵심은 전시기에는 허용될 수 없었던 지극히 건전한 신체－오락을 이제는 허가하고 인정하라는 것이었다. 이 요구는 개인의 신체와 그것의 오락적 조형 그리고 이 조형틀 자체를 조형하는 시대적 조건, 이렇게 상호 관련된 세 층위로 이루어진 근대적 입방체에 관해 고찰할 것을 요청하고 있다. 따라서 이 호소문은 단지 많고 많은 근대적 '욕망'의 풍속도 가운데 하나로 넓게 읽히는 데 그칠 것이 아니라 신체 '취급'의 방법론, 이 방법론의 사회성과 역사성에 대해 고찰할 것을 유도하는 징후적인 자료로 보다 심층적으로 읽혀야 할 것이다.

개인의 신체가 지극히 정치적인 장소라는 것은 이미 주지의 사실이다. 푸코의 생체 권력(Bio-power) 개념에 압축되어 있듯이 개인의 신체는 근대세계의 조절·통제·감시 시스템이 작동하고 있는 물리적인 장소이다. 그렇다면 식민지시기 조선에서 신체는 어떻게 취급되어 왔는가. 나는 이 취급이라는 말에 여러 복합적인 층위의 신체 조형술, 그리고 구체적이고 다양한 신체 조형술을 생산하는 이데올로기적 틀까지 내포시킬 것이다.

조선에서의 신체 조형술의 안팎을 분석해 들어가기 위해 본고는 1930년대 후반기부터 1940년을 전후한 시기, 즉 중일전쟁 발발로부터 태평양전쟁 발발에 이르는 총동원 시기에 초점을 맞추고자 한다. 이 시기를 논의의 대상으로 잡은 이유는 전쟁기의 신체 조형술과 '평화기'의 신체 조형술이 '완벽'하게 단절되는 것이 아니며 어떤 점에서는 '평화기'의 신체 조형술이 연장·응용되면서 전쟁기의 신체 조형술로 변형되는 측면이 있기 때문이다. 즉, '일상적' 신체 조형술과 그 이데올로기는 전시기에 자체의 내적 구조를 적나라하게 드러내면서 변태, 연장, 과잉 노출의 연속상을 보여준다고 할 수 있다. 노골적인 전쟁 이데올로기가 개개인의 신체를 병사의 신체로 개조하기 위해 갖가지 신체 조형술을 강화한다는 것은 익히 알려진 사실이다. 이 점은 중일전쟁을 전후한 조선에서도 아주 뚜렷하게 감지되는 현상이다. 이에 관한 역사적 규명을 위해 이루어져야 할 것은 갖가지 신체 조형술의 사례들에 대한 구체적인 분석과 이것들이 다른 역사적 국면에 존재했던 여타의 신체 조형술과 맺는 관계성에 대한 파악, 그리고 이들을 관통하여 움직이는 어떤 공통의 신체정치(body-politics) 논리에 대한 해명이다. 중일전쟁기로부터 태평양전쟁 발발기에 걸쳐 있는 전시체제 단계는 이렇게 서로 중첩, 강화, 변용되는 신체정치의 메커니즘을 파악하는 데 매우 결정적인 지점이 될 것이다.

앞서 언급했듯이 전시에 강화되는 신체정치의 특정한 측면들은 역사적, 이데올로기적 연계 없이 갑작스럽게 돌출하는 것이 아니며 축적되어 온 기존의 것들을 바탕으로 재편되고 재구조화된 것이다. 그렇다면 전시기 조선에서 이러한 재구조화는 어떤 식으로 진행되었는가? 이 문제에 접근하기 위해 여기에서는 우생학적 신체 상상이라는 정치적이고 문화적인 장소에 논의의 핵심을 마련하고자 한다. 우생학적 신체 상상을 거점으로 하여 위에서 제기했던 복합적인 질문에 답하기 위해서 나는 '경성 우생학/연성 우생학'이라는 서로 상응하는 두 개의 개념을 사용하여 논의를 전개해 나갈 것인데, 이 개념쌍은 조선에서 "우생"이라는 이름 하에 전개된 실제의 담론적, 현실적 움직임들을 종합적으로 파악하기 위해 고안한 개념이다. 경성 우생학과 연성 우생학은 우생학적 상상들의 내적 스펙트럼을 형성하는 기본 축이다. 내가 상정하고 있는 틀에 의하면 경성 우생학의 맨 끝 쪽에는 가장 노골적이고 직접적인 열성퇴치론이, 연성 우생학의 맨 끝 쪽에는 변형되고 유화된

우성정책론이 위치해 있다.[2] 그리고 경성 우생학과 연성 우생학의 극점을 잇는 연속–변화의 스펙트럼 내에 다양한 생활 위생론이나 보건기술, 질병 치료법(특히 성병과 결핵)이나 예방론, 배우자 선택법, 태교법, 성지식과 성교육 등등이 연계적으로 배치될 수 있을 것이다. 여기에서는 경성 우생학의 극단을 단종법(斷種法)으로 설정한다. 그리고 이와 가장 멀리 위치해 있는 연성 우생학의 극단을 신체 '오락'으로 놓고자 하며, 이 두 극점이 우생학적 상상틀이 총체적으로 비대해지는 전시에 어떤 식으로 역할 배당을 받게 되는가 하는 점을 살피고자 한다.

우생학적 신체 상상은 구체적인 자연과학 지식의 실제적인 동원을 통해 조직되고 작용하지만 동시에 자연과학 지식의 직접적인 운용이라는 레벨을 넘어서, 특정한 '당위적' 집단 정체성을 형성하는 이데올로기 레벨에서도 강고하게 작동한다. 조선에서의 우생학적 상상력 역시 근대적 산물로서의 우생학적 상상체계의 보편적인 생리로부터 크게 벗어나지는 않는다. 역사적으로 우생학이라는 자연과학적 지식체계가 이데올로기적·제도적으로 근대세계를 구축하는 데 큰 영향력을 행사했음은 이미 재론의 여지가 없을 만큼 증명되어 온 사실이다.[3] 우생학은 우자/열자라는 폭력적 틀지우기에 기반하고 있다. 이러한 이분

2) 우생학에는 좋은 형질을 '진흥'시키는 '적극적 우생학'과 나쁜 형질을 '억제'시키는 '소극적 우생학'이라는 두 방향이 있는 것으로 설명된다. 인간을 대상으로 하여 현실적으로 이루어지는 것은 '소극적 우생학'이며 그 대표적인 것이 단종법이다. 이에 대해서는 米本昌平, 「イギリスからアメリカへ—優生學の起源」, 米本昌平 외편, 『優生學と人間社會』, 講談社, 2000 참고. 본고의 "경성 우생학"과 "연성 우생학"은 이와는 다른 층위에서 선택한 개념임을 밝혀둔다.

3) 19세기 서구에서의 지적 변동과 "자연과학주의", 다윈의 진화론과 사회진화론의 대유행이 갖는 역사적 의미, 그리고 자연과학 지식에 기반한 다양한 새로운 생활개선운동에 대해서는 위의 글 참고.

법과 배제의 논리에 의거, 우생학은 역사적으로 제국주의 혹은 국가주의 이데올로기와 아주 깊숙하게 내통하면서 그것의 현실화에 필수불가결한 지식 기반과 이를 바탕으로 한 실질적 제도화의 길을 공급해왔다. 우생학은 제국, 식민지, 인종, 민족, 국가라는 집단적 정체성을 상상하는 하나의 중요한 통로로서, 신체라는 물리적이고 유기적인 장소를 관통하면서 운행되는 '과학적' 노선을 제공해 온 것이다. 근대 우생학의 역할과 우생학적 상상들의 기능을 입체적으로 파악하기 위해서는 이것이 어떤 하나의 방식으로만 움직인 것이 아니라는 점을 분명히 할 필요가 있겠다. 식민지 조선에서의 우생학과 우생학적 상상들을 함께 검토하는 과정에서 경성 우생학과 연성 우생학이라는 대쌍 개념을 사용하고자 하는 것도 이러한 맥락에서이다. 이분법적 선택/배제 논리에 근거한 우생학은 근본적으로 폭력적이지만 이 폭력성이 실현되는 방식에는 노골적인 만큼 은폐되거나 위장되는 측면이 있어서 두 방향을 함께 살피지 않으면 안 되기 때문이다. 경성 우생학이 열자를 향한 일련의 직접적 배제와 제거의 논리를 총괄적으로 지시한다면, 연성 우생학은 우등한 것을 향한 배려와 장려의 논리를 지시한다. 근대의 우생학은 이 두 개의 바퀴를 함께 굴려 왔으며 특히 전쟁기는 이 두 개의 바퀴가 가장 긴박하게 급회전하는 때이다. 제국이 벌이는 전쟁에 식민지 조선이 심리적·정신적·신체적으로 본격적으로 동원되기 시작한 1937년경부터 1942년 무렵에 이르기까지, 이 두 개의 바퀴는 구체적으로 어떻게 움직이고 있었을까.

지금까지 이 시기에 이루어진 '군사적 신체 조형'에 대한 실증적 연구는 주로 의사학 분야에서 이루어져왔으나, 대한제국 초기에 이루어진 의료제도의 전환이나 위생담론 형성에 관한 분석들과 비교할 때 상대적으로 충분히 주목받지는 못한 편이다.[4] 그리고 문화론적이라기보다는 주로 제도사적 접근이나 표상 해석적 접근을 취하고 있어서 당시의 구체적인 담론 양상이나 일상적 현장성을 파악하는 데는 일정한 한계를 보이고 있다. 더불어 이들 연구는 당시의 질병 퇴치 양상을 중심에 놓고 전시기 신체담론을 규명하고 있어서, 이와 동시에 진행된 여타의 움직임들을 폭넓게 포착하지는 못하고 있다. 식민지 주민의 보잘것없는 신체와 체력을 병사의 그것으로 '육성'시키기 위한 방법은 당연히 하나가 아니었다. 복수의 방법들은 층위를 달리하면서 고안・개발되었고, 질병의 퇴치는 매우 중대하고 결정적인 과제이긴 했지만 함께 '모색'된 여러 정책들 가운데 하나였다. 이러한 상황을 입체적으로 파악하기 위해서는 우생학이 일상생활과 풍속의 영역으로 밀착해 들어왔다는 것을 기본적인 전제로 삼아야 할 것이며, 이 과정에서 '금지와

4) 중일전쟁기 이후의 신체 규율에 대해서는 신동원, 「세균설과 식민지 근대성 비판」, 『역사비평』, 2000년 봄호. 그 외 19~20세기 초반 근대적 신체관의 성립과 의료체계 형성에 관한 논문으로는 김윤성, 「개항기 개신교 의료선교와 몸에 관한 인식틀의 근대적 전환」, 서울대 석사학위논문, 1994 ; 신동원, 『한국근대보건의료사』, 한울, 1997 ; 박윤재, 「한말 일제 초 근대적 의학 체계의 형성과 식민지배」, 연세대 박사학위논문, 2000 ; 고미숙, 『한국의 근대성, 그 기원을 찾아서 - 민족, 섹슈얼리티, 병리학』, 책세상. 식민지시기 의료제도와 생체 권력에 대해서는 조형근, 「식민지체제와 의료적 규율화」, 『근대주체와 식민지 규율권력』(김진균 외 편), 문화과학사, 2000. 식민지 시기 신체 표상과 과학 지식 그리고 대중문화의 상관성에 대해서는 김예림, 「조선, 별천지의 소비에서 소유까지 : 에로그로 취향과 식민지 근대의 타자 상상」, 『1930년대 후반 근대 인식의 틀과 미의식 연구』, 소명출판, 2004 참고. 그리고 근대 보건의료 시설에 대한 건축학적 분석으로는 오종희・권순정, 「1976~1945년 한국 근대 보건의료 시설의 역사적 발전 과정에 대한 연구」, 『한국의료복지시설학회지』 9권 2호, 2003. 9. 식민지시기 우생학 관련 논문으로는 황병주, 「근대 식민 주체에 아로새겨진 (무)능력의 이중전략」, 『당대비평』 2003년 가을호. 그리고 문학텍스트 중심의 신체적 상상력에 대한 분석으로는 김면수, 「결핵의 수사와 임상적 상상력」, 『민족문학사연구』 19, 2001 ; 김현주, 「이광수의 민족 만들기」, 『작가세계』 2003년 여름호 ; 김예림, 「이광수의 예술론과 그 정치적 의미」, 『작가세계』 2003년 여름호.

퇴치'라는 부정적 방식의 조형술뿐 아니라 '장려와 조성'이라는 긍정적 방식의 조형술 또한 작용했다는 것 역시 기억되어야 할 것이다.

본고가 검토의 대상으로 삼고자 하는 시기로 범위를 좁혀서 말하자면 전시기의 우생학적 신체 관리 역시 마찬가지 양상을 보인다고 하겠다. 중일전쟁 시작부터 태평양전쟁 발발기에 이르는 시기에 조선의 상황은 제국의 전쟁에 '기여'해야 하는 방향으로 분명하게 선회했지만 그럼에도 불구하고 직접 전쟁이 벌어진 공간은 아니었다는 점에서 전시의 긴장과 그 긴장 속에서 주어진 여유라는 매우 교묘한 이중성을 띠게 된다. 위축·경화·과소의 내부에서 확대·방만·과잉이라는 또 다른 변수의 내부가 주어진 것이었다. 물론 태평양전쟁의 발발을 기점으로 이 공간의 복합성은 확연하게 줄어들면서 경색되지만, 적어도 중일전쟁 시작 이후의 조선의 풍경을 단색의 어두운 색깔로 동일하게 채색하는 것은 실재했던 현실적 양면성과 복잡성을 지워버리는 일이 될 것이다. 김남천의 지극히 풍속적인 소설 『사랑의 수족관』의 장면들이 압축하고 있듯이, 이른바 천막처럼 둘러쳐지기 시작하는 '총동원'의 덮개 밑에서 아직 어느 하나의 형태로 응고되지 않은 채 유동하고 있는 상태가 바로 이 시기 조선의 크로키에 가까울 듯하다. 전시체제의 개막과 전시 이데올로기의 유포, 그리고 그 속에 여전히 난만하게 벌어져 있는 근대 자본주의 문화와 일상. 이 혼종의 식민지 정황을 신체 조형술이라는 프리즘을 통해 규명하고자 하는 것이 이 논문의 핵심적인 문제의식이다. 표면적으로 이질적으로 보이는 두 정황이 서로 어떤 식으로 절합되면서 전반적인 전시 '조율'의 단계로 들어가게 되는가 하는 점이 당시 조선의 문화 상황을 파악하기 위해 던지는 기본적인 질문이 될 터인데, 여기서는 이 질문에 답하기 위한 하나의 거점으로서 전쟁기 신체 조형술과 그 매뉴얼로서의 우생학적 상상의 장을 검토할 것이다.

2. '민족'이라는 거대 신체의 건강 프로젝트

건강한 신체의 중요성이 근대 조선에서 인지되기 시작한 것은 대략 19세기 후반 무렵부터이다. 이 시기는 전통적인 '양생' 개념이 '위생' 개념으로 전환되고 이에 의거한 근대적인 의료 시스템이 조직화되기 시작한 시기였다.[5] 근대적 공공언론의 장이 생기면서 위생의 기술과 위생정책에 대한 요구가 빈번하게 신문지상에 오른다. 그런데 근대화 초기 위생론의 형태를 빌어 등장한 신체 담론의 맹아는 주로 정책적이거나 제도적이거나 실무적인 차원에서 제출되고 있다. 즉, 개인 건강의 중요성이라든가, 병원이나 치료기관 설립 및 보급의 요구라든가, 개개인이 지켜야 할 위생 규칙에 대한 훈시라든가, 위생정책의 부실함에 대한 비판이라든가, 당시 실시되고 있던 위생 관련 사무에 관한 간략한 보도의 형식을 취하는 경우가 거의 대부분이다. 물론 이러한 구체적인 지적들의 근저에는 두 개의 전제가 깔려 있는데 그 핵심은 첫째, 조선은 근대화에 뒤쳐져 있다는 것 그리고 지각 출발을 만회하기 위한 방법의 하나로서 위생 개념의 취득이 절박하다는 것, 둘째, 개인이 인생을 '온전히' 살기 위해서는 신체적으로나 정신적으로 건강해야 한다는 것이다.

근대화의 척도로서의 위생론, 위생 규칙의 일상화가 갖는 중대성은 이 시기 거듭 강조되고는 있으나 전체적으로 봤을 때 당시의 건강론과 신체론은 주로 위생과 청결이 "귀중한 인명"을 보호하고 질병으로 인한 개인의 고통을 미연에 방지할 수 있다는 맥락에서 생산되고 있다. 위생과 청결을 통해 개인 신체의 내적·외적 건강성을 유지하는 데 노력해야 하며 나아가 "개명한 국가"가 되기 위해서는 이를 위한 각종

---

5) 이에 대해서는 주 4)의 신동원, 박윤재의 논문을 참고할 것.

시설과 제도를 만들어야 한다는 당시의 인식은 전염병 예방이나 수도 사업, 위생규칙의 반포나 의원 설립, 근대적 의학 지식이나 의료제도의 강화 등을 통해 현실화된다.

그런데 제도화로서의 위생론과 더불어 '이데올로기로서'의 위생론이라는 것에 주목할 때 중요하게 떠오르는 한 가지 사실은 "기인(其人)이 민달(敏達)하고 활발ᄒᆞ면 기가(基家)의 화락과 기국(基國)에 부강은 불변가지라 인(人)이 생(生)ᄒᆞᆫ 동시에 위생술을 즉지ᄒᆞ여야 국여가(國與家)를 보존"[6]할 수 있다는 식으로, 집단 주체의 건강성이라는 개념과 이에 '해'를 입히는 부정적 존재들에 대한 인지가 발생하고 있다는 점이다. 국가론/민족론과 위생론의 공고한 결합에 의해 '건강'하거나 '정상적'이지 못한 특정한 부류는 집단 생존 자체에 위험스러운 존재로 낙인찍히게 되는데 당시 여러 차례 반복적으로 지적되고 있는 문제적인 집단 가운데 하나가 바로 "아편을 먹는 자"들이었다.[7] 아편을 먹는 자의 신체와 정신은 '정상적인' 주체의 "절반"밖에는 되지 않을 정도로 병들어 있으며 더욱이 아편을 먹는 자는 이것을 다른 사람에게 권함으로써 퍼뜨릴 위험이 있기 때문에 더욱 문제적이라는 것이다.

물론, 이렇게 위험 집단에 대한 문제 제기 혹은 이들이 갖는 상징적 위험성에 대한 언급이 나타나고 있긴 하지만 이와 같은 논리가 조직적으로, 대규모로 그 층을 두터이 하면서 담론화되어 집단적인 편견과 배제의 기술로서 이용, 유포된 것은 아니었다. 무엇보다도 이 시기 조선을 사로잡고 있었던 것은 조선 전체가 불결하고 거의 모든 조선인이 건강을 유지할 능력을 갖추고 있지 못하다는 사태였으므로, 이에 대한

6)『서북학회월보』 3권 16호, 1906. 12, 15쪽.

7) 해외와 국내의 아편 관련 소식이나 사건 보도는 신문에 지속적으로 실렸다. 관련 기사들은『독립신문』,『대한매일신보』 등의 잡보, 외보란을 통해 확인할 수 있다.

현실적 해결책을 요구하는 데 집중할 수밖에 없었던 것으로 보인다.

사회적 열자에 대한 공포와 우려가 건강한 신체 육성 프로그램과 더불어 본격 우생학의 형태로 '무르익어' 움직이기 시작한 것은 대략 1920년대 중후반부터이며 그 완숙기는 1930년대를 넘어서면서부터라고 할 수 있다.[8] 이 본격적인 움직임은 식민지 개발 상태로 밀려들어가는 조선에서 마구 그어지고 있던 계층적・젠더적 내부 분할선을 따라 이루어지기도 했고, 또 한편으로는 "민족적 육체개조운동"이라는 모토 아래 '공동체의 건강'이라는 판타지를 걸고 이루어지기도 했다. 두 경우 모두 우생학적 상상들의 내면화와 이에 기반한 건강한 민족 신체의 구상이라는 점에서 서로 긴밀하게 내통하고 있다. 집단적 신체의 우량화나 내부 열자들의 범주화라는 측면에서 봤을 때 1920년대 중후반경 조선에서 우생학적 상상들은 이미 낯선 것이 아니었다. 내부 분할선의 획정(劃定)은 근대화 과정에서 출현한 빈민, 범죄자, '질환자' 등 당시의 사회적 계서제(階序制)와 결코 무관할 수 없는 내부 식민지 구역을 따라 진행되었다. 조선 내부의 타자들이 속속 '열자'로 구획지어지는 가운데 "민족적 건강운동의 대업"의 기치 역시 높아지기 시작했다. "건강의 부족"이 "우리 민족 쇠퇴"의 "과학적" "원인"으로 지적되면서, "만일 우리가 오늘날의 건강 상태로 간다 하면 결코 금일 이상의 좋은 조선을 가질 수가 없다고 믿습니다. 웨? 지금보다 좋은 조선은 조선인의 힘으로만 될 것인 까닭이고 그 힘의 근원은 조선인의 건강한 몸이기 때문에"라는 인식은 공고해진다. "민족적 육체개조운동"의 요구는 "우리는 무섭은 자각과 무섭은 결심을 가지고 우리 민족적 육체의 개조에 시급히 착수하지 않으면 안 되겠음니다. 여긔에 대한 대요

---

8) 여기에는 근대 의료체계의 복잡화와 의학・생물학 지식을 포함한 과학 지식 체계의 전문화와 일상화라는 현실적 조건이 관련되어 있을 것이다. 이에 대해서는 김예림, 「조선, 별천지의 소비에서 소유까지」, 앞의 책 참고.

를 말하면 개인보건, 민중보건의 두 문제로 분(分)할 것입니다. 민중보건 문제 중에는 아동위생, 영양위생, 성생활, 오락, 휴식, 흡연, 음주, 공중위생 등의 문제입니다"[9]라는 구체적인 실행 촉구의 목소리로 이어진다.

실제로 조선에서 "우생학"이라는 개념 자체가 대중매체에 등장한 것은 1920년대 초반이다. 이미 19세기 말엽부터 민족/국가 만들기라는 구조적 작업에 이데올로기적 기반이 되었던 우생학적 상상들이 1920년대에 들어서면서 개념적 언표화(言表化) 계기를 얻게 된 것이다. 이는 이미 일찍부터 내면화되기 시작한 보다 광의의, 심층의 인식틀이 특수한 전문 용어/영역의 수용과 수입을 통해 초점화되어 표출, 유통되기에 이르는 과정이라고도 할 수 있다. 1920년대 들어서면서부터 우생학이라는 용어를 앞에 건 대중 강연이 이루어지기 시작했고, 1930년대를 넘어서면서부터는 그 규모가 매우 커지고 있음을 확인할 수 있다.[10] 이처럼 우생학은 1920년대 초 대중 계몽강연의 중요한 대상으로 부상하는 '새롭거나 중요한' 신개념이었으며, 적어도 '의식적으로' 재발견・재선전되어야 할 영역으로 또렷하게 돌출하기 시작한 것이다. 이러한 과정을 거치면서 1930년대 초반 이후 조선은 우생학적 상상들의 번성지가 된다. 이 점은 당시 출간된 대중매체의 기사들을 통해 충분히 확인할 수 있는 바인데, 특히 당시의 전반적인 우생 목적론과 방법론 및 그 대중화 양상을 압축해서 제시해주고 있는 것이 바로 1933년 '조선우생협회'의 출현과 활동이다. 조선우생협회는 대중 강연을 실시

---

9) 『동광』 1926. 5.

10) 『동아일보』의 보도에 따르면 우생학 관련 대중 강연은 종종 이루어졌던 것으로 보이며 1930년대 초반 이후로는 '조선우생협회'가 주최한 "우생 문제 대강연"이 본격적으로 진행된다. 이에 대해서는 본문에서 논한다. 특히 동아일보 학예부는 조선우생협회 주최 우생 강연회를 후원한 경우가 많다.

하고 그 기관지를 발행하는 등 우생 계몽운동을 펼친다. 1934년 9월 『우생』 1호가, 1년 뒤인 1935년 9월에 『우생』 2호가 나오는데, 여기에는 세계 우생운동에 대한 소개,[11] 화류병의 위험성과 청소년 성교육의 필요성, 유전 관련 논의들, 결혼과 임신과 태교의 생물학적 중요성, 산아제한 문제 등이 다루어지고 있다. "전 세계나 일민족을 무를 것 업시 그 성쇠소장이 오직 그 권리각분자(圈裏各分子)의 우량함과 박열(薄劣)함이 실로 그 본(本)함 잇"는 시대에 "우생학적 지식"의 "섭취"와 "후승(後承)"의 "선도(善導)"라는 "급무"를 달성하기 위해 조직된 조선우생협회는 회장 윤치호를 비롯하여 여운형, 유억겸, 주요한, 최두선, 김성수, 이광수, 현상윤 등 총 84명의 발기인으로 구성되었고 강연회, 토론회, 좌담회의 개최, 간행물 발간, 아동보건 및 결핵의학 상담 등을 중요 사업으로 설정하였다.[12]

---

11) 특히 독일의 우생정책은 선진적인 케이스로 언급되고, 일본 쪽의 움직임 역시 단신으로 보도된다.

12) 『우생』 1호에 게재된 「조선우생협회기사」, 35~37쪽 참고. 잠시 1930년대 초에 만개한 산아제한론에 대해 살펴보고 넘어가자. 1930년대 초반의 산아제한론은 조선 내부의 계급적 열자들 즉 빈곤층의 확산에 대한 집단적 공포를 고스란히 반영하는 것으로, 하층민의 '대를 이은' 열등성에 대한 관리가 시급히 이루어져야 함을 노골적으로 주장하고 있다. 혈족 결혼 역시 "2세 불량"이라는 우생학적 관점에서 반대되곤 했다. 혼종 결혼론도 나오는데, 엘리트층의 경우 별다른 비판의 대상이 되지 않는 반면, 빈민층의 경우는 문제적으로 인식된다. "社會學上으로 본다 하여도 國家의 安全함이라든지 家庭의 平和스러운 것이 人口收量에 있지 아니하고 氣品과 質에 잇다고 하여도 過言이 아니다. 一社會에 不良分子인 殺人, 强盜, 射技, 浮浪, 狂人, 淫亂, 不具者 등이 만흘 것 갓흐면 第一로 經濟上 不利할 것은 勿論이고 治安上 發展上에 重大한 問題일 것은 明確하다.……그 對策 중에 하나가 되는 것도 優生운동 즉 社會에 害를 주는 不具의 遺傳病者, 不良分子들을 出産分치 못하도록 根本的으로 防止하자는 것이다"라는 주장이 유포된 시기임을 생각할 때, 문제의 초점이 빈민-열자에게로 집중된 것은 당연해 보인다. 인용은 이명혁, 「생물학상으로 본 우생학」, 『우생』 1, 1934. 9, 2쪽. 식민지 시기 산아제한론에 대

1935년을 넘어서면서 조선우생협회의 활동에 대한 보도는 따로 나오지 않지만 이 사실이 우생학적 담론의 실종이나 약화를 의미하는 것은 물론 절대 아니다. 동시기 혹은 이후의 우생학적 담론의 일상화, 대중화는 『조광』이나 『삼천리』와 같은 종합잡지나 『과학조선』, 『보건운동』과 같은 전문잡지의 연쇄 고리를 통해 언제나 현재진행형으로 지속되고 있기 때문이다. 바야흐로 식민지 조선의 개인과 집단들은 의학적·생물학적 지식으로 코팅된 우생의 문화정치 필름에 속속 기록되기 시작한 것이다. 우생학의 셔터는 근대 조선 내부의 곳곳을 찍으면서 우와 열의 '과학적' 갈무리 작업을 진행하고 건강한 민족 신체의 구상을 실행하게 된다.

3. 전시 우생학과 신체 오락의 문화정치

1) 강화되는 열자 말소론과 위생론

중일전쟁 발발 이후 조선은 제국 일본의 인간 병기 창고로 '육성'되는 전시 신체 개발단계로 편입되어 들어간다. 이 시기에 우생학의 스펙트럼 전영역이 전반적으로 강화된 것은 말할 것도 없다. 전시의 제국이 각종 생체 정치 기술을 강도 높게 발휘하면서 그 이데올로기와 정책들은 조선에도 이식된다. 일본의 의료 파시즘에 비판적으로 접근하고 있는 후지노 유타카는 15년 전쟁 기간을 만주를 포함한 중국대륙이나 동남아시아·태평양 지역의 점령을 위해 우수한 "인적 자원" 확보라는 국가 의사가 일관되게 관철된 시기로 보면서 이 시기 일본에서의 의료가 어떤 식으로 파시즘을 추진했는가 하는 점을 정책사적으로

한 연구로는 소현숙, 「일제 식민지 시기 조선의 출산통제담론의 연구」, 한양대 석사학위논문, 2000 참고.

밝혀낸 바 있다. 그에 따르면 1920년대 일본에서는 이른바 "민족위생"론이 보급되면서 이를 추진하기 위한 제도가 정비된다. 1925년에는 국제연맹 주최 각국 위생기술관 교환 시찰회가 열리는 등 일본의 위생정책과 의료정책은 이즈음에 '예방', '방지', '영양', '위생', '건강 상태'라는 일상적인 생활 측면에서의 광범위한 "국민 체위 향상"의 단계로 나아간다.[13] 이후 1938년 전시 국민의 체위 향상이라는 급선무를 해결하기 위해 후생성이 설립된다.[14] 후생성은 전투하는 제국의 거대한 신체 조형 공장을 상징한다. 전시 편입된 조선 역시 후생성의 탄생과 이것이 추진한 "국민체위 향상을 목적으로 하는 여러 사업"을 "국민우화의 근본문제를 해결"할 수 있는 계기로서 환영했다. 특히 강성 우생학의 극점에 해당하는 단종법은 "근대의 전쟁은 인간의 두수로만 승전" 여부가 결정되는 것이 아니라는 전제하에, 열자의 완전 박멸을 위한 가장 적절한 방법으로 그 필요성이 적극 인정되고 있다.

> 이제 厚生省이 成立되여 今後의 國民體位 向上을 目的으로 여러 事業이 예기되는 중에 이 斷種法도 試行케 되어서 國民優化에 根本問題를 解決하기를 바라마지 않는다. 人口의 增加는 國家의 幣榮이라구 欣善할 수 있으나 實際問題에 있어서는 國家의 幣榮은 人口의 양으로만 問題될 것이 아니고 質이 더욱 要求될 것이다.……帝國의 社會相을 示하면 人口增加率 幼兒死亡率이 世界에 第一이고 不具者

---

13) 일본의 위생정책과 "민족위생"론의 전개에 대한 위의 논의는, 후지노 유타카(藤野豊),『厚生省の誕生』, かもがわ出版, 2003, 1장 참고.

14) 1936년, 청년남녀에게 결핵이 만연하고 있어서 병력이 저하되고 차세대 인구가 감소된다는 이유로 체력 강화를 위한 위생 행정의 전문성 설치가 요구되고 그 구성이 구체화된다. 2년 뒤에 후생성 설치로 이 계획은 실현되는데, 후생성은 지금까지의 내무성 위생국을 중심으로 한 관계 기관을 통합한 새로운 기관에 그치는 것이 아니라 체력 강화에 중점을 둔 위생 행정을 전반적으로 재편성하여 조직한 기관이다. 이에 대해서는 후지노 유타카, 위의 책 참고.

혹은 遺傳的 疾病이 많은 것도 世界 第一 結核 梅毒患者의 數 酒毒中毒者의 數도 世界 第一이고 犯罪者의 數도 數年 增加하며 感化院의 受容을 要하는 不良少年도 年年增加의 傾向을 보인다. 如此한 國民의 增加는 國家의 繁榮이라고 安心할 수 없는 것이다. 近代의 戰爭은 人間의 頭數로만 勝戰함은 아님을 누구나 잘 아는 것이다.……그러므로 優良한 國民이 많음을 要求하는 時代이다. 이제 國民의 心身을 優化함에는 여러 가지 方法이 있을 것이다. 例하여 말하자면 科學知識普及 結婚의 改量及 社會 制度의 改良 등은 主히 高潮하나 이는 다 根本的으로 解決될 수 없는 方法이다. 그러타고 없어야 될 것은 아니다. 실제로 國民이 惡劣質 所有者가 없어지는 그날에야 國民의 優化는 實現될 것이다. 이 根本 方法은 斷種法 이상의 것은 現時에는 찾지 못할 것이다.[15)]

---

15) 김홍선, 「단종법안에 대한 비판 - 국민 우화(優化)의 근본책으로의 법안」, 『조광』, 1938. 4. 단종법은 1933~4년경, 조선에 나치스 우생정책이 이렇게 저렇게 소개되면서 간헐적으로 이미 언급된 바 있다(「나치스의 괴법령 남녀강제절종법 명년 일월부터 실시」, 『동아일보』 1933. 12. 24). 그리고 이갑수, 「세계적 우생운동」, 『우생』 1, 1934. 9 ; 「독일유전병방지법」(독일관보 발표문의 유전병방지법 번역), 『우생』 1, 1934. 9 등이 있다.
일본의 경우 1938년 1월에 후생성 산하 예방국에 우생과가 설치된다. 우생과의 주관 업무는 '민족위생', '정신병', '만성중독', '만성병', '화류병', '나(癩)' 등에 대한 처리였다. 그리고 1940년 5월 1일자 법률 제107호 「국민우생법」이 발표된다. 이 법안은 "악질 유전성 질환의 소질을 가진 자의 증가를 방지하고 공동의 건전한 소질을 가진 자의 증가를 도모하여 국민 소질의 향상을 꾀할 것을 목적으로" 하는 것으로 유전성 정신병자, 유전성 정신박약자, 악질의 유전성 병적 성격 소유자, 유전성 신체 질환이나 기형을 가진 자 등의 단종에 관한 사항들을 담고 있다. 이 법안의 원문에 따르면 당시 일본에서 인구 감소 현상이 큰 문제로 지적되고 있음을 알 수 있다. 출생률 저하와 전쟁으로 인해 인구는 감소하는데 상대적으로 "악질 유전성 질환 소질을 가진 자가 점차 증가하고 있"으며 "정신병자"의 수도 많아지는 등 열질 소유자들의 증가율이 인구 증가율을 넘어서고 있다는 것이다. 따라서 이 법안은 열질 소유자의 증가를 막기 위한 우생 수술의 구체적인 정책과 "건전자의 산아제한 사상을 타파"하자는 전반적인 방향을 제시한다. 원문 인용과 참고는 『國民優生法概

후생성을 중심으로 한 제국의 전시 인력 증강정책이 인구 감소와 출생률 저하의 공포 속에서 적극 개진되고 그 하나의 방법으로 전시의 강성 우생학이 열자의 '멸종'을 기도하는 사이, 일상 삶의 영역에서는 대규모의 생활 우생학 역시 만개하고 있었다. 이 생활 우생학은 전시기와 동일하게 그러나 더 강도 높게 결핵 및 화류병에 대한 예방·치료 지식을 제공하고 도시적 문명병으로서의 이 위험한 질병에 대한 대대적인 대책 마련에 나서게 된다.16) 경성 우생학의 극점인 단종법이 특수한 문제적 집단을 표적으로 삼아 열성퇴치론을 도모하는 제한적이지만 매우 물리적이고 폭력적인 방법을 취한다면, 이 선을 벗어나 점점 연성 우생학 쪽으로 이동할수록 일상화된 우생학의 제형식들은 보편 집단을 대상으로 하는 확장적이고 비폭력적인 방법을 취하게 된다. 이는 전체적으로 보면 우생학이 (유사)과학으로부터 제도－일상 문화로 코드 전환하는 과정이라고도 할 수 있을 것이다. 이렇게 전시 연성 우생학의 위생론이나 예방론 등이 각종 정책 강화와 연동하여 보강되고 있었다면, 연성 우생학의 가장 소프트한 지점인 스포츠－신체 오락의 영역은 어떤 식으로 재편되거나 활용되고 있었을까. 이 문제는 우생학적 상상들이 오락의 형식으로 변형, 조정되는 메커니즘과 연관

說』(후생성예방국, 소화 15년 6월)에 따랐다. 그리고 이 법안이 제정되기까지의 과정에 대해서는 松原洋子, 「戰後の優生保護法という名の斷種法」, 米本昌平 외 편, 앞의 책, 175～183쪽 참조.

16) 전운이 짙어지면서는 일본에서는 인구 감소 문제가 중요하게 대두한다. 조선의 경우도 마찬가지다. 조선의 사망률이 매우 높음을 우려하면서 인구 증가에 여러 방면에서 힘써야 한다는 논의들이 나오고 우량한 국민을 수적으로 늘려서 "인적 자원"을 확보할 것을 강조한다. 총동원기 일본의 대조선정책이나 총동원기 각종 질병, 위생, 영양, 체육정책, 건민대책 등과 신체론의 이데올로기는 당시 총독부, 후생국의 정책 기록, 국민생활논총, 전시농민독본 등의 자료를 통해 구체적으로 파악할 수 있다. 관련 자료는 '일제하 전시체제기 정책사료총서 : http : //210.101.116.181/japan/' 참고.

되어 있다. 보다 구체적으로는 전시의 체제 재편과 오락의 '취급'이라는 문제로 표현될 수도 있을 듯하다. 그렇다면 '오락 권하는 전쟁'의 실체와 논리는 무엇일까.

2) 전쟁 테크놀로지로서의 오락정책과 유희하는 병기

(1) 오락론의 전개와 '야외'로의 호출

중일전쟁 발발 이후 조선산 신체 병기는 일상화된 연성 우생학의 장에서 어떤 식으로 제조되고 있었는가 하는 것이 이 절에서 다룰 핵심적인 문제이다. 이를 규명하기 위해 선택한 연성 우생학의 지점은 향유와 유희라는 판타지 속에서 '즐겁게' 병사의 신체로 변신하도록 유도하는 신체 오락의 장이다. 이것은 전시의 연성 우생학 가운데서도 가장 말랑말랑한 지대에 위치해 있을 뿐만 아니라, 전시 통제 시스템 전체를 기준으로 생각해 볼 때도 역시 어떤 잉여나 과잉의 지점이라 할 수 있다. 그러나 이 잉여나 과잉은 물론 조용히 통제되고 있거나 조정되고 있거나 의도적으로 육성되고 있는 것이다. 이 교묘한 이중성을 묻는 일은 곧 전시는 왜 오락을 요구하는가를 묻는 일과 만나며, 더불어 전시의 오락은 결국 어떠한 신체 조형술을 조작하고 있는 것인가를 묻는 일과도 만난다. 이 문제를 조선이 놓여 있던 맥락에서 검토하자면 우선 중일전쟁 이후 적어도 조선이라는 '물리적' 영토는 피 흘리는 전장터가 아니었다는 상황을 들 수 있겠다. 물론 전쟁의 무드는 조선 전체에 심층적으로 파고들어 퍼지고 있었고 인간 병기 생산 벨트 또한 제국에서 내려온 제조법에 의거 계속 가동 중에 있었으나, 직접적인 전투가 여기서 벌어지지는 않았다. 이러한 상황은 조선에서도 다음과 같이 인지되고 있었다.

이른바 전쟁이다! 비상시다! 하고 消燈法을 배우고 午砲를 停止하며 떠든다 하드래도 아직까지 우리 눈앞에 피 흘리는 군인이 뵈이지 안코 공중에서 폭탄 떨어지는 것을 구경하지 못한 일반 우리 국민은 아즉도 歐洲전쟁 당시에 비하야 태평한 생활을 하고 있다 할 수 있습니다.…… 우리는 아즉까지 이와 같은 쓰라린 맛은 다행히 모른다 할지라도 결코 여기서 안심하여서는 않 될 것입니다.[17]

"지나사변은 만 일 년이 되었는데 국민은 그 일 년간 그리 부자유가 없"이 "구경도 단이고 놀러도 단"[18]일 수 있었던 상황은 조선에 어떤 애매한 공동(空洞)의 공간을 열어놓았다. 전시의 오락은 이 공동의 장소에서 번성할 수 있었고 나아가 더 중요하게는 전시 시스템을 결코 벗어나지 않을 뿐 아니라 이를 위해 적절히 기능하는 협조적인 변신을 실행할 수 있었다. 이 시기 조선인의 신체는 "건전 오락"과 "명랑성"이라는 모토 아래 이루어진 새로운 육성정책을 만나게 된다. 이는 좁게는 "스포츠", "운동", "체육"의 영역으로 범주화된 신체 활동을 의미하며 넓게는 "취미"나 "오락", "여행" 등과 같은 잉여의 형식으로 주어지는 신체 활동까지를 의미한다. 이들이 중일전쟁 발발 즈음부터 태평양전쟁 발발 시점에 이르기까지 축소되기는커녕 전시 문화 행정의 매우 결정적인 지점으로 적극 활용되었다는 점은 흥미롭다. 이 시기 조선인의 신체와 정신은 '국가'를 위해 피 흘릴 것을 일상에서 즐겁게 준비하도록 권유받게 된 것이다.

총동원체제와 생활 오락정책에 대한 주목할 만한 논의는 다카오카 히로유키의 일련의 논의를 통해 제시된 바 있다. 그는 전시기 일본의 투어리즘과 후생운동의 정치적 의미를 규명하면서 일본 파시즘의 생

17) 황신덕, 「비상시국과 가정 경제」, 『삼천리』 1938. 8.
18) 이건혁, 「물자동원과 국민생활」, 『조광』 1938. 8.

체정치의 내막을 비판적으로 규명하였는데, 이처럼 문화적 신체 훈련의 정치성을 해명하는 관점은 본 논문의 문제의식을 확장하는 데에도 많은 시사점을 제공해주었다.[19] 당시 조선에서의 전시 신체 오락정책이 어떤 식으로 조정되고 있었는가를 파악하기 위해서 우선 앞선 시기에 제출되었던 오락, 스포츠 관련 신체 담론을 검토하도록 하겠다. 이를 위해서는 먼저 취미와 여가의 역사성에 대한 논의가 필요할 것이다.

근대화되어 가던 조선에서 '취미의 근대화' 문제가 본격적으로 언급되기 시작한 것은 1920년대 중반을 넘어서면서부터이다. 조선의 "빈취미증"이 문제적인 현상으로 지적된 것은 『별건곤』의 시대가 열리면서부터였다. 『별건곤』은 취향과 향유와 취미의 대중화를 선언하고 나온 매체이자, 바로 이와 같은 시대의 개막을 알린 하나의 상징이었다. 식민지 내부 분화가 진행되고 이에 따라 현실에 대한 계급론적 관점이 확대되면서, 1920년대에는 취미와 오락 문제 역시 계급적 소외라는 맥락에서 인식되었다. 즉, 가난한 조선은 전반적으로 일차 노동 아닌 여가 개념이 성립될 처지가 못 되지만, 그나마 존재하는 문화 시설들마저 철저하게 계급적이어서 따지고 보면 소수 집단의 향유물에 그칠 뿐이라는 비판이 여기저기서 들려왔다. 그것은 "우리 조선에 활동사진관이 몃 개지만 그것이 노농대중에게 무슨 위안을 주엇스며 무도, 음악이 유행하지만 그것이 또한 노농대중에게 무슨 취미가 되엿느냐? 박물관, 동물원, 공원, 극장이 다 그러하다. 그것은 다 일부 인사의 독점적 향락 기관이 되고 마랏다.……등산, 기차, 여행 등을 취미로 아는 사람

19) 관련 논문은 高岡裕之, 「總力戰と都市」, 『日本史研究』 415, 1997. 3 ; 「觀光, 厚生, 旅行 - ファシズム期のツーリズム」, 赤澤史朗 외 편, 『文化とファシズム』, 1993. 그 외 「醫療新體制運動の成立」, 『日本史研究』 424, 1997. 12이 있다.

도 잇스나 그것을 실혀하는 사람도 잇고 그것이 못 되는 사람도 만타 하면 민중적 취미는 못 될 것이다. 온천, 약수도 또한 그러하다"[20]라는 문제 제기였다. 이 점에서는 "스폿트"도 마찬가지였다.

> 그러나 우리가 누구나 자유로이 운동을 하게 될 수가 잇고, 하로에 세 시간씩 어느 공공한 처소에 가서 가장 유쾌한 마음으로 마음대로 무슨 운동이나 할 수가 잇게 되고 세계적 선수권 대회 아니라 그보다 더한 것이라도 거저–아모나 구경하게 될 수가 잇고 갓치 질기게 될 때가 올 것 갓흐면 그때 가서는 누구나 다 녯날의–야구 구경 한 번에 대매일원(大枚壹圓)을 주고 구경한 일이 잇다는 것이 꿈과 갓치 생각이 되리라.[21]

오락은 "유한계급의 전유물"[22]이라는 인식 그리고 오락은 대중화되어야 한다는 요구는 이후 1930년대 초반으로 들어서서도 함께 연동하여 제기된다. 그러나 이 시기에 나타난 주목할 만한 경향은 오락의 대중화 문제가 계급적 소외의 반영물이라는 쪽으로 담론화되기보다는 이른바 집단적 조절이나 정책화라는 층위에서 접근되기 시작했다는 것이다. 건전한 오락과 건전하지 못한 오락에 대한 구분, 그리고 전자의 진흥과 후자의 척결이 "민족적 원기 진작의 중대 요건"으로 언급되기 시작한 것도 이런 맥락에서이다.[23] 바야흐로 오락의 대중화(현상이자 당위)와 정화가 함께 논의되기에 이른 것이다.

---

20) 벽타, 「빈취미증 만성의 조선인」, 『별건곤』 1926. 11.
21) 승일, 「라듸오. 스폿트. 키네마」, 『별건곤』 1926. 12.
22) 「유한계급의 전유물, 오락의 변천 경향」, 『동아일보』 1930. 4. 6.
23) 1930년대 초반에 이러한 논의가 강화된 직접적인 물리적 조건으로 만주사변이라는 준전시 상황을 들 수 있다. 만주사변 관련 오락 금지나 정지 기사들을 통해 확인 가능하다.

> 朝鮮의 都會와 農村을 한갈같이 파고들어가는 毒蟲은 痲雀에 限할 것이 아니다. 낡은 熟語로 酒色雜技 그 어느 것이나 朝鮮의 膏血을 빨아먹지 안는 것이 없다. 金錢을 빼앗아가고 健康을 빼앗아가고 元氣를 빼앗아가고 意志力을 빼앗아가고 感激性을 빼앗아가고 冒險心을 빼앗아가는 이 毒蟲을 除去하는 것이 우리의 큰 싸움의 하나가 아니 될 수 없다. 娛樂의 淨化, 娛樂의 社會化는 모든 階級을 通하야 모든 時代를 通하야 人類社會의 一大問題가 되어가지고 있다……오늘날 朝鮮의 靑年은 그 娛樂에 대하야 指導機關의 缺乏을 느끼는 것이 事實이다. 農村의 農閑期에는 非衛生이 極한 온돌사랑에서의 吸煙, 雜談, 賭博으로 虛送되고 都市의 靑年은 카페의 등불이 表徵하는 頹廢的 生活과 痲雀看板이 廣告하는 無爲的 時間의 浪費로 그 生活力을 暗殺當하고 만다.[24]

인용문은 이어 세계 각국이 "각각 그 입장은 다르다 하나 국민의 원기를 보하고 사회의 원동력을 충분케 하기 위하야 국민의 오락생활의 사회적 통제, 혹은 지도를 부르짓"으면서 "구락부의 창설, 스포츠의 장려, 도서관의 설립, 활동사진의 이용, 야외생활의 추천 등등"을 추진하고 있다고 강조한다. 이처럼 대중 오락과 건전성의 문제가 함께 제기되는 '국제적인' 상황에서 조선은 무엇을 해야 하는가. 이제 "청년아 광활한 대지에 뛰어나가 일광을 찬미하라. 술잔과 골육을 만지는 손으로 풀닙과 흙을 만지자. 차라리 락켓트와 뱃트를 들자. 모든 교육기관, 청년단체, 노농단체는 체육과 교육과 사교에 대한 지도적 활동을 더 적극적으로 하자"[25]라는 주장이 제기되기 시작한 것이다.

오락의 공유와 그 방향 설정(건전/퇴폐론)이 공적으로 논의되기 시작하면서 야외에서 "락켓트와 뱃트"를 드는 생활체육의 영역은 그 중요

24) 「오락의 건전화 사회화」, 『동아일보』 1931. 11.
25) 위의 글.

성을 인정받기에 이른다. 전체적으로 봤을 때 1930년대 초반은, "문약하고 침체하고 위축되어가는 현실의 조선에 있어서" 선수 양성보다는 "전 민중에게 체육을 보편화"시킬 수 있는 "민중보건체육"을 개발하는 것이 훨씬 더 시급한 일이라는 진단[26] 하에서 "민중보건"의 이름으로 보건 관련 조직들의 체육 대중화 정책들이 대규모로 기획된 시기이다.

그 목적은 청년의 사기 진작, 민중의 강건 기풍 양성, 협동단결의 훈련 등으로, 모두 "민족보건"이라는 가치에 그 채널이 맞춰져 있었다. "민족보건의 근저는 소극적인 질병의 예방과 치료 또는 양생법에 있지 않고 적극적으로 진출하야 일반 민족의 신체를 단련함으로써 각자가 소유한 바 건강을 더욱 건강케 하는 데"[27] 있다는 것이다. 이어 "1931년으로 비롯하여 금년 신춘에 들면서 조선민중보건에 관한 여론이 높아가는 동시에 이에 대한 수삼기관(數三機關)까지 발생함을 보게 된 것은 매우 경하할 현상"이며 "중앙체육연구회 등의 유지가 선두에 나서 보건체조라든지 민중체조단의 조직 등 체육의 민중화에 힘쓰는 한편 우리 보건운동사로써의 유지 간행 강좌 개최 등과 합작되어 1932년은 확실히 조선민중보건운동의 선전기에 들어섰다고 볼 수 있다"[28]라는 자체 평가도 나온다.

⑵ 명랑한 향토적 신체의 발견

이러한 "민중체육 보편화"의 논리는 일상의 개개인의 신체를 보건과 오락 양자가 정확히 접합하는 지점에 가져다 놓는다. 이것은 상식과 운동으로서의 보건위생 영역과 취미와 놀이로서의 운동(스포츠) 영역이 '건전 오락'이라는 혼종물로 교묘하게 중첩되는 자리이기도 했다.

26) 김보영, 「민족보건과 체육 보편화의 급무」, 『삼천리』, 1932. 3.
27) 진번, 「민족보건과 체육 장려(一)」, 『삼천리』 1931. 4.
28) 양봉근, 「조선민중보건운동의 방략」, 『삼천리』 1932. 3.

건전 오락이라는 정책적 가치가 중일전쟁 이후의 전시체제에도 고스란히 살아남았을 뿐만 아니라 당시에도 여전히 번성 중이었던 '에로그로' 문화의 정화 논리로서 적극 이용된 것도 모두 이러한 맥락에서이다. 국가총동원법이 발동되고 국민정신총동원조선연맹이 결성되는 등 총동원체제의 본격적인 가동이 시작되고 이것이 "문화 부문 통제에로 전환"되면서 "전시엔 취미 오락도 개신"[29]되어야 한다는 논리가 만연했던 1938년 "비상시국"의 시절에도, 조선의 출판계의 경우 "시국물 극소수"에 "특수한 오락물은 증가되었"다는 진단과 "앞으로 이 방면 것은 더할 것"[30]이라는 예상이 나올 만큼 조선의 오락 양태는 '건전치 못했'던 것이다. '우리는 여전히 지나치게 향락적이다'라는 다음과 같은 비판적 자기 점검은 늘 상존했다.

> 그때마다(서울에 갈 때마다—역자 주) 느낀 것은 사람들 사이에 대단히 향락적 기분이 농후해지고 영화 연극 팬이 부쩍 늘고 다방이니 '그릴'이니 '바-'니 하는 것이 거이 전성을 극하고 요리집이 엄청나게 홍성홍성하다는 것이다. 살림 형편들이 좋아진 때문인가? 전쟁 경기, 광산경기의 덕분인가?……내가 가장 관심하는 것은 사람들 사이에 향락적 기분이 농후한 것 같은 그 점이다.[31]

건전 오락론은 1938년경부터 여러 영역에 걸쳐 유포되어 1942~43년에 이르기까지 문화정책론, 연주-공연 보도 등의 다양한 형식으로 지속적으로 전파된다. 이 시기의 건전 오락론에는 영화, 연극 등 다양

---

29) 『동아일보』 1938. 12. 10.

30) 『동아일보』 1938. 12. 24.

31) 이석훈, 「지식인의 연애」, 『삼천리』 1940. 3, 322쪽. 그는 이어서 우울 속에 방황하는 지식인의 퇴폐적인 연애를 비판하면서 이들의 연애가 "건전하고 명랑"해져야 한다고 주장한다.

한 대중 소비 영역이 포괄되어 있지만 특히 신체 오락—운동 부분은 총체적인 '정신 개조'라는 당면한 급선무와 관련하여 결정적이며 중요한 지점으로 등장한다. "경기 선수 중심에서 체력 증진 운동"으로의 전환은 "건전한 오락으로서의 운동"[32] 정책의 기본 전제가 되었는데 얼마 안 가 이것은 "오락을 전투력 증강에로 개편"하는 장기적인 국방체육화의 길로 이어지게 된다.[33] 일본의 경우 이러한 양상은 1930년대 초반부터 시작된 레크리에이션 운동을 통해 서서히 지펴지기 시작했으며 1938년 조직적으로 제국의 곳곳을 훑은 후생운동을 통해 본격화된다. 후생운동의 공식 기관 '일본후생협회'가 설립되어 이 운동을 주도하면서, 건전 신체론을 거점으로 삼아 도시 문명의 현실적 문제들과 상징적 부정성을 비판하는 단계로 진입한 것이다.[34] 전시 조선에서 이루어진 오락 재편의 움직임과 건전 신체의 오락적 육성이라는 방침은 제국이 취한 이와 같은 방향에서 크게 벗어나지 않는다.

이 시기 출판된 잡지의 목차 밑그림에 목도리를 휘날리며 스키를 타

---

32) 『동아일보』 1938. 1. 1.

33) 『동아일보』 1938. 12. 22. "종래의 취미 오락의 성질을 띠엇던 각종 운동경기"를 "전투력 증강에 필요한 형으로 개편"하는 방안이 발표된다. 이후 "일본정신과 무사도를 선전하는" "경기의 국방화"와 관련된 경기 관전평이 제출된다. 인용은 이정순, 「第十二回 神宮競技觀戰記」, 『조광』 1941. 12.

34) 다카오카 히로유키에 의하면, 중일전쟁 발발을 전후하여 "체위향상운동"으로 활성화된 레크리에이션 운동은 1938년 들어서면서 "후생운동"으로 발전한다. 후생운동 성립의 직접적인 계기는 제12회 올림픽의 동경 개최 결정 그리고 세계 레크리에이션 대회 개최 계획이다. 이 시기에 일본은 레크리에이션을 "후생운동"으로 번역하고 그 조직화에 나서게 된다. 일본후생협회의 설립 취지서에는 "국민의 체력, 덕성의 향상을 도모"할 필요성이 강조되고 있다. 그 방법으로는 여가 이용에 관한 국민 지도, 불건전·비경제적 오락의 교정, 심신을 연마하고 정조를 바르게 하기, 고유의 문화 유지 발전, 국민 친화 등이 거론된다. 후생운동은 1943년경에 후퇴기를 맞는다. 이에 대해서는 다카오카 히로유키, 「總力戰と都市」, 『日本史硏究』 415, 1997. 3 참고.

는 남성의 날렵한 신체가 그려져 있는 것, 하이킹이라는 낭만적 여행의 코스가 신문과 잡지에 줄곧 소개되고 배낭을 멘 여행자의 사진이 "우리는 가고 가네 이야기하며/하이킹 코-스는 우리의 락원"이라는 구절과 함께 박혀 있는 것은 그러므로 그리 이상한 풍경이 아닌 것이다. 하이킹과 같이 심신을 건강하게 하는 소박한 근거리 나들이는 일본의 후생운동이 추천해 마지않았던 건전 신체 오락의 전형이었다.[35] 조선에서 하이킹 관련 기사는 1930년대 초반에는 거의 나타나지 않다가 1937년 무렵부터 뚜렷하게 늘기 시작하여 1940년에 이르기까지 줄곧 출현한다. 일상에서 '즐기면서' 정신을 맑게 하고 신체를 단련하자는 것은 가장 부드러운 생체 정치의 주장이다. "과격한 운동을 하면 도리여 병이 생기기 쉽습니다. 도회인의 스포-츠로는 기회 있는 대로 교외로 나가는 것이 좋습니다. 교외로 나가서 자기 몸에 적당한 운동을 하고 도라오면 심신도 상쾌해지고 몸에 퍽 유리하다고 믿읍니다"[36]라는 권고는 이러한 과정에서 내화된 것이다. 1940년 피서지의 화려한 별장을 배경으로 도시적・정신적 "퇴폐"의 상을 그려낸 김남천의 「낭비」는 그러므로 이와 같이 전개되던 건전 오락 문화정책의 역상을 묘파하고 있는 것이기도 하고, 이 정책 논리에 구멍이 나는 실상을 드러내 보이는 것이기도 하다.

제국의 요청에 의해 병기가 되어야 하는 상황, 그리고 전시의 철저한 '물자절약'과 다양한 층위의 '전시윤리' 준수가 강력하게 요구되던 상황에서 조선인의 몇 퍼센트가 이와 같은 부드러운 신체 단련을 향유할 수 있었는지는 통계적으로 정확하게 확인할 수 없다. 그러나 이 통계를 밝히는 것 못지않게 중요한 것은 '국가'가 추천하는 유흥을 통해

35) 위의 글 참고. 더불어 다카오카 히로유키, 「전쟁과 건강 : 근대 '건강담론'의 확립과 일본총력전체제」, 송태욱 역, 『당대비평』 2004. 9. 참고.

36) 「민중보건 좌담회」, 『조광』 1938. 8, 102쪽.

지배적인 신체 이데올로기를 흡수토록 유도하는 제국의 전시 논리에 대한 파악일 것이다. 전시기 조선의 담론층을 채우고 있는 오락에의 권유에 무엇이 숨겨져 있었는지, 그 배면을 봐야 하는 이유는 여기에 있다.

오락의 금지라기보다는 이중 전략을 통한 오락의 선택적 재편, 그리고 유희의 금기화라기보다는 장려를 통한 은근한 신체-감각 조율, 이처럼, 주체가 인지 가능한 강도의 억압이나 규율과는 다른 방식을 취한 (건전) 오락이라는 원거리 신체 조형술이 도시 문명의 "부박함"과 데카당한 측면을 전면적으로 부정하는 기제로 활용된 것은 논리상 쉽게 납득된다. 신체를 둘러싸고 오락 재편이 이루어지기 시작하여 1941년경에 이르기까지 전시 문화, 전시 세계관의 핵심으로 거듭거듭 강조된 것이 바로 "명랑성"이었다. 전시 문화행정이 정책적으로 강조한 "명랑성"은 "자유주의적 개인주의를 포기하고 국가제일주의, 국방제일주의"[37]로 전환하기 위한 내적 개조의 핵심 코드였다. 1941년 국민총력연맹에 문화부가 설치되고 적극적인 전시 문화행정이 강화되면서 건전성에의 지향은 "명랑성"이라는 코드로 더 공허하게 '명랑해'진 것이다. 영화, 연극을 비롯한 문화 분야에 이 전시 명랑성의 이데올로기는 깊고 넓게 퍼지면서 각종 진흥책이 쏟아져 나오게 된다. 한결같은 목적은 물론 "장기전일쑤록 민중으로 하여금 명랑한 생활을 가지도록 건전한 오락을 보급 진흥"[38]시킨다는 것이었다. "오락은 다만 그 민중의 심지를 열케 하는 것보다는 그로 인하야 능률을 증진하고 국민에게 건실한 기풍을 조장하지 않으면 않 된다……그러므로 오락은 반듯이 강건질실한 국민적 기풍을 양성하고 이로써 인생의 쾌활을 알게 되고

37) 계광순, 「총독부고등관 제씨가 전시하 조선 민중에 전하는 서」, 『삼천리』 1941. 4.

38) 위의 글, 31쪽.

이 발발한 활기는 생산확충, 국가에 대한 봉공 등을 필수적 조건으로 들지 않을 수 없다.……인생을 슬픔과 탄식으로써 살 것이 아니라 노래와 우숨으로 살 것이라는 인생관을 갖어"[39]야 한다는 명랑국가의 논리는 영화, 연극을 비롯한 문화 분야에 깊고 넓게 퍼진다.

이 전시 명랑성의 이데올로기가 신체 조형술과 접합되는 순간 재발굴되기에 이른 것이 바로 건전-명랑-신체-오락의 종합 표상인 "농촌 오락"="향토 오락"="전통 오락"이다. 이와 같은 '오락의 재발견'의 근거는 다음과 같이 제공되고 있다.

> 그러나 回顧하건데 朝鮮의 鄕土娛樂은 그간 공연한 迂廻를 하여섰다. 朝鮮의 그 지방 그 지방이 각각 가지고 오던 모든 淡淡하고 溫穩 명랑한 娛樂과 歌謠는 舊識이라는 애매한 일흠으로 모조리 排斥을 당하고 대신으로 이상야릇한 짓과 怪狀망측하고 불건전한 留聲機 소리에(다 그런 것은 않이지마는) 젊은 農夫는 광이와 소를 버리고 農村을 더나고 바다에서 도라오면 漁豊舞踊으로 떼을 魚符는 그만 酒肆로 다라나서 문자 그대로 불건전한 쾌락을 구해온 것이 최근의 현상이었다.[40]

'농촌 오락=향토 오락'의 발굴은 근대 도시(성)에 대한 전면적인 비판을 담고 있었다. 화류병이나 결핵이 국가적으로 중요한 인적 자원인 젊은 층을 잠식해 들어가는 데카당한 도시 문명의 상징으로 담론화 되었듯이, 모든 불건전과 질병의 근원인 도시 혹은 도시적 신체에 대한 부정이라는 맥락에서 '농촌 오락=향토 오락' 이데올로기는 적극적으로 개진되었다. 향토애의 진작과 농민의 농촌 이탈 방지도 함께 꾀했던

39) 유광열, 「건실한 오락의 건설」, 『조광』 1941. 3.
40) 송석하, 「농촌오락」, 『삼천리』 1941. 4, 227쪽.

향토 오락 진흥책은 대동아공영의 '동양으로의 회귀' 노선과도 그대로 일치하고 있는데, 결과적으로 보자면 이 프로그램은 놀면서 만들어지는 생활형 '동양'적 신체 병기 기획의 최종판이라고도 할 수 있다. 여기에는 제국의 전시 연성 우생학의 모든 것이 압축되어 있다. 농촌 오락은 "농민들의 생활에 윤기를 주고 유쾌를 주게 되어 그들의 생활에 활기를 넣게 되는 것이며 또 이것은 저절로 그들의 건체운동(體健運動)도 된다"[41]라는 근거 하에 이 시기 가장 중요한 신체 조형술의 하나로 자리매김된다.

전체적으로 봤을 때 대대적인 민속의 호출이 당시 조선을 휩쓸고 있었는데 이러한 동시다발적 민속화 바람 속에서 연성 우생학 역시 새로운 정향점을 찾아낸 것이라고도 할 수 있겠다. "요즘 와서 동양문화의 재음미 재검토의 말이 나게 되어 살릴 것은 살리고 버릴 것은 버리자는 문제가 오르게 됐는데" 이에 부응하여 "체위 향상과 좋은 민속을 살리"[42]기 위해 열렸다는 한 좌담회는 이 시기 신체 담론의 심층 논리를 고스란히 압축하여 보여주고 있다. 특히 씨름은 "전신운동이 되며 정신통일이 되는 것과 승부를 빨리 내게 되므로 근육의 마비성이 없는 것과 운동 장소가 대개는 공기와 일광이 좋은 들이나 천변이나 강변이므로 건강상 매우 좋을 뿐만 아니라 장소의 설비와 준비에 돈이 특별이 들지 아니하므로 경제적 문제가 붙지 아니하는 점에 있어 민중의 체육 향상"[43]에 최적인 놀이로 인정받았다. 인용문에 나열되어 있는

---

41) 손진태, 「전통오락진흥문제」, 『삼천리』 1941. 4, 221쪽.

42) 「조선무예와 경기를 말하는 좌담회」, 『조광』 1941. 4, 294쪽.

43) 이극로, 「씨름은 체육적 예술」, 『삼천리』 1941. 4, 226쪽. 그밖에 운동 효과를 가진 민속놀이로 윷놀이, 널뛰기, 그네, 줄다리기, 석전, 편싸움 등이 거론되고 있다. 이에 대해서는 아주 구체적인 논의들이 이루어지는데, 전통 향토놀이 가운데서도 권할 만한 것과 그렇지 못한 것들에 대한 언급, 놀이의 특징이나 방법에 대한 자세한 설명들도 많다.

운동의 '덕목'들은 당시 명랑 제국의 고안과 권장을 고스란히 담고 있는 핵심어들로서, 이 그로테스크한 씨름도의 밑바닥에서 보게 되는 것은 전시 오락 생체 정치의 짙은 그림자이다.

4. 맺음말

전시 연성 우생학이 제공, 선전한 오락적 신체 단련의 판타지는 이미 일본의 모형 실험 국가였던 "스포츠 제국" 만주국에서 누차 실험되고 있었고 중일전쟁기에는 보다 강화된 기획에 따라 더 철두철미하게 실현되고 있었던 것이기도 하다.[44] 각종 레크리에이션 정책, 체육대회 그리고 올림픽에 이르기까지 일본의 신체정치는 15년간 그 군사적 행진을 계속해왔다. 조선의 경우 전시 신체정치의 변용 과정은 1938년 지원병제 실시와 1942년 징병제 실시라는 현실과 분리시켜 이해할 수 없을 것이다. 이러한 상황에서 조선인의 저열한 체위 수준은 끊임없이 지적, 점검되었으며 특히나 더 저열한 존재들은 존재 자체가 위험스러운 것으로 특화되곤 했다. 이와 더불어 갖가지 근절, 향상 대책이 제안되었다. 연성 우생학의 생체 정치는 경성 우생학의 폭력성이나 중간지대 우생 기술의 필요불가결성이라는 층위로부터 벗어나 유화적 문화정치의 모습으로 사망률과 질병에 허덕이는 피식민 주체를 '초대'하

---

44) 국가 정책과 건전-집단 스포츠의 분리 불가능한 결합은 이미 만주국 건설기에 강력하게 이루어지고 있었다. 만주국의 체육정책과 군국 (울트라) 내셔널리즘에 대해서는 Suk-Jung Han, Imitating the Colonizers : The legacy of the Disciplining State from Manchukuo to South Korea, http : //japanfocus.org ; 山口昌男, 『'挫折'の昭和史』, 岩波書店, 2001, 특히 3~4장. "스포츠 제국"이라는 용어는 이 책에서 인용한다. 그리고 岸野雄三 외 편, 『近代体育スポーツ年表』, 大修館書店, 1973 참고.

였다. 그런 점에서 신체를 둘러싸고 벌어진 전시 연성 우생학의 문화정치를 해명하는 일은 총동원의 은폐된 논리를 드러내는 일이기도 하고 나아가 비참한 피식민 지대를 채우고 있던 억압적인 잉여, 공허한 향유와 취미의 내막을 밝히는 일이기도 한 것이다.

경성 우생학의 폭력과 연성 우생학의 회유가 강화된 전시 총동원기에 쓰인 소설 가운데는 오락을 통한 건강한 신체 단련이라는 상상 체계에 민감하게 반응한 작품들이 있다. 식민지 도시 지식인의 신체성은 당시의 지배적인 건전−명랑−역동적 신체 이데올로기에 반하는 “신경쇠약” 직전의 어떤 것으로 상상되곤 했다.[45] “하얀 쎄타에 노란 스카-트가 목덜미에서 한들거리는 약간 커-ㄹ한 머리털과 함께 가벼운 근히의 눈은 핑퐁 알을 떫으며 샛별처럼 빛난다……이 남매가 육체로써 비저주는 향기로웁고 뜨거운 미감이란 이렇게, 아트리에 속에 셋이 마조 앉었을 뿐으로 내 몸 마디마디에 안윽한 히열을 갖어다 준다”라든가, “건강을 도모하셔요……왜 좀더 건강스런 향락을 설게하시지 않으심니까 여행을 하십시다 신선한 공기를 흡수하고 식욕의 항진을 꾀하여서 제 혈색을 빼앗으세요”라는 식의 상상력은, 앞서 잠깐 언급했던 김남천의 소설과 마찬가지로, 전시 우생학의 문화 현장 속에서 어떤 식으로든 그 논리와 길항, 교섭하면서 배출된 것이다.

소설적 상상력이 아닌 구체적인 삶의 영역에서도, 지배적인 문화 이데올로기가 대중을 향해 작동할 때에는 매끄럽게 접근하지 못하는 지점이나 ‘완벽한’ 착근에 장애가 발생하는 지점들이 있을 것이다. 본 논문에서는 우선 문화화된, 보다 특수하게는 오락화된 식민지 우생학의 변형 구조를 규명하는 데 초점을 맞추었기 때문에, 취향의 덮개를 쓴

45) 이 시기에 특히 도시생활자나 지식계급은 신경쇠약 발생률이 높은 집단으로 거론되곤 했다. 이들의 과도한 고민과 방황, 정신적-신체적 유약성, 운동 부족 등을 비판적으로 지적하는 경우는 아주 흔하다.

지배 논리가 어떠한 반작용이나 반동을 불러일으키면서 관철 혹은 변모하는가에 대해서는 충분한 검토를 하지 못했다.[46] 이 작업을 위해서는, 하나의 예를 들자면, 본문에서 다루었던 하이킹이라는 전시 여행문화의 '강력하지만 부드러운' 규율성이 이를 종종 데이트나 사적 놀이의 기회로 전유하곤 했던 동시대 주체들의 어떤 실제적인 유희성과 늘 부딪치며 공존했을 가능성에 대해 다시 고민하지 않을 수 없을 것이다. "사랑의 하이킹 코스"에 대한 소개와 "명랑히 우슬 준비를 미리 하고 가시는 게 도덕상으로든지 위생상으로든지 지당하다고 생각합니다"[47]라는 권고가 공존하는 복잡한 전시의 피식민 주체의 삶의 현장을 복원하고 그 의미를 묻는 일은 차후의 또 다른 작업으로 연속해나갈 것임을 밝혀둔다.

---

46) 이 문제와 관련하여 지배 문화의 정책성과 그것의 수용자－반응자들의 복합적인 관계를 규명한 논문으로, 권명아, 「생활양식과 파시즘의 문제 : 식민지와 그 이후」(『'식민지 파시즘'의 유산과 극복의 과제』, 연세대학교 국학연구원 학술회의 자료집, 2005. 5. 20)를 참고할 수 있다. 이 논문은 전시 총동원의 파시즘과 일상 공간의 다층적인 마찰 계기를 일상사 연구의 관점에서 규명하고 있는데, 동의나 저항이라는 이분법적 지점으로 환원될 수 없는 얽히고설킨 정체성 정치와 욕망의 지점을 드러내 보인다.

47) 이서구, 「애인 다리고 갈 사랑의 '하이킹 코스'」, 『삼천리』 1936. 6, 98쪽. "현재 하이킹이 성행하고 있다"라는 언급은 당시 문헌에 나오지만 하이킹 '수행자' 혹은 '향유자'와 관련된 통계나 실증적 기록은 찾아보기 힘들다. 1920년대를 중심으로 한 근대 스포츠 시설에 대한 연구로는 손환, 「일제하 한국 근대스포츠 시설에 관한 연구」, 『한국체육학회지』 42권 4호, 2003.

찾아보기

【ㄱ】

가부장제 151
가정보국운동 178, 182
간호부 138
갑신정강 55
강원도관 95, 100
『개벽』 24, 55
개인주의 38, 52
개조 21
개화 24
건전성 237
건전 오락 234, 238
건전한 오락 218
게임돌이 136
경기도관 94, 99
京都館 99
경무위생사법관 88
경상남도관 94, 99
경상북도관 95
경성역 134
경성 우생학 219
경성운동장 134
「경영」 198, 208
계몽 44
고무공장 140
공적 자유 48
공진회보따리 114
공창 145
交通建築土木館 91
교통토목건축관 88
교환수 138
九州館 97
구질서 203
국민 체위 향상 230
국수(國粹) 27
권번 145
근대 82, 83, 86, 105, 106, 118, 121, 123, 151
근대민족주의 45
근대성 22, 82, 83, 91, 106, 124, 154
근대인식 154
근대적 개인 35, 47
근대적 교육 153
근우회 176
금광브로커 136
기계전기관 88
기독교 151
기독교적/계몽적 주부 173
기생 128
기생조합 144
김광섭 190
김남천 193, 195
金善 174

金英順 175

【ㄴ】

『나의 옥중기』 190
낙랑 파라 135
낙원정 135
남녀평등 171
「낭비」 198, 208
내지관(內地館) 88, 91, 92, 96
농촌 오락 243

【ㄷ】

단성사 146
당구점 136
大連勸業博覽會 100, 101
대중 오락 237
대창옥 135
大阪館 88, 97, 112
『대한매일신보』 27, 38
『독립신문』 26, 37, 55
동경관(東京館) 88, 98, 104
「등불」 214

【ㄹ】

로크(Locke) 51, 53
로크의 재산권이론 61
리얼리즘 194
리얼리티 192, 197

【ㅁ】

만주대박람회 102
매춘부 144
「맥」 198, 208, 214
명랑성 234, 242
명월관 134
모방과 저항 43
모방과 정체성(imitation or identity)의 딜레마 44
무장투쟁론 74
문명 24, 83, 86, 87, 88, 99, 100, 102, 105, 118, 120, 122, 123
문명개화 25
문명적 개인 29, 35
문명화 84, 154
문화 24, 98, 100, 105, 107, 118, 119, 122, 123, 124
문화주의 21, 33
米館 88, 89, 97
미술공예교육관(美術工藝敎育館) 88, 90
민족 48
민족개벽론 31
「민족개조론」 41, 56
민족보건 238
민족성 32
민족 신체 226
민족주의 23, 38, 48
민중보건 238
밀(Mill) 51

【ㅂ】

박길룡 104
박람회 82, 84, 85, 87, 100, 106, 109, 110, 111, 113, 115, 116, 118, 119, 120, 122
박람회보따리 114
박영효 26, 36
박태원 134

발화자의 시선/욕망 193, 197
方信榮 175
배성룡 138
백화점 137
『별건곤』 132
병사의 신체 233
복음화 154
볼셰비즘 66

【ㅅ】

『사랑의 수족관』 198, 213
司法警務衛生館 91
사이드 44
사적 자유 49
사회경제관(社會經濟館) 88, 90
사회대공주의(社會大公主義) 73
사회주의 48
사회주의자 193
사회진화론 27, 38
산업남관(産業南館) 88, 89
산업북관(産業北館) 88, 89
산파 138
三菱館 88
三井館 97
색주가 139
생체 권력(Bio-power) 218
생활 오락 234
생활 우생학 232
생활체육 237
선교사 153
세계동포주의 33
『소설가 구보씨의 일일』 134
송진우 40, 117, 119
수양동우회 73
스코틀랜드 68
스포츠 232, 234
식도원 134
식민성 22, 83, 124
식민주의 81, 122
식민지 근대 81, 100
식민지적 정체성 110, 119, 122, 124, 125
신교육 153
新舊 83, 86, 91, 92
신민(新民) 72
신민족 30
신민회 72
신여성 131, 151
『신여성』 142
신인간 31, 35
신채호 37, 43
신체 오락 232
신체정치(body-politics) 219
신체 조형술 218
실력양성 74
실력양성론 22
심세관(審勢館) 88, 90, 93

【ㅇ】

안잠자기 136
안재홍 117, 119
안창호 50, 69
양계초 26
여급 128
여성교육 153
여행 234
연성 우생학 219
열성퇴치론 219
염상섭 103, 104, 105, 111, 119
영웅 39
오락 220, 232, 233, 234

요리점 128
『우생』 228
우생학 219
우성정책론 220
운동 234
원각사 145
원시성 87, 88
위생과 청결 224
위생론 224
위생정책 230
유각경 176, 183
유곽 134, 139
유광열 118
유교적 계몽주의 26
유길준 25, 37
유치원 138
유화적 문화정치 245
陸軍館 91
육해군관 88
윤치호 29, 50, 57, 117, 118
의료정책 230
의료 파시즘 229
이광수 31, 40, 41, 56, 131
이돈화 35
일본관 83, 92, 97, 99, 119, 121
일본색 121
일선동조론 29

【ㅈ】

자조(自助, self-help) 39
장안사 146
적자생존 61
電氣機械館 91
전라남도관 93, 99
전라북도관 94, 100
전시관 83, 93, 103, 104, 105, 108, 113, 119, 124
전시 문화 행정 234
전시의 오락 234
전영택 40
전통 82, 83, 86, 99, 102, 105, 106, 121, 123
전통 오락 109, 243
전향 193, 195, 216
전향자 195
절제운동 178, 181
정수일 119
정신 개조 240
정체성 83, 106, 110, 124
정치적 리얼리즘 23, 44
제3의 길 57
제국주의 22
제국주의이론 61
젠더 기제 198
젠더화 193
조선관 83, 88, 92, 96, 99, 100, 101, 102, 103, 104, 114, 119
조선물산공진회 82, 84, 85, 108
조선박람회 81, 82, 83, 84, 85, 86, 102, 103, 105, 107, 111, 112, 119, 121, 123, 125
조선색 86, 87, 100, 102, 103, 105, 124
조선신궁 191
조선우생협회 227
조선은행 134
조선호텔 135
조안 스콧 201
住友館 98, 99
중일전쟁 194, 195
직업부인 205
직영관 86, 87, 88, 91

진독수(陣獨秀) 42
집단심성 122, 124

【ㅊ】

車士百 174
參考館 88, 92, 99
창기조합 144
『천변풍경』 134
청년 31
청요리 136
체육 234
체코슬로바키아 67
총독부 68
총동원 시기 218
총동원체제 234
충청남도관 93, 100
충청북도관 95
취미 234
취미의 근대화 235

【ㅋ】

카페 134
칸트 30

【ㅌ】

탈식민 43
탈식민주의 45
투어리즘 234
특설관 86, 88, 92, 96, 97

【ㅍ】

평안남도관 95, 100
평안북도관 99, 100

【ㅎ】

하녀 139
하이킹 241
『학지광』 28, 40, 55
한국자유주의 50
함경남도관 95, 98, 99
함경북도관 93, 100
海軍館 91
해수욕장 138
향토 오락 243
향토적 신체 238
玄德信 175
홉하우스(Hobhaus) 51
홍범14조 55
홍애시덕 176
화신상회 134
활동사진관 88
『황성신문』 27
후생성 230
후생운동 234
흥사단 73

연구 참여자
정용화 | 연세대학교 국학연구원 연구교수, 정치학
김영희 | 연세대학교 국학연구원 연구교수, 한국사학
김선경 | 서울대학교 규장각한국학연구원 객원연구원, 한국사학
이윤미 | 홍익대학교 부교수, 교육학
공임순 | 성신여자대학교 인문과학연구소 연구원, 국문학
김예림 | 성공회대학교 동아시아연구소 연구교수, 국문학

연세국학총서 99 (일제하 한국사회의 근대적 변화와 전통 2)
일제하 서구문화의 수용과 근대성
정용화 · 김영희 외 지음

2008년 6월 5일 초판 1쇄 발행

펴낸이 · 오일주
펴낸곳 · 도서출판 혜안
등록번호 · 제22-471호
등록일자 · 1993년 7월 30일

㊐ 121-836 서울시 마포구 서교동 326-26번지 102호
전화 · 3141-3711~2 / 팩시밀리 · 3141-3710
E-Mail hyeanpub@hanmail.net

ISBN 978-89-8494-336-0 93910

값 22,000 원